Aphroditopolis
Glaudianus
Mons
ROTES MEER
Wüste
Theben
Hermonthis
Östliche
Wüste
Apollinopolis Magna
Unterägypten
Syene
Pselchis
Nil
Nubien
0
100 km

5/3

BIRGIT
FIOLKA

# Bint-Anat
## Tochter des Nils

EDITION
OSIRIS

BIRGIT
FIOLKA

# Bint-Anat
## Tochter des Nils

Weltbild

Genehmigte Lizenzausgabe für Sammler-Editionen in der
Verlagsgruppe Weltbild GmbH, Steinerne Furt, 86167 Augsburg

Einbandgestaltung: HildenDesign, München
Titelmotiv: Vogel © Visual Arts Library, London,
Rahmen HildenDesign Eigenarchiv
Druck & Bindung: Bagel Roto-Offset GmbH & Co.KG, 06721 Schleinitz
Printed in Germany

*Ich widme dieses Buch meinen Eltern,*
*die stets zu mir standen,*
*sodass ich meinen Traum verwirklichen konnte.*
*Mein besonderer Dank gilt meiner Mutter,*
*denn ihr Glaube an mich war*
*unerschütterlich.*

# Isisnofret und Nefertari

*Ra, der Du leuchtest, wohlgefällig meinem Antlitz. Meine Stärke ist wie Dein Licht niemals endend, niemals hadernd. Ich bin groß durch Dich, ich bin erwählt in Deinem Herzen. Lass mich tanzen Dir zu Ehren, Dir zu gefallen, einer Göttin gleich.*

Ich, Bint-Anat, Tochter und große königliche Gemahlin des großen Osiris Ramses Usermaatre Setepenre, erinnere mich an die Zeit, als Atums Strahlen noch gleißend auf mein Haupt fielen und mich mit der Kraft beseelten, die mich zu dem machte, was ich letztendlich wirklich war. Die große königliche Gemahlin meines Vaters und Gemahls Ramses Usermaatre Setepenre. Nun, da mein Körper alt und müde ist und meine süße Liebe in der Sonnenbarke über den Himmel fährt, bleibt mir nur noch eines zu tun: um mein Weiterleben in den schönen Gefilden des Westens zu bitten und zu hoffen, dass man sich meiner eines Tages erinnern wird, denn die Titel und Ehrenauszeichnungen wurden einer anderen zuteil, die zwar nicht minder königlich war, doch die Liebe zu meinem Land, seine Leiden und Herausforderungen teilte ich mit meinem Gemahl, dem großen Ramses. Ich habe meine Tochter Binat-Anat II. gut vorbereitet als große königliche Gemahlin in den Palast Merenpthas gegeben und harre nun in Bubastis, der Stadt meiner geliebten Bastet, auf meinen Übergang in den schönen Westen. Ich erflehe von den Göttern, dass eines Tages jemand meine Geschichte finden und mir so aus dem Schattendasein verhelfen kann, sowohl in der Erinnerung meines Volkes als auch in den Gefilden des Westens. Zum Beweis für die Richtigkeit meiner Geschichte lege ich dir, Fremder, das Wichtigste bei, was mein Gemahl mir einst überließ – zwei goldene Armreifen mit seiner Kartusche, welche er mir kurz nach meiner Inthronisierung übereignete. Hüte sie gut, denn sie sind die letzten Monumente einer großen Zeit, in denen noch der Geist des großen Ramses Usermaatre Setepenre und seiner großen königlichen Gemahlin Bint-Anat, Tochter der Göttin Anat, lebendig ist …

*Dies schrieb im Jahr 1 der Herrschaft des großen Merenptah Bint-Anat, große Königswitwe.*

# Kapitel 1

*Jahr 7 der Herrschaft Sethos' I. –*
*der Harem Faijum*

Isisnofret, die alle im Harem wegen ihres wilden Jähzorns und ihrer aufbrausenden Art, die ihrer Schönheit jedoch in nichts nachstanden, heimlich nur Sachmet nannten, hatte soeben ihre Schminksklavin davongejagt, weil dieses törichte Ding es nicht schaffte, ihre braunen Mandelaugen so mit Kohol zu bemalen, wie es für den heutigen Anlass angemessen gewesen wäre.

Jetzt erregte ihre Perückensklavin erneut ihren Zorn, da sie die Perücke mit den Hunderten von kleinen Zöpfen unzureichend befestigte und nicht in der Lage war, den schönen Stirnschmuck in Form einer Wildgans aus Türkis anzubringen. Das Mädchen, das noch nicht sehr lange im Dienst der zu Wutausbrüchen neigenden jungen Dame stand, lief weinend davon, während Isisnofret sich selbst daranmachte, sich zu schminken und anzukleiden. Heute war wirklich ein Anlass geboten, denn es kam nicht allzu oft vor, dass das Königspaar gemeinsam den großen königlichen Harem in Faijum besuchte.

Nachdem sie die Perücke über ihr kastanienbraunes, naturgewelltes Haar gelegt, den entsprechenden Kopfschmuck befestigt und ihre Augen mit Kohol bemalt hatte, betrachtete sie sich zufrieden in ihrem Bronzespiegel.

Sie trug ein Kleid aus durchsichtigem Linnen, das eine Brust frei ließ, einen aufwändig gearbeiteten Halskragen aus Lapislazuli und Türkis, dazu an den Armen breite goldene Reifen, und den Höhepunkt bildeten kleine, an ihren Fesseln befindliche Reifen, an denen Hunderte von Glöckchen hingen, die beim Laufen ein leises Klingeln erzeugten.

Isisnofret war zufrieden mit sich. Was ihr da schon mehr Sorgen machte, war die Aufgabe, die Hormin, der Vorsteher des Harems, ihr zugeteilt hatte. Sie sollte beim Abendbankett des Königspaares Harfe spielen. Isisnofret hasste alle Frauenarbeiten, sie konnte nicht nähen, nicht weben und auch nicht besonders gut musizieren. Allerdings hatte Hormin mit dem Harfespielen noch etwas getroffen, das sie mit ein wenig Glück durchschnittlich meistern würde.

Isisnofret hasste auch den Harem. Während ihre Genossinnen sich tagaus, tagein mit irgendwelchen Frauenarbeiten zu beschäftigen wussten, langweilte sie sich seit ihrer Ankunft vor etwa sechs Jahren fast zu Tode.

Plötzlich stand Hormin in der Tür. Sie wollte schon aufbrausen, doch dann fiel ihr ein, dass Hormin, der keinerlei Interesse an Frauen zeigte, sich sonst niemals in das Ankleidezimmer einer Frau verirrte. Das musste einen besonderen Grund haben.

»Isisnofret, das königliche Paar ist eingetroffen, und dein Erscheinen ist sofort erwünscht.«

Isisnofret dachte an das Harfenspiel. Sie hatte gehofft, bis zum Abend noch etwas üben zu können, aber jetzt musste sie gleich gehen, denn ihre Anwesenheit war ein königlicher Befehl. Mit einem letzten Blick auf den Spiegel erhob sie sich in einer duftenden Wolke aus Olibanum und folgte Hormin zum Empfangssaal.

Das große königliche Paar saß auf zwei Thronen, lauschte den Sängerinnen und Musikantinnen und ließ sich von den Tänzerinnen unterhalten, die allesamt die Besten ihrer Kunst waren.

Tuja, die große königliche Gemahlin, war im Harem bekannt, da sie öfter die Überschwemmungszeit mit ihren Hofdamen und den jüngeren königlichen Kindern dort verbrachte.

Mit einem Blick zu Sethos seufzte Tuja innerlich auf. Bis jetzt war ihr noch keine der Damen als große königliche Gemahlin erschienen. Gewiss, sie waren alle wunderschön, gut erzogen, von edlem Blut und verstanden sich auf ihre Kunst, aber sie hatte den Eindruck, als wäre das dann auch schon alles.

»Hormin, ich dachte, im Faijum werden große königliche Gemahlinnen erzogen. Was ich sehe, ist ein Haufen Nebenfrauen und Konkubinen. Keines dieser Mädchen könnte an der Seite meines Sohnes Ramses bestehen.«

Hormin begann sofort, sich zu entschuldigen. Für ihn waren sie alle gleich, gackernde Nilgänse, die sich nur auf Frauengewäsch verstanden. Mit zitternden Fingern winkte er die nächste Gruppe Musikantinnen herbei, der auch Isisnofret angehörte. Er hatte sie eigentlich erst am Abend auftreten lassen wollen, wenn das Königspaar, berauscht durch Wein und Bier, eine mildere Laune gehabt hätte. Um das schlechte Spiel von Isisnofret auszugleichen, hatte er ihr Nefertari, eine reinblütige Ägypterin und Nachfahrin des Königshauses der 18. Dynastie, beigeordnet.

Jetzt jedoch sah Hormin sich einem fatalen Fehler ausgeliefert. Während Isisnofret herausgeputzt und strahlend neben ihrer Harfe Platz nahm, wirkte Nefertari ganz anders. Sie war sehr klein, nur etwa einsfünfundfünfzig, und ihre Gestalt war überaus zierlich. Ihr Gesicht war schmal, jedoch gut proportioniert. Sie hatte einen alabasterfarbenen Teint und tiefschwarzes Haar, das sie nicht unter einer Perücke versteckte. Sie trug ein plissiertes, halb durchsichtiges Leinenkleid, das von einem roten Gürtel um die Taille gehalten wurde, und an Schmuck nur ein schmales goldenes Diadem und zierliche Reifen an Armen und Fesseln. Ihre Augen leuchteten in einem Grün, das dem der Jade gleichkam – transparent und doch unergründlich.

Die Mädchen fingen an zu musizieren, und Isisnofret dachte noch, dass sie diesmal ihre Sache eigentlich recht gut meistern würde, da griff sie zu fest in die Saite der Harfe, und es gab ein unpassendes Geräusch, als die Saite riss.

Die große königliche Gemahlin Tuja runzelte die Stirn. »Das Harfespielen scheint dir nicht sonderlich zu liegen, doch wenn dies der Fall ist, warum hat dich Hormin überhaupt kommen lassen? Vielleicht solltest du lieber etwas nähen, oder vielleicht solltest du an diesem Tag überhaupt nicht hier sein!«

»Wenn die große Königsgemahlin sich wirklich für die Qualitäten von Frauen interessierte, dann würde sie nicht nach einem Haufen Näherinnen und Tänzerinnen suchen, sondern außergewöhnliche Fähigkeiten hinterfragen. Ich für meinen Teil habe es nie für besonders erstrebenswert gehalten, mich mit den kleinen Dingen des Lebens zu befassen, gibt es doch so viel Größeres.«

Tuja war nun außer sich vor Zorn, aber angemessen einer Gottesgemahlin merkte man dieses nur an dem drohenden Unterton in ihrer Stimme: »Meine Ohren sind taub und meine Augen blind für das Verhalten dieses Mädchens. Hormin, schaffe sie fort.«

Doch ehe Hormin seiner Aufgabe nachkommen konnte, war Isisnofret schon verschwunden.

»Majestät, es tut mir außerordentlich Leid, Isisnofret ist ein sehr eigenwilliger Charakter. Wahrscheinlich ist es das ausländische Blut, das zum Teil durch ihre unwürdigen Adern pulsiert.«

Hormin war außer sich und zitterte am ganzen Leib. Tuja erwiderte nichts auf diese Erklärung und las auch aus Sethos' Zügen keinerlei Reaktion. Für sie war die Sache so weit erledigt.

»Bringe mir das Mädchen mit dem Sistrum, dessen Stimme mich bezaubern konnte.«

Nefertari war Tuja von Anfang an sympathisch gewesen. Sie las in ihren Zügen ruhige Zurückhaltung, und auch die Sparsamkeit ihres Schmucks beeindruckte sie. Nefertari trat schüchtern vor die Königin und verbeugte sich.

»Sage mir, wie dein Name ist.«

»Nefertari, große Königin.«

»Nefertari, wie alt bist du?«

»Ich bin gerade vierzehn Jahre alt geworden, große Königin.«

»In welchen Fächern bist du unterrichtet worden, Nefertari?«

»Im Tanz, im Gesang, im Musizieren sowie im Schreiben und Rechnen.«

Tuja gefiel, was sie hörte. Nur allzu selten wurden Mädchen in wichtigen Fächern unterrichtet, was zur Beschränkung ihres Horizontes führte. Tuja glaubte jedoch, mit etwas Erziehung war Nefertari noch jung genug, um später einmal gut vorbereitet an der Seite ihres Sohnes den Thron zu besteigen.

Abends saß Isisnofret zu Tode betrübt in ihren schönen Gemächern. Sie hatte alle Dienerinnen und Sklavinnen fortgeschickt, denn sie war sich der Dummheit ihrer Handlung bewusst geworden. Nun würde sie endgültig im Harem verkümmern, und nicht einmal ein langweiliger Landadliger würde sie heiraten wollen. Sie hatte ihr Leben ein für alle Mal verspielt. Das Königspaar war wider Erwarten schon vor dem Abendessen nach Memphis aufgebrochen. Und wem würde für diese vorzeitige Abreise wohl die Schuld gegeben werden? Ihr natürlich, Isisnofret, die das Benehmen einer Straßenhündin an den Tag gelegt hatte. Hormin würde sie nur noch für Küchenarbeiten einteilen lassen, und niemand würde mehr mit ihr sprechen.

»Isisnofret, ich habe mit dir zu reden.« Hormins Stimme war streng, und erstmalig fühlte Isisnofret sich Hormin gegenüber nicht mehr überlegen. »Du wirst in zwei Monaten deinen gesamten Haushalt nach Memphis verlegen lassen und nur ein paar deiner bisherigen Dienerinnen behalten.«

Isisnofret gefror das Blut in den Adern. Sollte sie nun irgendeinen armen Provinzler heiraten, der wahrscheinlich ein so kleines Haus hatte, dass sie ihr Personal dort nicht unterbringen konnte?

»Hormin, ich bitte dich, mein Verhalten war ungezogen, und ich bedauere aus tiefster Seele. Ich erhoffe mir nichts mehr nach diesem Tage, doch bitte lass mich einfach hier im Harem bleiben. Ich werde nie mehr auch nur irgendwelche Ansprüche stellen.«

Hormins Miene verriet nur Zorn. »Wenn es nach mir ginge, Isisnofret, wärst du bis in alle Ewigkeit hier im Harem geblieben, und ich hätte dich deinen Fehler für den Rest deines Lebens bezahlen lassen, aber die Götter scheinen dich zu schützen. Du kannst dein Personal nicht mitnehmen, da königliche Hofdamen von nun an in deinen Diensten stehen werden.« Isisnofret starrte Hormin verständnislos an. Dieser wurde nun noch wütender. »Als Hauptgemahlin des Prinzregenten kannst du dich nicht mehr mit irgendwelchen mittelmäßigen Bediensteten zufriedengeben.«

Isisnofret rauschte das Blut in den Ohren. »Aber …«

»Es war die Wahl des großen Sethos. Er scheint eine Schwäche für wilde Frauen zu haben. Ich verstehe das nicht. Aber glaube ja nicht, dass dir diese Ehre allein zuteil wird, denn in Tuja hast du heute bestimmt keine Freundin gefunden. Ihre Wahl fiel auf Nefertari, die meines Erachtens auch viel besser als Erbprinzessin geeignet ist. Ich denke, dass Prinz Ramses sie sehr schätzen wird.«

Auf Hormins Gesicht stellte sich ein leises Lächeln ein. Doch Isisnofret begann zu begreifen. Sie, die gerade noch gedacht hatte, sie hätte sich ihr Leben selbst zu Grunde gerichtet, sie, Isisnofret, hatte den großen mächtigen Stier, geliebt von Maat, von ihren Fähigkeiten als große königliche Gemahlin überzeugt. Und während ihr dieses noch bewusst wurde, hatte sie schon wieder ihr altes Selbstvertrauen gefunden.

Gelassen lehnte sie sich auf ihrer Liege zurück und sagte: »Hormin, ich denke, du vergisst, mit wem du es zu tun hast. Für den Rest meines Aufenthaltes hier wünsche ich von dir nicht wieder belästigt zu werden.«

Hormins Gesicht verzog sich zu einer wütenden Fratze. Mit dieser Königin würde Ägypten nicht gut beraten sein.

*Jahr 7 der Herrschaft Sethos' I. –*
*königlicher Mitregentenpalast in Memphis*

Isisnofret hatte ihre Gemächer mit höchster Entzückung bezogen. Sie waren so viel größer als im Harem. Sie hatte viel mehr Personal, viel mehr Kleidung, viel mehr Schmuck und viel mehr

Spaß. Sogar eine eigene große Terrasse gehörte dem Flügel des Palastes an, den sie bewohnte.

Seit einem Monat war sie nun hier, doch ihren Gemahl, den Prinzen Ramses, hatte sie noch nicht gesehen. Er weilte zurzeit nicht im Palast, sondern wurde von seinem Vater Sethos in Pi-Ramses, das gerade zur Hauptstadt ausgebaut wurde, als Mitregent bestätigt. Pi-Ramses sollte die schönste Hauptstadt werden, die das ägyptische Reich je hatte.

Gesehen aber hatte sie schon ihre Rivalin. Sie hatte Nefertari von dem Augenblick an als ihre Rivalin betrachtet, als Hormin ihr ihre Vorzüge geschildert hatte. Nefertari bewohnte den Flügel direkt neben ihr und war gleichzeitig mit ihr in Memphis eingetroffen. Jetzt bezogen noch die königlichen Nebenfrauen und Konkubinen den Regentenpalast, von denen jedoch schon bald einige wieder in irgendwelche Harems abgeschoben werden würden.

Ti, ihre adlige Hofdame, mit der sie sich in den letzten Wochen angefreundet hatte, betrat ihre Gemächer. »Herrin, ich habe fantastische Neuigkeiten für dich«.

Isisnofret blickte gelangweilt auf. »Na los, erzähl schon.«

»Herrin, Prinz Ramses' Inthronisierung ist nun beendet, und der königliche Harem ist vollständig.«

»Wie schön für ihn, Ti, was ist daran nun Aufregendes zu finden?« Isisnofret biss in eine Feige und wartete auf die Antwort.

»Nun, dass Prinz Ramses jetzt genug Zeit hat, sich seinen eigenen familiären Angelegenheiten zu widmen, was wiederum heißt, dass er sich auf dem Weg nach Memphis befindet. Aussagen zufolge ist er schon sehr gespannt, welche Schönheiten sein Vater ihm für den Palast ausgewählt hat und ob seine großen Gemahlinnen der Anmut und Schönheit entsprechen, die sein Vater ihm in Aussicht gestellt hat.«

Isisnofret sprang auf. »Das ist wirklich einmal eine sehr gute Nachricht. Wann wird der Prinz erwartet?«

»In nur einer Woche wird er hier sein, Herrin.«

Isisnofret ließ sich erneut lasziv auf einem Stuhl nieder und erwiderte: »Dies, meine liebe Ti, bedarf bester Vorausplanung.

Was macht eigentlich meine geliebte Schwester Nefertari? Sollte ich ihr nicht im Hinblick auf das große Ereignis einen Besuch abstatten – sozusagen unter Schwestern?«

Ti tauschte einen verschwörerischen Blick mit ihrer Herrin und nickte wissend.

Nefertari saß unter einem Baldachin auf ihrer Terrasse und blickte auf den großen Palastgarten. Gerade wollte sie ein wenig schlafen, da kam eine Dienerin und verbeugte sich.

»Herrin, die Erbprinzessin Isisnofret bittet darum, Euch ein wenig Gesellschaft leisten zu dürfen.«

Nefertari blickte verwundert auf. Isisnofret hatte sich den ganzen Monat, den sie beide nun schon hier weilten, nicht einmal sehen lassen. Nefertari hatte sie zwei Mal aufgesucht, aber jedes Mal war sie mit der Ausrede, die Dame sei leider heute unpässlich, zurückgewiesen worden. Doch Nefertari lag etwas an einer harmonischen Beziehung zu ihrer Schwester, und so gab sie der Dienerin ein Zeichen, Isisnofret eintreten zu lassen.

Isisnofret strahlte eine unverschämte Frische aus, und überschwänglich ließ sie sich neben Nefertari nieder, die sogleich die Dienerin beauftragte, etwas Gebäck und kühlen Oasenwein aufzutragen.

»O Schwester, das ist überhaupt nicht nötig, ich habe eine Kleinigkeit für uns mitgebracht.« Isisnofret stellte eine zierlich anmutende Schale mit Honiggebäck auf den Beistelltisch vor dem Baldachin.

Nefertari lächelte. »Ich bin froh, dass meine Schwester den Weg zu mir gefunden hat, bevor der Prinz eintrifft, denn ich selbst habe schon zwei Mal versucht, dich zu sehen, wurde aber jedes Mal von deinen Hofdamen abgewiesen.«

Isisnofret zeigte einen entschuldigenden Gesichtsausdruck. »Oh, es tut mir Leid, aber ich war unpässlich von der Reise aus dem Harem Faijum. Sie hat mich doch sehr angestrengt. Aber jetzt fühle ich mich wie neu geboren, und deshalb habe ich auch direkt diesen Tag genutzt, um dir einen Besuch abzustatten.«

»Das freut mich wirklich sehr, denn ich hatte schon befürchtet, du würdest mich vielleicht ablehnen, da du mich als Rivalin betrachtest. Jetzt aber, da du mir so freundlich begegnest, bin ich beruhigt und hoffe, dass wir gute Freundinnen werden, denn wir sind ja eigentlich beide noch Fremde hier.«

Isisnofret ergriff Nefertaris Hand. »Ich hatte gehofft, dass du dies sagen würdest, denn auch ich habe diese Befürchtungen gehegt.«

Nefertari nahm sich einen der kleinen Honigkuchen und biss herzhaft hinein. »Diese Honigkuchen sind wirklich außergewöhnlich gut. Wer hat sie gebacken?«

»Oh, der Koch meiner Hofdame Ti ist der beste Koch, den es hier in Memphis gibt. Ich lasse dir gerne regelmäßig eine Schale zukommen.«

»Ja, das wäre wirklich schön, aber bediene dich doch bitte auch.«

Isisnofret nahm sich ebenfalls einen Kuchen und stellte fest, dass er wirklich außergewöhnlich gut war. Dann machte sie einen besorgten Gesichtsausdruck. »Nefertari, warum bist du an einem solch heißen Tag nicht mit deinen Hofdamen im Palastgarten und kühlst dich ein wenig im See ab?«

»Meine Haut ist sehr sonnenempfindlich, mich würde wahrscheinlich sofort ein Sommerfieber heimsuchen.«

»Oh, das tut mir wirklich Leid.« Nefertari lächelte.

»Ich habe mich im Laufe der Jahre daran gewöhnt, auf einiges zu verzichten.«

»So? Auf was denn?«

»Auf Olibanum zum Beispiel. Ich vertrage es nicht und werde davon krank.«

»Ohne Olibanum könnte ich überhaupt nicht existieren. Ich benutze es fast jeden Tag.«

»Auf der Haut macht es mir nicht sehr viel aus, doch in Speisen oder Mundwassern ist es für mich sehr gefährlich.«

Isisnofret schüttelte bestürzt den Kopf. »Nun ja, dann ist es jetzt ganz besonders wichtig, dass du auf deine Gesundheit achtest. Dies gilt natürlich für uns beide, denn wir werden irgendwann einmal die großen königlichen Gemahlinnen sein.«

Nefertari senkte die Lider. »Eigentlich bin ich eher beunruhigt. Was ist, wenn der Prinz mich ablehnt oder er mir nicht gefällt?«

»O Nefertari, wir werden ihm schon gefallen, und es ist immer der erste Eindruck, der zählt.«

Es war nun eine Woche vergangen, und der Prinz war eingetroffen. Noch immer hatte keine der Frauen Ramses zu Gesicht bekommen. Isisnofret wurde langsam nervös, zumal sie keine Nachricht von Nefertari erhielt. Sie hatte die versprochenen Honigkuchen jeden zweiten Tag an Nefertari gesandt, doch es kam weder eine Einladung noch ein Dankesschreiben von ihr. Isisnofret musste sich Gewissheit verschaffen.

Am frühen Nachmittag ließ sie sich bei Nefertari anmelden. Eine Hofdame wollte sie gerade vertrösten, doch dann hörte sie vom Inneren des Gemaches Nefertaris leise Stimme. »Meine Schwester soll eintreten, Taschat.«

Isisnofret betrat Nefertaris Gemach und stellte fest, dass die Fenster verhangen waren. Nefertari lag auf dem Bett und sah wirklich sehr krank aus.

»Oh, bei Isis! Nefertari, bist du etwa krank?«

Nefertari richtete sich mühsam auf. »Ach Schwester, ich bin seit etwa drei Tagen erkrankt. Ein starkes Fieber schüttelt mich, und ich kann meinen Stuhl nicht halten.«

»Oh, Nefertari, der Prinz ist eingetroffen, und er wird uns bald sehen wollen. Doch in diesem Zustand, nein, Nefertari, ich habe dir doch gesagt, dass es der erste Eindruck ist, der zählt.«

»Aber was soll ich denn bloß tun?«

»Sieh dich an, Nefertari, deine Augen sind von Ringen umlagert, und was würde der Prinz sagen, wenn du in deiner Hochzeitsnacht ständig das Bett verlassen musst, um die Toilettenräume aufzusuchen? Nein, das geht nun wirklich nicht. Außerdem, was würde es für einen Eindruck machen, wenn das Erste, was Prinz Ramses von dir erfahren würde, wäre, dass du krank bist. Nein, er darf es auf keinen Fall wissen.«

»Aber wie könnte man ihm dies denn verheimlichen?«

»Ich werde mir etwas einfallen lassen, Nefertari, das verspreche ich dir.«

Welch ein Erfolg! Isisnofret schwebte zurück in ihre Gemächer und drehte sich überschwänglich drei Mal im Kreis. Dann schickte sie bis auf Ti alle ihre Hofdamen hinaus.

»Ti, ich werde dich reichlich belohnen, du hast mir wirklich gute Dienste geleistet. Nefertari wird die nächsten zwei Wochen ihre Gemächer nicht verlassen können, und dies bedeutet, dass ich zwei Wochen lang Zeit haben werde, Ramses davon zu überzeugen, dass Nefertari nicht zur großen Königsgemahlin geeignet ist.«

Ti verneigte sich ergeben. »Herrin, wann immer Ihr meiner Hilfe bedürft, könnt Ihr Euch dieser versichern. Eure Belange sind auch die meinen, und meine Dienerin ist Eure.«

»Ich weiß das zu schätzen, Ti, und ich werde mich weiterhin erkenntlich zeigen.«

Kurze Zeit später überbrachte eine Dienerin ihr ein Papyrus, das Isisnofret unverzüglich zu lesen begann.

*»Dies schreibt Dir, hohe Dame, Amunnemipet, der Sandalenträger des Prinzregenten Ramses Meriamun. Um die Abendstunde wünscht der Prinz seine beiden Hauptgemahlinnen im großen Empfangssaal zu sehen. Ich werde die hohe Dame von ihrem Gemach dorthin geleiten.*
*Amunnemipet, Sandalenträger des Prinzregenten.«*

Isisnofret war zufrieden. Sie schickte sofort eine Dienerin zu Nefertari, die mit Sicherheit das gleiche Schreiben erhalten hatte, und ließ dieser ausrichten, dass sie sich nicht aus ihrem Gemach entfernen solle. Isisnofret regle heute alles für sie. Nun brauchte sie nur noch auf den Abend zu warten und natürlich ihre Schmink-, Garderobe- und Perückenkünstlerinnen zu rufen, damit sie den besten Eindruck hinterließ.

Amunnemipet war ein großer, schlaksiger Mann, der sich – das bemerkte Isisnofret sofort – nicht durch Frauen täuschen ließ. Bei ihm musste man sehr vorsichtig sein, sowohl mit der Wahl der Worte als auch mit den Lügen, die man versuchte zu erzählen. Er verbeugte sich vor Isisnofret.

»Folge mir bitte, hohe Dame, ich muss ebenfalls noch deine Schwester Nefertari abholen.«

Isisnofret setzte ein bestürztes Gesicht auf. »O bitte, es tut mir sehr Leid, aber ich habe Nefertari mein Versprechen gegeben, dass ich ihr helfe. Der rote Mond der hohen Dame ist gestern aufgegangen, und sie sieht sich dann jedes Mal außer Stande, ihre Gemächer zu verlassen.«

»Es liegt ein königlicher Befehl ihres Gemahls und des großen Königspaars vor, ihre Anwesenheit ist erwünscht!«

Isisnofret presste eine kleine Träne aus ihrem Augenwinkel. »Oh, versteh doch bitte! Wenn sie heute in diesem Zustand vor ihren Gemahl und das Königspaar tritt und weder ihr Anblick noch ihr Reden zu überzeugen mag, wie soll dann bloß ihre Zukunft aussehen? Ich liebe sie, sie ist mir in den letzten zwei Monaten sehr ans Herz gewachsen. Wegen einer solchen Kleinigkeit, die in ein paar Tagen erledigt ist, sollte man ihr wirklich keine Steine in den Weg legen. Ich bitte dich, Amunnemipet.«

Amunnemipet versuchte in den Zügen dieser schönen Frau zu lesen. Er vermochte es nicht. Entweder war sie eine sehr gute Lügnerin, oder sie mochte Nefertari wirklich. Eigentlich kannte er diese Art von Frau. Egoistisch und hintertrieben. Doch war er nicht geneigt, einen Menschen zu verurteilen, über den er sich kein überzeugendes Bild hatte machen können. Er wollte also abwarten und diese Isisnofret genau im Auge behalten.

»Also gut, ich bin geneigt, dir das zu glauben, und denke, dass ich einen Arzt zu der hohen Dame werde kommen lassen. Du musst Nefertaris heutiges Fernbleiben jedoch vor dem Königspaar und deinem Gemahl erklären.«

Isisnofret blickte erleichtert auf. »Natürlich werde ich das tun. Und ich habe auch schon mehr getan. Ich habe meinen Leibarzt zu Nefertari geschickt, damit er sie behandelt. Sie ist also in den besten Händen.«

Amunnemipet verbeugte sich und gab Isisnofret ein Zeichen, ihr zu folgen.

Nach dem ihr endlos erscheinenden Weg bis zum Fuße des Throns konnte sie sich endlich verbeugen. Sie hatte ihren Gemahl noch immer nicht gesehen, denn noch durfte sie es nicht wagen, ihm dreist in die Augen zu blicken. Sie war vom Königspaar noch nicht offiziell bestätigt worden und musste sich so wie alle anderen tief verbeugen.

»Steh auf, Isisnofret.« Diese Stimme hatte Sethos gehört. Isisnofret erhob sich langsam. »Wo ist deine Schwester Nefertari?«

Isisnofret setzte ein unterwürfiges Gesicht auf. »Es tut mir so Leid, aber sie ist verhindert, eine Unpässlichkeit lässt ihr Erscheinen nicht zu. Ich bitte Euch, ihr nicht zu zürnen, sie wird sicherlich in ein paar Tagen wieder gesund sein.«

Tuja runzelte die Stirn und blickte dann Amunnemipet an. Dieser nickte nur stumm, denn er fragte sich, ob er richtig gehandelt hatte, da Isisnofrets Worte, obgleich mit Bedacht gewählt, kein gutes Licht auf Nefertari geworfen hatten. Gewiss, es wäre unverschämt gewesen, die Regelblutung der jungen Dame zu erwähnen, doch alles auf eine leichte Unpässlichkeit zu schieben, könnte doch vernichtend sein. Amunnemipet fühlte sich hintergangen, aber jetzt konnte er nichts ausrichten, er musste nur lernen, bei Isisnofret vorsichtiger zu sein.

Zum Glück war Tuja milde, und so ließ sie durch eine Handbewegung wissen, dass die Sache erledigt war.

Isisnofret verbeugte sich und konnte aus dem Augenwinkel noch Tujas eisigen Blick auffangen. Doch dann war es endlich so weit. Er kam die Stufen herunter auf sie zu – Ramses, der Kronprinz, dem sie noch immer nicht in die Augen hatte blicken können. Er zog ihren Kopf mit einem Finger sachte hoch und sah ihr in die Augen.

Für Isisnofret schienen nun Momente zu Stunden zu werden. Ramses war nicht älter als sie, gerade einmal fünfzehn, doch wirkte er eher wie achtzehn oder neunzehn. Er war groß für sein Alter und auch muskulös gebaut, sein Gesicht war markant, er hatte eine stark ausgeprägte Nase, die seiner Attraktivität jedoch durchaus nicht abträglich war. Er trug wie sein Vater einen einfachen Schurz, doch bevorzugte er die blaue Chepresh-Krone, und seine Arme waren mit Goldreifen geschmückt, die sein Namenssiegel sowie die Köpfe von Wildenten trugen. Seine Füße steckten in goldenen Sandalen.

»Wirklich schön«, hörte sie eine tiefe, melodische Stimme. »Mein Vater hat mir eine schöne Gemahlin gebracht.«

Der Bankettsaal, alle hohen Persönlichkeiten zum Greifen nah, alle tragen erlesenen Schmuck, trinken den besten Wein, und alle verbeugen sich vor ihr, Isisnofret. Kleine Tische stehen überall, und um diese kleine Gruppen, Mädchen und Frauen zusammen und woanders wieder ihre Gatten und gut aussehende junge Männer, die noch zu haben sind. Für sie nicht mehr! Warum auch? Wie sollte sie jetzt noch einer von diesen Männern beeindrucken, geschweige denn zufrieden stellen können? Sie ist Isisnofret, vermag sich an jeglichen Tisch zu setzen, der ihr beliebt, denn niemand könnte sie mehr abweisen, niemand wollte es mehr.

So schritt der Abend bei einem guten Essen, viel Wein und gepflegter Unterhaltung voran. Dann verließ das Königspaar endlich den Bankettsaal. Auch die älteren Leute zogen sich zurück. Jeder wusste, dass jetzt das Fest der jungen Leute beginnen würde. Sofort kamen nackte nubische Tänzerinnen und Akrobatinnen herbei, der Wein floss reichlicher, und die Unterhaltungen wurden zügelloser, ja geradezu obszön. Die Blicke der jungen Männer wurden bedeutungsvoller, und hier und da zogen sich Pärchen zurück.

Suchend sah sich Isisnofret um und entdeckte ihren Gemahl, der schon längst seine blaue Krone abgelegt hatte und sich eine junge nubische Tänzerin nahm, und dies in eindeutiger Weise, als er sich gerade über sie beugte und versuchte, seinen Schurz zu lösen. Sie wusste, er war jung, aber dies war eine Situation, die sie ihr Gesicht verlieren lassen konnte. Wenn er hier vor ihren Augen mit einer Sklavin schlief, ohne seine Gemahlin als Erste bedacht zu haben.

Sie griff nach einem Becher Wein und überlegte, wie es ihr am besten gelingen würde, Ramses' Aufmerksamkeit auf sich zu lenken. Dann kam ihr eine wirklich simple Idee, die es ihr gestatten sollte, ihr Gesicht zu wahren. Lasziv ließ sie sich auf einem Stuhl nieder und winkte eine der Sklavinnen herbei. Sie flüsterte ihr etwas zu, und sofort machte sich das Mädchen in Richtung ihres Gemahls auf. Dieser löste sich gerade von der Nubierin. Isisnofret kochte innerlich. Sobald Ramses die Nachricht erhalten hatte, blickte er in ihre Richtung. Sie tat, als sähe sie ihn nicht, machte ein demonstrativ gelangweiltes Gesicht und nippte abwesend an ihrem Wein. Aus dem Augenwinkel konnte sie an Ramses' ungebändigtem Verhalten erkennen, dass er vor Wut schäumte. Ohne für ihn sichtlich davon Notiz zu nehmen, ließ sie den Becher beiläufig auf den Boden fallen und erhob sich mit den geschmeidigen Bewegungen einer Katze. Im bewussten Schlendertempo verließ sie den Saal und ging langsam in die Richtung ihres Wohnflügels.

Schon kurz darauf hörte sie schnelle Schritte hinter sich. Es hatte also funktioniert. Männer brauchte man nur in ihrer Eitelkeit zu kränken. Plötzlich fasste sie jemand unsanft an der Schulter. Isisnofret drehte sich erbost um. Ramses stand vor ihr, und wirklich, er war Angst einflößend, wenn er so einen Wutanfall wie jetzt hatte, doch sie durfte sich keine Blöße geben. Eigentlich war er ganz ruhig, aber sie konnte das Beben, das von ihm ausging, geradezu spüren.

»Wie kannst du es wagen, einfach ohne deinen Gemahl dein Hochzeitsbankett zu verlassen.«

Isisnofret winkte in einer fließenden Handbewegung ausschweifend ab. »Nun, wie es dir ja schon diese kleine Sklavin ausgerichtet hat, war ich gelangweilt, die Darstellungen der Tänzerinnen waren mittelmäßig und die Gäste furchtbar spießig. Niemand schien mir recht interessant dort.«

Ihre Wortwahl musste Ramses hart treffen, denn er war eitel, schon auf Grund seiner Mitregentschaft und seiner Jugend. Eine Frau hatte ihn kompromittiert.

»Eine Braut verlässt die Hochzeitsgesellschaft niemals ohne ihren Gemahl, und wenn, hat sie ihn vorher zu fragen«, schrie Ramses in einem plötzlichen Wutanfall heraus.

Isisnofret blieb ruhig. »Du schienst mir beschäftigt mit der kleinen Nubierin, also sah ich natürlich keinen Grund mehr zu bleiben. Deine Bedürfnisse schienen befriedigt, und meine wirst du demnach auf keinen Fall zu befriedigen im Stande sein.«

Ramses lief puterrot an. »Was weißt du schon von den Bedürfnissen eines Mannes, und was interessieren mich deine Bedürfnisse?«

Isisnofret grinste Ramses abschätzend an. »Richtig, sie interessieren dich nicht, denn sonst würdest du dich nicht mit einer billigen Sklavin abgeben.«

Ohne Ramses noch eines Blickes zu würdigen, drehte sie sich händeringend um und verließ schwebenden Schrittes den Ort dieser Diskussion.

Ramses war sprachlos. Diese hier hatte ihn behandelt wie noch keine Frau jemals in seinem Leben.

Isisnofret war zufrieden. Sie hatte den ungestümen Prinzen in seine Schranken verwiesen. Zumindest für heute hatte sie einen großen Sieg errungen. Blieb abzuwarten, ob sie ihm auch interessant genug erschien.

Isisnofret zog ihr Kleid aus und begab sich in ihr anliegendes Badehaus. Die Dienerinnen hatten frische Lotosblätter in das wohlriechende parfümierte Wasser gestreut. Wahrscheinlich hatten sie gedacht, sie würde hier heute Nacht nicht allein baden. Nun, morgen war ja auch noch ein Tag. Aber was wäre, wenn sie morgen versagen würde. Trotz ihrer Klugheit und ihrem überlegenen Getue hatte sie doch überhaupt keine Erfahrung mit körperlicher Liebe, was man von Ramses nicht behaupten konnte. Hunderte hatte er schon gehabt. Was nun, wenn sie sich so ungeschickt anstellte, dass er nie mehr etwas von ihr würde wissen wollen. Nein, sie musste erfahren wirken, aufreizend, sie musste interessant für ihn sein. Und sie musste vor Nefertari einen Sohn gebären. Sie musste einem Thronfolger das Leben schenken.

Isisnofret hatte einen beunruhigenden Traum. Sie sah die goldene Hathor vor sich, wie sie Nefertari die Krone mit dem Sothis-Stern aufs Haupt setzte. Sie stand daneben und hatte eine kleine Tochter im Arm, während Nefertari einen Sohn an der Hand hielt. Das Sothis-Gestirn kam ihr demnach zu, da ein Sohn hochrangiger war und sowieso der Kronprinz. Isisnofret wälzte sich herum und stöhnte. Sie wollte nicht mehr träumen, dieser Traum war nicht schön, sie wollte aufwachen.

Plötzlich öffnete sie die Augen. Irgendetwas war anders. Ihr ganzer Körper schien zu beben, sie schwitzte stark. Ehe sie sich richtig orientieren konnte, spürte sie ein Ziehen in ihrem Unterleib, ihre Brustwarzen waren hart – sie war erregt. Als ihre Augen sich an die Dunkelheit gewöhnt hatten und ihre Sinne ihr wieder gehorchten, erkannte sie auch den Grund. Ramses war da. Er war über sie gebeugt, stützte sich auf seine Arme, und seine Zunge hatte ihre Brustwarzen gereizt. Er trug noch seinen Schurz, und sie atmete ein wenig auf. Er konnte also noch nicht lange bei ihr sein. Ehe sie etwas zu sagen vermochte, ließ er sich mit seinem Gewicht auf sie gleiten, presste seinen Mund auf ihren und schob seine Zunge ungeduldig fordernd zwischen ihre Zähne. Seine Hände umfassten ihre Brüste und begannen sie unsanft zu kneten. Sein Atem ging schnell.

Entschlossen nahm sie all ihre Kraft zusammen und drängte ihn von sich. Ramses aber drückte seinen Körper auf sie und hielt ihre Arme fest. Sein Mund fuhr an ihrem Hals entlang, wandte sich wieder ihren Brustwarzen zu, und als er ihr gerade gewaltsam die Schenkel öffnen wollte, schaffte sie es, ihn abzudrängen. Sie stieß ihn heftig von sich. Er sah sie zornig an.

Ramses' Stolz war gekränkt. Da stand eine schöne Frau vor ihm, atemberaubend schön, das musste er zugeben. Sie war die Wahl seines Vaters Sethos, er begehrte sie, gerade jetzt, da sie wie eine Katze vom Bett hinunterglitt, völlig nackt, und ihre schönen Haare in Locken über ihre Brüste fielen. Ihre Augen verrieten Stolz, keine andere Frau hatte ihn jemals so angesehen, alle waren immer unterwürfig gewesen. Gewiss, sie hatten ihm Freude bereitet, aber nie hatte es eine gewagt, voller Verlangen seinen Namen zu flüstern oder ihn zu bitten, sie nochmals zu lieben. Hatten sie es sich nicht getraut, oder hatten sie alle vielleicht wirklich kein Bedürfnis danach verspürt? Wenn diese hier ihn begehren würde, würde sie seinen Namen flüstern, würde sie ihn auffordern, sie nochmals zu lieben? Ja, diese würde das tun, und er wollte, dass sie es tat. Er begehrte sie wie noch keine andere Frau vorher. Jetzt griff sie nach einem durchsichtigen Nachtgewand.

»Nicht!«

Seine Stimme klang zu seinem Erstaunen heiser, obgleich sie doch eigentlich hätte fordernd klingen sollen. Sie bemerkte es und ließ sich das Gewand von ihm abnehmen. Er ergriff ihre Hand und führte sie zum Bett. Sie waren gleichaltrig, beide fünfzehn, aber dennoch war sie schon eine Frau, und er war zumindest körperlich, wenn nicht auch geistig schon ein Mann. Er spürte ein sehnsüchtiges Verlangen nach dieser Frau.

Diesmal drückte er sie sanft aufs Bett zurück und begann zärtlich ihre Brüste zu liebkosen. Seine Zunge fuhr über ihren Körper, und sie musste ihre Widerstandshaltung aufgeben. Sie ließ einen tiefen Seufzer hören und beschloss, sich ihm ganz hinzugeben. Zumindest beim ersten Mal wollte sie ihn führen lassen, denn sie hatte keinerlei Erfahrung.

Eine Zeit lang lagen sie eng umschlungen auf dem Bett und berührten sich, küssten sich, versuchten Vertrauen ineinander zu erwecken. Isisnofret hatte sich fallen lassen. Sie begehrte ihn, und als er schließlich seinen Schurz löste und zwischen ihre Schenkel glitt, hob sie ihm bereitwillig ihr Becken entgegen. Er verstand und glitt in sie. Sie spürte einen kurzen Schmerz, doch er war unwichtig im Vergleich mit seinem Verlangen, das sie schon für alles entschädigte. Er bewegte sich zuerst sanft, dann wurde er heftiger, und plötzlich war alles vorbei. Isisnofret spürte nur noch die klebrigen Spuren eines Gemisches aus Blut und seinem Samen zwischen ihren Beinen. Er lag erschöpft neben ihr.

Sie wusste nicht, ob sie lachen oder weinen sollte. Was so verheißungsvoll begonnen hatte, hatte für sie recht freudlos geendet. Sie stand vom Bett auf und lief in ihr Badehaus, wo sie in die Kühle des Wasser glitt. Sie schwamm zu einer Ecke und ließ sich dort treiben. Nach einigen Minuten hörte sie ihn kommen. Mit ein paar Schwimmzügen hatte er sie erreicht und legte seine Arme um sie.

Die Liebkosungen begannen von neuem, und ebenso bereit ließ sie sich nochmals von ihm lieben. Einfach ohne etwas zu erwarten, war es diesmal genauso, wie sie es sich vorgestellt hatte. Sie presste sich noch fester an ihn und flüsterte seinen Namen: »Ramses.«

Erst früh am Morgen musste er sie verlassen haben, sie war irgendwann völlig erschöpft eingeschlafen. Träge schüttelte sie die Nachtgespenster ab und ließ sich auf diesen neuen Tag ein, dem ja immerhin ein Abend und eine Nacht folgen mussten. Er würde dann wieder bei ihr sein.

Sie ließ ihre gesamte Dienerschaft rufen, und nachdem sie angekleidet und geschminkt war, verzehrte sie genüsslich ein erlesenes Frühstück. Sie beschloss, ein wenig durch den Palast und die Gärten zu gehen. Vielleicht entdeckte sie hier ja irgendjemanden, mit dem sie sich die Zeit vertreiben konnte. Als sie gerade ihre Gemächer verlassen wollte, kam ihr Amunnemipet entgegen. Er verbeugte sich und begann sogleich einen Papyrus vor ihr zu entrollen.

»Die große königliche Gemahlin Tuja schickt mich zu dir, um dir deinen Tagesplan zu überbringen.«

Isisnofret runzelte verärgert die Stirn. »Die große königliche Gemahlin hat einen Tagesplan für mich erstellt?«

»Für dich und auch für deine Schwester Nefertari, sobald diese wieder wohlauf ist, versteht sich.«

Isisnofret glaubte ihren Ohren nicht zu trauen. »Bei Sachmet, die große königliche Gemahlin will uns überwachen wie Kleinkinder. Ich bin königlichen Geblüts, auserwählt, die Strahlen Res zu erblicken.«

Amunnemipet verbeugte sich abermals und fuhr in begütigendem Ton fort: »Euer Majestät, Eure zweifellos makellose Legitimation für die höchsten Privilegien bringt leider auch einmal einige Unannehmlichkeiten mit sich, denen sich jede königliche Gemahlin schon immer zu unterziehen hatte.«

Isisnofret brauste auf. »Wie kannst du es wagen, mich zu belehren?« Amunnemipet spürte, dass er höchste Vorsicht bei dieser Frau walten lassen musste. Sie war eine Schlange. »Auf die Knie!« Amunnemipet sah die wütende schöne Frau unverständig an. Er war ein hochprivilegierter Beamter, war Ramses' Freund und auch bei Sethos hoch geachtet. Niemand vom Königshaus hatte jemals eine solche Geste von ihm verlangt. Er war immer freundschaftlich behandelt worden.

Fassungslos gehorchte er ihrem Befehl, und nachdem sie ihn ein paar Minuten in dieser Stellung verharren ließ, zischte sie nur ein Wort: »Verschwinde.« Amunnemipet stand auf, verbeugte sich und eilte davon.

Er hatte mehr als genug über diese Frau erfahren, sie war wie Sachmet. Liebreizend und schön konnte sie anmuten, doch wehe, ihr vernichtender Zorn brach aus. Diese Frau liebte nicht Ägypten, sie liebte nicht Ramses – diese Frau liebte nur sich selbst. Es war an der Zeit, Vorkehrungen zu treffen. Wie war die andere – die so zerbrechlich zu sein schien –, vielleicht war sie die letzte Hoffnung Ägyptens, wenn die große Tuja nicht mehr in der Lage war, das Zepter zu führen. Ohne eine große königliche Gemahlin war die innere Ordnung, die Maat, gestört, kein Pharao vermochte ohne eine große Königin die Maat aufrechtzuerhalten. Sethos hatte Tuja gehabt, aber wen hatte Ramses? Diese ungestüme Frau konnte nicht das Gleichgewicht zu Ramses' ebenso ungestümer Seele bilden.

Amunnemipet beschloss, die andere aufzusuchen, um sich nach ihrem Gesundheitszustand zu erkundigen. Die Löwin hatte gewiss gelogen, wenn sie behauptete, ihr läge etwas an ihrer vermeintlichen Schwester. Außerdem – war es für sie nicht ein willkommenes Geschenk, dass Nefertari krank darniederlag? Konnte sie nicht die Zeit zu ihrem Verbündeten machen und ihren Gemahl mit dem ihr eigenen Feuer verschlingen? Wehe der armen Nefertari, wenn die Löwin gewann. Dann würde ihr irdisches Leben nicht lange währen, und ihre Kinder würden ihr in den Himmelsbarken folgen.

»Amun, schütze uns vor Sachmets Zorn, die diese Frau zu schützen scheint. Denn beide bringen nur Leid, Krieg und Verzweiflung über Ägypten.«

Nefertari lag immer noch krank darnieder. Es ging ihr nicht besser, sie fühlte sich schwach und müde. Als Amunnemipet sich anmelden ließ, kleidete ihre Hofdame sie zwar an, aber sie verzichtete auf jede Schminke und empfing ihn ruhend auf ihrem Bett.

»Es tut mir fürchterlich Leid, dass ich versage und meinen Platz an der Seite meines Gemahls nicht einnehmen kann.«

»Majestät, ich bin hier, um Euch jedwede Hilfe zukommen zu lassen. Auch bat mich die große königliche Gemahlin, Euch ihren Leibarzt zu senden.«

Nefertari lächelte dankbar. »Es ist wirklich schön, dass alle sich meiner so annehmen. Auch meine Schwester Isisnofret sendet mir jeden Tag ihren Leibarzt, der mich mit den besten Medikamenten versorgt.«

Amunnemipet horchte auf. Ja, Isisnofret hatte ihm dies gegenüber schon angedeutet, und er sah sich mal wieder der Verschlagenheit dieser Frau unterlegen. Vielleicht war Nefertari ja eigentlich gar nicht krank. Was wäre, wenn Isisnofret vorgesorgt hätte? Wie hatte er nur so naiv sein können. Er würde sofort Tujas Arzt zu Nefertari schicken, der würde schon herausfinden, was mit der Prinzessin geschehen war. Doch er durfte vorerst niemandem etwas von seinem Verdacht sagen. Wenn er falsch läge, könnte ihn dies sein Leben kosten. Aber handeln, das sah er an der geschwächten Prinzessin, musste er sofort.

»Warum besucht mich mein Gemahl nur abends? Warum verbringst du nicht auch die Tagesstunden mit mir?« Isisnofret räkelte sich neben ihrem Geliebten und fuhr ihm durch sein kurzes Haar, dessen flammende Farbe sie sehr faszinierte.

»Die Nacht gehört der Leidenschaft, keine andere habe ich je mehr begehrt. Doch der Tag gehört Ägypten, und dieses kann ohne Maat nicht existieren. Du würdest mich verwirren, ich könnte keinen vernünftigen Gedanken mehr fassen, wenn du an meiner Seite wärst.«

Isisnofret schmollte. »Aber Ägypten gehört doch schon fast dir. Wenn dein Vater einst in seiner Sonnenbarke über den Himmel zieht, ist alles, was der Pharao beschließt, Maat. Du brauchst nur zu befehlen, deine Legitimation wurde dir von den Göttern gegeben. Und ich werde deine Königin sein. Es ist nur recht und billig, wenn wir unser Recht in Anspruch nehmen.«

Ramses lächelte. »Nein, Ägypten dient nicht dem Pharao, sondern der Pharao dient Ägypten, ebenso wie die Königin Ägypten dient. Nur zusammen können sie die Maat aufrechterhalten. Wenn du es wünschst, an meiner Seite zu sein, dann musst du das Prinzip dieser Ordnung verstehen. Wir wohnen nicht in Palästen, um uns nur zu vergnügen. Wir sind die Stärke Ägyptens. Wenn Ägypten stirbt, dann müssen wir dies auch. Meine Mutter Tuja wird dich all dies lehren. Es gibt niemand anderen, der das besser könnte. Ab morgen wird auch für dich der normale Tagesablauf der Erbprinzessinnen beginnen.«

Isisnofret stöhnte auf. »Aber deine Mutter verachtet mich. Sie lehnt mich ab, das hat sie schon vom ersten Tag an getan.«

Ramses stand wütend vom Bett auf. »Meine Mutter ist die größte der Frauen, sie ist eine von den Göttern erwählte Königin. Sie hegt gegen niemanden ungerechtfertigt Groll. Wenn sie etwas an dir auszusetzen hat, dann gibt es dafür einen Grund.«

Isisnofret wurde ihrerseits wütend. »Ach, wie meinst du, könnte ich ihren Unmut erregt haben?«

Ramses griff nach seinem Schurz und schlang ihn um die Hüften. Danach begann er langsam auf und ab zu schreiten. »Nun, wie ich von Amunnemipet hörte, hattest du etwas an ihrem Zeitplan für dich auszusetzen?«

Isisnofret sprang auf und ging in ihr Badehaus, Ramses folgte ihr. Während sie sich träge in das kühle Wasser gleiten ließ, wurde Ramses ungeduldig.

»Nun? Ich warte auf deine Antwort, Prinzessin. Warum verweigerst du meiner Mutter den Respekt?«

Isisnofret ließ sich in einer Ecke des Bassins nieder. »Ich bin mit ihrem Zeitplan nicht einverstanden. Sie legt mir über den ganzen Tag irgendwelche Aufgaben. Für meine Bedürfnisse lässt sie mir überhaupt keine Zeit.«

»Deine Bedürfnisse, Prinzessin, stehen hinter den Bedürfnissen Ägyptens. Ich rate dir, dies möglichst schnell zu begreifen, und ich erwarte von dir, dass du morgen deinen Tagesablauf an der Seite meiner Mutter beginnst.«

Ramses verließ grußlos Isisnofrets Gemächer.

Isisnofret war wütend. Sie hatte nicht gedacht, dass die Bande zu seiner Mutter so eng waren. Sie hatte geglaubt, ihr Körper würde genügen, um Ramses hörig zu machen, doch musste sie sich spätestens jetzt eingestehen, dass Ramses eine starke Persönlichkeit hatte, die sich mit zunehmendem Alter noch mehr entwickeln würde. Sie musste also ihre Stellung weiter festigen, und zwar so, dass keiner ihre Legitimität anzweifeln würde.

Isisnofret hatte beschlossen, ihrer »Schwester« einen Besuch abzustatten. Sie wollte sichergehen, dass diese sich nicht auf dem Wege der Besserung befand. Mindestens zwei Wochen brauchte sie schon noch. Bis dahin könnte sie schwanger sein, und dann würde es sich im Palast sofort herumsprechen, dass sie diejenige war, die als Erste gebären würde und demnach auch die Bevorzugte im Bett des Prinzen war. Der Hofstaat würde unweigerlich ihr seine Gunstbeweise erbringen. Die andere würde bald vergessen werden, und Vergessene, tja, wer fragte schon danach, wenn sie eines Tages aus lauter Kummer vorzeitig das Land des Westens erblickten?

Nefertari schien zu ihrem Kummer jedoch auf dem Wege der Besserung zu sein. Sie fragte sich, wieso! Sie hatte jeden Tag selbst dafür Sorge getragen, dass sie die angegebene Menge Olibanum zu sich nahm. Zuerst in den Honigkuchen und danach, als Nefertari schon längst nicht mehr der Sinn nach Honigkuchen stand, hatte ihre treue Ti ihren Leibarzt bestochen, denn sie musste ihre Hände in Unschuld waschen – dafür war ein sehr hoher Betrag in Gold vonnöten gewesen –, damit er ihr weiter die angemessene Menge Olibanum in den Arzneien verabreichte. Was war hier also geschehen?

Nefertari begrüßte Isisnofret freundschaftlich. »Oh, meine Schwester, wie schön, dass du mir einen Besuch abstattest. Wie du siehst, geht es mir schon besser, was ich nur auf die gute Behandlung deines und des Leibarztes der großen Königin zurückführen kann.«

»Der großen Königin?« Isisnofret glaubte sich zu verhören.

»Ja, auch sie hat mir freundlicherweise ihren Arzt gesandt, und zusammen haben sie dann dieses Wunder bewirkt. Ich dachte schon, ich würde überhaupt nicht mehr gesund werden, denn ich fühlte mich von Tag zu Tag schlechter.«

Isisnofret gefror das Blut in den Adern, doch sie fing sich sofort wieder. »Nun, ich habe niemals an deiner Heilung gezweifelt, liebe Schwester.«

Nefertari lächelte. »Der Arzt sagt, in spätestens zwei Wochen bin ich wieder völlig gesund.« Dann verzog sie besorgt das Gesicht. »Hast du unseren Gemahl schon getroffen?«

Isisnofret tat verschüchtert. »Ja, seit zwei Nächten teile ich mit ihm das Lager, und glaube mir, du hast überhaupt nichts verpasst. Zuerst tut es nur weh, und dann ist es sehr unangenehm.« Nefertari blickte erschüttert drein. Isisnofret seufzte traurig. »Nun ja, die nächsten zwei Wochen wirst du wohl noch verschont bleiben. Vielleicht ist er ja gegen dich milder gestimmt, wenn er sein Feuer gelöscht hat.«

Nefertari griff nach Isisnofrets Hand. »Es tut mir so Leid, dass ich dir dies alles allein aufbürde. Wie gerne würde ich dir einen Teil deiner Last abnehmen.«

»Wünsche dir dies nicht, Schwester, im Gegenteil, wenn es so weit ist, zeige dich schüchtern und zurückhaltend, mache keine

Anstalten, selbst die Initiative zu ergreifen. Vielleicht lässt ihn dies milder mit dir verfahren.«

Nefertari nickte. »Ich bin dir sehr dankbar für deine Ratschläge, und ich werde sie befolgen.«

»Noch etwas!« Isisnofrets Ton wurde eindringlich. »Sage ihm nicht, dass ich mit dir über ihn gesprochen habe. Er würde sofort wütend werden und mich bestrafen. Er ist sehr aufbrausend und wild.«

»Ich verspreche dir Stillschweigen, Schwester.« Isisnofret erhob sich, um den Besuch zu beenden. Nefertari hielt sie noch einmal zurück. »Oh, wenn du morgen die Königin siehst, bitte richte ihr und Amunnemipet meinen Dank aus.«

Isisnofret zuckte zusammen. »Warum denn Amunnemipet?«

»Er besuchte mich gestern, und er sandte mir auch den Arzt der Königin.«

Isisnofret verabschiedete sich freundlich und ging. Amunnemipet steckte also dahinter. Hatte er etwas bemerkt? Warum hatte er sonst den Leibarzt der Königin einschalten sollen? Sie befand sich in einer gefährlichen Situation. Sie musste sofort etwas unternehmen, ehe die Verschwörung entdeckt wurde. Eilends lief sie zurück in ihre Gemächer.

Ti, Isisnofrets junge Hofdame, kam laufend herbei. Der Befehl war dringend gewesen, sie hatte ihre eigenen Arbeiten sofort beiseite gelegt und war nun auf dem Weg zu den Gemächern der Prinzessin. Ein neuer Auftrag versprach neuen Lohn, und neuer Lohn versprach Reichtum. Ti konnte sich diesen extravaganten Lebensstil nur leisten, wenn sie sich etwas dazuverdiente.

Isisnofret ging wie eine Raubkatze auf und ab. Die goldenen Kugeln, die die Zöpfe ihrer Perücke zusammenhielten, schlugen aneinander, ein metallisches Geräusch, wunderschön in Tis Ohren, denn was klang besser als Gold und Edelsteine. Ti verbeugte sich ergeben, und Isisnofret kam sogleich zur Sache.

»Ich habe einen neuen Auftrag für dich, Ti, er muss unverzüglich in die Tat umgesetzt werden, denn er ist von absoluter Dringlichkeit.« Ti verbeugte sich abermals zum Zeichen ihrer

Ergebenheit. »Der Arzt, der Nefertari behandelte, muss sofort aus Memphis verschwinden. Amunnemipet, der Schnüffler, hat den Leibarzt der Königin zu Nefertaris Behandlung hinzugezogen. Dies ist gefährlich. Wenn er in die Enge getrieben wird, wird dieser Mann reden.« Isisnofret machte eine kurze Pause, um die Worte wirken zu lassen. Dann fuhr sie leise fort: »Du weißt, was das bedeutet, Ti. Sowohl du als auch ich werden dann die Schuldigen sein. Die Todesstrafe wäre uns wohl sicher, denke ich.«

Ti spürte, wie sich ihre Nackenhaare unter ihrer Perücke kräuselten. Alles wäre dann umsonst gewesen. Kein Leben in Reichtum und später auch kein reicher Ehemann.

»Ich hörte, Prinzessin, dass dieser Leibarzt eine Schwäche für mich hegt. Dies hat ihn mitunter dazu veranlasst, in meine Dienste zu treten. Er wäre sicherlich hocherfreut, wenn ich seine nächtlichen Träume erfüllen würde.«

Isisnofret lächelte. »Wie schön, Ti! Wie man mir sagte, ist er ja auch nicht mehr der Jüngste, und oft hört man doch, dass ältere Männer ihre Kraft beim Liebesspiel überschätzen und der Tod sie heimsucht. Kennst du ein Mittel, das man in den Wein gibt?«

Ti grinste boshaft. »Ja, er selbst hat mir einst gezeigt, wie man es zubereitet, um mich zu beeindrucken.«

Isisnofret lachte. »Nun, wie dumm von ihm.« Sie ließ sich beruhigt auf einem Stuhl nieder. »Dann wirst du also heute Nacht mit einem Krug guten Weines bei ihm auftauchen. Aber besuche ihn überraschend. Es wäre fatal, wenn er jemandem vor seinem Tod erzählt, dass er eine Verabredung mit dir hat.«

Ti verbeugte sich und zog sich zurück, denn sie wusste, dass das Gespräch erst mal für Isisnofret beendet war.

Der nächste Tag fing für Isisnofret früh an. Sie lief hinter der Königin her, verrichtete mit gespieltem Eifer neben ihr die Mut-Opfer, langweilte sich beim Unterricht und saß danach an Ramses' Seite in seinem großen Empfangssaal, während sie die Probleme und Wünsche der Leute unsagbar anödeten. Sie nahm ihr Mahl neben der großen Königin ein und hoffte, dass diese nicht das Wort an sie richten würde. Tuja schien keinerlei Interesse daran zu haben, eine Unterhaltung anzufangen. Als beide gespeist hatten, hielt sich Isisnofret für entlassen und bat, sich zurückziehen zu dürfen.

»Einen Moment noch!« Dies waren die ersten Worte gewesen, die Tuja an diesem Tag an sie gerichtet hatte. Isisnofret setzte sich wieder. Tuja wusch ihre Finger in einer Silberschale und trocknete sie gründlich an einem Leinentuch ab. Erst dann begann sie den Faden erneut aufzunehmen. »Wie ich vernahm, ist dein Leibarzt heute Nacht verstorben.«

Isisnofret tat schockiert. »Dieses höre ich zum ersten Mal aus deinem Munde, Majestät. Es ist schlimm für mich, denn ich hatte Vertrauen zu ihm, und es wird mir gewiss schwerfallen, ihn zu ersetzen. Ich werde seiner Familie eine große Abfindung zukommen lassen.«

Tuja lächelte verschlagen. »Das glaube ich dir nur allzu gern, denn schließlich gibt es nicht viele Leute, denen man vertrauen kann. Deshalb habe ich beschlossen, dass mein Leibarzt auch der deine sein soll, denn ich habe grenzenloses Vertrauen in ihn, und er hat seine Aufgabe bei Nefertaris Heilung ja ebenso gut erfüllt wie der deine. Verfüge also über ihn, wann es dir beliebt.«

Isisnofret heuchelte Freude. »Ich bin dir zu großem Dank verpflichtet, Majestät, und werde dein Angebot gerne annehmen, doch langfristig wird er mir meinen Arzt nicht ersetzen können, vor allem, wenn mein roter Mond ausbleibt, was hoffentlich bald der Fall sein wird. Dann benötige ich eine absolute Vertrauensperson.«

»Oh, aber Prinzessin, gerade hier musst du dich auf Achmin verlassen, denn er hat mir bereits beigestanden, als ich Ramses das Leben schenkte. Ramses wird mit Sicherheit hocherfreut sein, wenn er hört, dass er dir von nun an zur Seite steht. Außerdem war dein Arzt nicht so vertrauensvoll, wie du es wahrscheinlich glaubst. Er starb bei einer höchst intimen Zusammenkunft mit einer Unbekannten – obwohl er eine Familie hat.«

Isisnofret knirschte innerlich mit den Zähnen. Tuja wusste Bescheid. Sie hatte keine Beweise, nein, weder sie noch Amunnemipet, aber sie beide würden sie von nun an im Auge behalten. Sie musste gute Miene zum bösen Spiel machen und eine lange Zeit verstreichen lassen, bevor sie ihre Intrigen weiterspinnen konnte. Sie hoffte inständig, dass Tuja es nicht wagte, Sethos oder sogar Ramses in ihre Verdachtsmomente einzuweihen. Sie konnte ihr ohne Beweise nichts anhaben. Isisnofret verbeugte sich also ehrerbietig und dankte der Königin für ihre Güte und Großzügigkeit. Daraufhin erhielt sie die Erlaubnis, sich zurückzuziehen.

Ramses, Prinz und Mitregent seines Vaters Sethos, war fünfzehn Jahre alt. Er hatte seinen Vater schon länger bei Regierungsgeschäften beigestanden, doch offiziell hatte er erst vor kurzer Zeit die Doppelkrone aufs Haupt gesetzt bekommen. Er war für sein Alter weit entwickelt, sowohl körperlich als auch geistig. Seine Inthronisierung hatte unweigerlich auch die Auswahl von Hauptgemahlinnen sowie eines Harems zur Folge. Letzterem hatte er noch keine Aufmerksamkeit geschenkt. Seine junge, schöne Hauptgemahlin Isisnofret, Tochter der Sachmet, erfüllte alle seine Wünsche. Sie schien niemals zu ermüden, und sooft er sich auch über sie ärgerte, weil sie sich einfach nicht ihren Pflichten als Hauptgemahlin unterzuordnen wusste, begehrte er sie von jedem Tag aufs Neue. Aber er war reif für sein Alter, und trotz des Vergnügens, das Isisnofret seinen Lenden auch bereiten konnte, begann er doch langsam an ihren Fähigkeiten als Gottesgemahlin zu zweifeln. Gewiss, sie war stark, aber auch blind für die Maat, welche unerlässlich für ein fruchtbares Fortbestehen Ägyptens stand. Sie gab sich in der letzten Zeit Mühe, ihn auch intellektuell zu befriedigen, doch war ihr Verhalten eine Farce, auch wenn Ramses ihr gegenüber den Schein wahrte.

Ihm wurde immer klarer, dass Isisnofret zwar seinen Körper beherrschte, ihm jedoch sinnige Gespräche fehlten, wie er sie mit seinen Freunden führte. Er wusste, dass Sethos Tuja in alle politischen Fragen und Probleme mit einbeziehen konnte. Stets war sie eine wertvolle Hilfe beim Lenken des großen Staatsschiffes gewesen.

Ramses vermochte sich nicht einmal ansatzweise vorzustellen, mit Isisnofret über irgendwelche wichtigen Dinge zu reden. Dafür war sie viel zu desinteressiert, oberflächlich und, was bei weitem das Schlimmste war, egoistisch. Isisnofret lebte nicht für Ägypten, Ägypten hatte für sie da zu sein. Das Prinzip des Pharaonentums war von ihr völlig missverstanden oder womöglich von ihr in eine passende Form gegossen worden.

Ramses machte sich das erste Mal wirklich Sorgen. Frauen waren für ihn immer nur Spielgefährtinnen gewesen, aber eine große königliche Gemahlin, das war in seinem Glauben verankert, musste Geliebte, Partnerin und Verbündete sein. Aber wenn diese hier nicht die Richtige war, dann blieb eigentlich nur noch die andere, die, die er noch gar nicht gesehen hatte. Wie war sie? Ramses Unmut gärte schon, bevor er sie nur ein einziges Mal zu Gesicht bekommen hatte. Von Anfang an schien sie schwächlich gewesen zu sein. Wahrscheinlich würde sie noch nicht einmal seine nächtlichen Bedürfnisse zu befriedigen wissen. Warum sollte er sich überhaupt die Mühe machen, sie kennen zu lernen. Eine schwache Frau konnte ihm nur schwache Nachkommen schenken, sie konnte an seiner Seite nicht glänzen.

Ramses stand von seinem Arbeitsplatz auf, den er in einem der hintersten Räume seiner Privatgemächer angelegt hatte – hier fand er immer genug Ruhe, um nachzudenken –, und ging langsam auf und ab, eine Angewohnheit, die ihm beim Denken half. Er beschloss, sich die andere doch anzusehen. Nicht, weil er Interesse hatte, sondern weil sie die Wahl seiner Mutter Tuja war, die er sehr verehrte und deren Meinung er schätzte. Wenn Nefertari eine Enttäuschung war, was er nicht bezweifelte, würde er sich damit abfinden, dass er irgendwann einmal allein die Verantwortung zu tragen hatte und Isisnofret als Scheingemahlin bei offiziellen Anlässen auftrat. Sie würde ihm seinen Nachfolger gebären, und er würde dafür sorgen, dass dieser nicht die politischen und egoistischen Ansichten seiner Mutter teilte.

Ramses würde Nefertari heute Nacht in seine Gemächer rufen lassen. Seine heißblütige Isisnofret musste diese Nacht ohne ihn auskommen. Vielleicht würde er nach Erfüllung seiner ehelichen Pflichten doch noch bei Isisnofret vorbeigehen, und dann würde sie ihn für seine dynastischen Pflichten mit Nefertari entschädigen. Ramses hatte noch etwa zwei Stunden bis zum Abendmahl mit dem Pharao und seiner Mutter Tuja. Er beschloss, sich ausnahmsweise etwas Zeit zu nehmen und durch die schönen Palastgärten zu schlendern.

Die Sonne schien milde vom Himmel herab, die Strahlen des Re waren nicht mehr so stechend wie die des Atum. Ramses hatte sich in einen Teil des Gartens begeben, der von dem Hofstaat so gut wie ungenutzt blieb, denn hier gingen die Gärtner nicht so oft ans Werk, und die Landschaft wirkte eher verwildert. Er suchte diesen Ort öfter abends zum Schwimmen auf, gerade weil ihm dort niemand begegnete, was sehr angenehm war. Der Hofstaat mit seinem ganzen Prunk und seiner Opulenz langweilte ihn. Hier konnte er sich wirklich entspannen.

Gerade aus diesem Grunde wurde er furchtbar wütend, als er an seinem bevorzugten Platz plötzlich eine Gestalt bemerkte. Ein Mädchen, wahrscheinlich irgendeine der Hofdamen, hatte diese Stelle ausfindig gemacht und schwamm nun in seinem Lieblingsbecken ihre Bahnen. Er konnte sie nur von hinten sehen, aber das war auch egal. Sie war eben irgendeines der Mädchen, die ihre Langeweile vertreiben wollten.

Er machte Anstalten, sie mit allen königlichen Privilegien ein für alle Mal von hier zu vertreiben, und zwar so, dass sie es auch nicht wagte, irgendjemandem von seinem geheimen Platz zu erzählen, als sie aus dem Wasser stieg und sich in seine Richtung wandte. Sie war völlig nackt, was ihn eigentlich nicht mehr beeindrucken konnte, denn alle Mädchen gingen hier nackt schwimmen, doch sie war anders als alle anderen, die er jemals beim Baden gesehen hatte.

Sie war sehr zierlich, hatte einen porzellanfarbenen Teint und pechschwarzes Haar, das ihr wie ein Vlies über die Schultern fiel. Die Nässe verlieh dem Haar einen unerhörten Glanz. Sie ging langsam auf das Leinentuch zu, das sie sich zum Abtrocknen an den Beckenrand gelegt hatte, und wollte es gerade aufnehmen, als sie ihn entdeckte. Sie geriet nicht aus der Fassung, doch war ihr die Situation sichtlich unangenehm. Schnell wickelte sie sich das Tuch um und eilte im Laufschritt davon.

Ramses' Starre löste sich langsam. Er rannte hinter ihr her. Aus seinem Wunsch, seiner Wut freien Lauf zu lassen, war ein anderer erwachsen. Er wollte sie aus der Nähe sehen, er wollte wissen, wer sie war. Schon bald hatte er sie eingeholt. Sie blieb stehen und versuchte seinem Blick auszuweichen. Ramses, der ihre Hand genommen hatte, betrachtete sie. Sie war wirklich unwahrscheinlich zierlich, höchstens einssechzig groß, und ihre Gesichtszüge waren eindeutig aristokratisch. Eine gerade Nase, ein schmales Gesicht mit hohen Wangenknochen und leicht mandelförmige Augen, in denen sich das Grün der Gärten wieder fand. Ramses war beeindruckt. Unvermittelt begann er zu sprechen.

»Wenn nur eine meiner Hauptgemahlinnen deine Anmut hätte, so würde ich beruhigt sein, denn in dir lebt die Maat. Du würdest gewiss eine königliche Gemahlin nicht nur vom Namen her sein.«

Das Mädchen entgegnete, ohne ihn direkt anzusehen: »Gewiss wird eine Eurer Gemahlinnen diesen Anforderungen gerecht.«

»Nein, die eine ist zwar schön, doch zu egoistisch und oberflächlich, die andere ...« Ramses seufzte. »Habe ich noch kein einziges Mal zu Gesicht bekommen. Sie scheint seit mehreren Wochen krank zu sein, schwach von Geburt an. Wie sollte sie jemals Mutter eines Thronfolgers werden, vielleicht kann sie noch nicht einmal Kinder gebären.«

Das Mädchen wandte sich ab. »Nun, dann musst du dich in deinem Harem umsehen, möglicherweise findet sich dort diejenige, die du suchst.«

Ramses lächelte nachsichtig. »Fremdländerinnen, junge adlige Gänse, ausgewählt ohne große Sorgfalt, nur für das Bett des zukünftigen Pharaos gedacht. Keine könnte mich mehr zufrieden stellen, nachdem ich dich erblickte. Wer bist du?«

Das Mädchen zog sacht seine Hand aus der seinen. »Nur ein junges Mädchen, das hier in Memphis vor seiner Hochzeit steht, ohne große Zukunft.«

Ramses war zu Tode betrübt. Hier war die Frau, nach der er unbewusst immer gesucht hatte, und schon war sie verloren, einem anderen versprochen, unerreichbar für ihn. Sie verbeugte sich leicht vor ihm und ging dann langsam davon. Er rief ihr nicht nach, fragte nicht nach ihrem Namen, er war ohne Belang. Auch ohne Namen würde sie sein Leben lang diejenige sein, für die Re erstrahlte. Jeder Abend würde für ihn nun bittersüß sein, denn immer würde er sich ihrer erinnern.

Der Prinzregent hatte sich früh in seine Gemächer zurückgezogen. Er dachte immer wieder an *sie*. *Sie*, für die Re erstrahlte. Wie sollte er jemals wieder mit einer Frau zusammen sein, ohne *sie* in die Arme geschlossen zu haben. Jede würde ihr Gesicht haben, und es würde keine Erlösung für sein Verlangen geben. Nie mehr!

Ein leises Rascheln durchschnitt die Stille. Sie war hier. Ramses, niemals um ein Wort verlegen, wusste nicht, was er zu ihr sagen sollte. Er stand von seinem Stuhl auf, den er in die Nähe des Fensters gestellt hatte, um sein Ägypten zu bewundern. Mittlerweile war es dunkel geworden, und die Sterne seiner Vorfahren schienen seine Wehmut zu teilen. Sie stand in der Mitte des Raumes, offenbar unschlüssig, wie sie sich verhalten sollte. Sie wartete auf eine Reaktion von ihm. Er wandte seinen Kopf langsam in ihre Richtung und winkte sie abwesend heran. Sie hielt ihren Kopf gesenkt, wie es sich für eine Königin gehörte, der die Gunst des Königs noch nicht zuteil geworden war. Etwa fünf Schritte von ihm entfernt blieb sie stehen. Er erhob sich, brachte es jedoch nicht fertig, direkt auf sie zuzutreten. Also ging er zuerst ein paar Schritte nach links an ihr vorbei, um sich ihr dann von hinten zu nähern. Sie war genauso zierlich wie *sie*, die, für die er alles gegeben hätte. Er seufzte leise und nahm die Träger ihres Kleides, um es ihr hinunterzustreifen. Doch sie schob seine Hände sanft von ihren Schultern, ohne sich umzudrehen.

Er spürte ihre Hände auf den seinen. Diese Hände, sie waren es. Sie waren das Einzige gewesen, das er hatte berühren dürfen, und er würde sie immer wieder erkennen. Er trat vor sie. Sie war es. Wie kam sie hierher? Er berührte sanft ihre Wangen, und ein unglaubliches Glücksgefühl überkam ihn. Er beugte sich hinab, um sie zu küssen, doch sie wandte ihr Gesicht ab. Ramses blickte sie erstaunt an.

»Warum kommst du zu mir und gibst dich dann abweisend? Willst du mich verärgern?«

Ramses war verletzt. Das Mädchen blickte ihn nun voller Traurigkeit an.

»Warum ist der Prinz beleidigt, hat er doch eigentlich mich endlos verletzt?«

Ramses verstand die Welt nicht mehr. »Mein Leben würde ich für dich geben, niemals könnte ich dich verletzen.«

Er sah sie flehend an. Das Mädchen trat einen Schritt zurück.

»Und doch hast du mich als nicht liebenswürdig, schwach und sogar unfruchtbar bezeichnet. Unwürdig für das Schicksal, das ich doch noch nicht einmal erstrebt habe.«

Ramses schwindelte. Er begann zu verstehen. Wie hätte sie sich auch dort im Garten zu erkennen geben können, nachdem er sie derart kompromittiert hatte. Ihm fiel nichts anderes ein, als ihren Namen zu flüstern.

»Nefertari, für die Re erstrahlt.« Nefertari nickte stumm. »Ich wusste nicht«, stammelte er, »ich hatte mir so sehr gewünscht, du könntest Nefertari sein.«

»Nun, ich bin es, aber es ändert nichts an dem, was du über mich sagtest, schwach von Geburt an, eine schwache Frau, die nur schwache Thronfolger gebären kann, oft kränkelnd.«

Ramses streckte ihr seine Hände entgegen und ging einen Schritt auf sie zu, doch sie wich weiterhin zurück und hob die Hand, um ihm zu bedeuten, dass sie noch nicht fertig war.

»Du hast Recht, mein Gemahl, ich war wirklich krank, und auch meine Gesundheit lässt für eine Königin zu wünschen übrig, doch habe ich – wie schon erwähnt – ein solches Schicksal auch nie für mich erstrebt. Ich bitte dich, mich gehen zu lassen. Ich werde im Tempel der Isis dienen, und deinen Thronfolger könnte dir deine andere Hauptgemahlin, meine Schwester Isisnofret, schenken. Wer kommt ihr schon an Stärke gleich?«

Ramses ergriff ihre Hände nun doch. »Nein, du wirst meine große königliche Gemahlin sein, du wirst an erster Stelle stehen. Es kann keine andere mehr geben. Amun und Mut haben dich zu mir geschickt. Nefertari Meri en Mut, du bist von meinen göttlichen Eltern zu mir gesandt worden, sie haben mein Bitten um eine wirkliche Gottesgemahlin doch noch erhört. Ich danke Amun dafür, und ich werde dich nicht wieder zu den Göttern zurückschicken.«

Nefertari nickte stumm. »So sei es. Wenn mein Gemahl es wünscht, werde ich an seiner Seite sein.«

Ramses zog sie an sich. »Vergiss, was ich über eine Frau sagte, die ich nicht kannte. Wie konnte ich Schwäche mit Göttlichkeit verwechseln?«

Isisnofret tobte. Seit drei Wochen hatte Ramses nicht eine Nacht mehr mit ihr verbracht. Es wurde von ihr nicht mehr verlangt, an seiner Seite zu sein, wenn er die endlosen Bittgesuche als Prinzregent entgegennahm. Sie wurde auch nicht mehr morgens abgeholt, um Tuja in den Mut-Tempel zu folgen. Sie musste nicht mehr mit ihr essen, und auch ihr Unterricht erfolgte nur noch hin und wieder. Nicht, dass ihr etwas an diesen Betätigungen gelegen hätte, doch Isisnofret machte sich nun wirklich Sorgen, denn sie wusste ganz genau, wer ihre Aufgaben übernommen hatte. Niemand hatte ihr etwas gesagt, aber in den Augen des Hofstaates las sie, dass die Zeit ihrer Gunst vorüber war. Stattdessen schien sich jetzt alles Nefertari zuzuwenden.

Sie hatte ihre »Schwester« aus Wut nicht besucht und zwei Einladungen von ihr mit irgendwelchen Ausreden zurückgewiesen. Ihr war einfach nicht klar, wie Nefertari Ramses hatte für sich gewinnen können. Alles war doch wirklich Erfolg versprechend für sie gewesen – und von einem Tag auf den anderen schien es plötzlich vorbei zu sein. Sie bekam auch über Ti nichts über die genauen Umstände heraus, der Hofstaat hatte sich gegen sie gewandt. Ja, jeder schien sie zu beobachten, sie musste die letzte Möglichkeit ausnutzen, sich wieder ins Licht der Öffentlichkeit zu stellen.

Sie hatte sich über Amunnemipet, den sie weiterhin verachtete, bei Tuja anmelden lassen, und zu ihrer eigenen Überraschung hatte sie von ihr sofort eine Einladung zum Abendessen in ihren Privatgemächern erhalten.

Sie war nun auf dem Weg dorthin.

Tuja bat sie mit einem Lächeln, Platz zu nehmen. Ihr war klar, dass Tuja ihr nicht als Gunstbeweis zulächelte. Wenn sie dies tat, dann nur, weil sie es endlich geschafft hatte, ihre Favoritin näher an den Thron heranzubringen.

»Setz dich doch, Isisnofret. Ich denke, es ist in deinem Sinne, wenn wir allein speisen.«

Isisnofret nickte leicht. Nachdem sie Platz genommen hatte, nahm Tuja sofort das Gespräch wieder auf.

»Es ist dir vermutlich nicht entgangen, dass Ramses seine Gunst einer anderen zuteil werden lässt.« Tuja griff nach einem mit Lauch und Knoblauch gewürzten Nilbarschstreifen. »Ich denke, dass du dir nun deiner Rolle bewusst bist und mein Angebot, das ich dir unterbreiten werde, zu schätzen weißt.« Isisnofret steckte ein riesiger Kloß im Hals. »Ein paar schöne Landsitze, Gold, den Titel der großen Königsgemahlin und später einmal ein paar rangniedere Prinzen und Prinzessinnen mit eingeschränktem Erbrecht. Danach, wenn du deine dynastischen Pflichten ausreichend erfüllt hast, kannst du dir ein paar schöne junge Liebhaber nehmen. Natürlich nicht hier, nicht offiziell, irgendwo im Süden – vielleicht in Kusch?«

Isisnofret glaubte ihren Ohren nicht zu trauen. Tuja war gerade dabei, sie in die hinterste Ecke des Palastes zu verdrängen. Und natürlich wusste der Hofstaat das bereits. Es blieb ihr nur die Flucht nach vorn, eine letzte Chance, um sich aus Tujas Klauen zu befreien. Isisnofret fasste sich und griff mit aufgesetzt fröhlicher Miene nach einem Stück Brot.

»Nun, deine Großzügigkeit ist wirklich beeindruckend, doch

muss ich leider ablehnen. Ich bin gekommen, um ebendas anzusprechen, auf das du mich am Anfang unserer Unterhaltung so höflich aufmerksam gemacht hast. Ich bin gewillt, wieder meine öffentlichen Aufgaben zu erfüllen, das heißt an der Seite meines Gemahls zu sein und auch die Riten im Mut-Tempel zu vollziehen. Außerdem lege ich weiterhin Wert auf meinen Unterricht.«

Tuja schien belustigt. »Nun, ich meine doch, wir sollten alles so lassen, wie es ist, denn so ist es gut – so will es Maat. Ich sehe keine Gründe für eine Änderung, und ich bezweifle, dass Ramses das anders sieht als ich.«

Isisnofret griff erneut nach einem Stück Brot und seufzte. »Oh, ich denke, er muss es anders sehen, denn er ist ein großer Verfechter der Maat, und es wäre doch gegen sie, wenn Ramses Nefertari bei öffentlichen Anlässen an seiner Seite hat und Isisnofret, die Mutter des Thronfolgers und damit ja wohl seine wichtigste Frau, vernachlässigt.« Tujas Gesichtsausdruck wurde frostig, doch Isisnofret fuhr unbeeindruckt fort: »Ich habe natürlich sogleich eine Nachricht an Ramses geschickt, und ebenfalls an Amunnemipet, an deinen und wohl auch meinen Leibarzt und natürlich auch an den ersten Amun-Priester, der das glückliche Ereignis sofort dem Hof und dem Volk bekannt geben wird. Du siehst, mein Anliegen an dich ist von allerhöchster Dringlichkeit.«

Tuja konnte es nicht fassen. Diese Schlange hatte es wieder einmal geschafft. Sie hatte ihre Schwangerschaft publik gemacht, bevor man bei Nefertari eine solche feststellen konnte. Selbst wenn Nefertari jetzt auch eine Schwangerschaft bekannt geben würde, so war doch die von Isisnofret erstrangig. Sie hatte als Erste empfangen, und sie würde nun offiziell wieder die erste Frau an Ramses' Seite sein müssen.

»Isisnofret, du bist wirklich schlau, das muss ich dir lassen. Vor allem scheinst du ein großer Liebhaber von Olibanum zu sein. Würdest du mir vielleicht ein paar dieser köstlichen Honigkuchen zukommen lassen, von denen Nefertari mir erzählte? Weißt du, ich habe die kleine Ti getroffen und sie für ihren Koch gelobt, der solch fantastische Honigkuchen zubereiten kann.

Amunnemipet hat ihn sogleich aufgesucht, und dort hat er dann die Geheimzutat seiner Honigkuchen verraten. Es ist Olibanum, in geringer Menge, doch für jemanden, der es nicht verträgt, kann Olibanum sehr gefährlich werden. Wusstest du eigentlich, dass Nefertari Olibanum niemals benutzt, da sie weiß, dass es für sie gefährlich ist?«

Isisnofret tat bestürzt. »Nein, woher sollte ich das wissen?«

Tuja drehte an einem ihrer großen goldenen Fingerringe. »Und du bist dir wirklich sicher, dass Nefertari es dir nicht gesagt hat?«

Isisnofret verbeugte sich ehrfürchtig. »Nefertari sprach niemals mit mir darüber.«

Tuja lehnte sich in ihrem Stuhl zurück. »Dann ist es ja gut.«

Ti war seit dem Vorfall mit Tuja sichtlich in Isisnofrets Ansehen gesunken. Diese war an dem Tag des Gesprächs mit Tuja außer sich gewesen vor Wut. Sie hatte Ti geschlagen und sie aus ihren Augen verwiesen. Ti hatte sich von Tuja in eine Falle locken lassen. Sie hatte Tuja geradewegs zur Quelle ihres Verrats geführt, den Koch, der natürlich nicht eingeweiht gewesen war und in seiner Blauäugigkeit seine geheime Zutat verraten hatte.

Doch jetzt hatte sie eine Information, mit der sie wieder Gnade in den Augen ihrer Herrin finden konnte. Trotz ihrer Angst vor der schönen Löwin hatte sie um einen Empfang gebeten. Isisnofret hatte abgelehnt. Deshalb war sie unangemeldet erschienen und kniete nun zitternd vor der jungen Frau, die wie ein lauerndes Raubtier durch ihre Gemächer schlich.

»Ich hoffe für dich, dass das, was du mir zu sagen hast, wirklich wichtig und vor allem von Nutzen für mich ist, denn sonst werde ich dafür sorgen, dass du endgültig aus Memphis verschwindest und deine restlichen Tage im Harem Faijum verbringst.«

Ti versuchte ihre Herrin zu beschwichtigen. »Herrin, das, was ich dir zu sagen habe, ist von höchster Wichtigkeit, das schwöre ich bei Hathor.«

Isisnofret blieb vor ihr stehen. »Also schön, dann rede endlich.«

»Meine Base Tia steht in Nefertaris Diensten und gestern ist ihr etwas Beunruhigendes aufgefallen. Sie hat gesehen, wie sich Nefertari plötzlich im Garten erbrechen musste. Daraufhin hat sie eine Sklavin von Nefertari gefragt, wann sie das letzte Mal blutige Leinentücher ihrer Herrin entsorgt habe. Das Mädchen hat behauptet, es habe schon seit längerer Zeit keine solchen mehr gesehen.«

Isisnofret wurde starr. »Wie lange schon nicht mehr?«

»Sie sagte, seit etwa sechs Wochen.«

Isisnofret nahm einen Krug von einem kleinen Beistelltisch und warf ihn mit einem Wutschrei zu Boden.

Mit dem Zorn Sachmets krallte sich Isisnofret in die Griffe des Gebärstuhls. Sie war hier nun schon seit zwei Stunden, und immer wieder diese schrecklichen Schmerzen. Sie spürte, dass sie nicht mehr lange aushalten würde. Vier alte Hebammen hatten Statuen von Thöeris aufgestellt, und ein schwerer Weihrauchgeruch lag in der Luft. Die Amun-Priester hatten vor der Geburt ihre Gemächer erneut gereinigt, doch der Weihrauch biss Isisnofret in die Nase, und sie glaubte besinnungslos zu werden.

Eine der Hebammen griff zwischen ihre Beine, und wenn Isisnofret nicht diese Schmerzen gehabt hätte, hätte sie die alte Vettel dafür auspeitschen lassen, doch unter diesen Umständen wollte sie das Ding in ihr nur so schnell wie möglich heraushaben. Ihr Körper sollte endlich wieder ihr gehören, und so nahm sie ihre letzten Kräfte zusammen und stieß es schreiend mit einem Schwall von Blut und Wasser aus sich hinaus.

Es war vorbei, ihr Körper konnte sich entspannen. Ein wütender Schrei entfuhr der Kehle des kleinen Ungeheuers, das ihr Monate von Unbehagen und Stunden des Schmerzes zugefügt hatte. Es war geschafft, sie hatte ihre Schuldigkeit getan. Doch eines gab es noch zu klären, bevor sie sich ausruhen konnte.

»Ist es der Erbprinz?«

Isisnofret richtete sich mühsam auf, zog das Leinentuch zurecht, das ihre Brüste und ihren Leib bedeckte, und strich sich mit zitternden Fingern das verschwitzte Haar aus dem Gesicht.

Sie wollte sich aufrichten, doch ihr Unterleib war ein einziger Schmerz. Die Hebammen reichten ihr ein kleines wütendes Geschöpf, noch nicht gesäubert und doch in feinstes königliches Leinen gewickelt.

»Die Erbprinzessin, Majestät. Ein gesundes und kräftiges Mädchen.«

Isisnofret rauschte das Blut in den Ohren. Kraftlos ließ sie sich zurücksinken.

»Ein Mädchen«, hauchte sie fast tonlos. Dafür hatte sie all die Mühen auf sich genommen, die Schmerzen, monatelang war sie mit diesem entstellten Körper herumgelaufen, und nun ein Mädchen. Ihr Hass auf dieses kleine Geschöpf war fast unerträglich. Sie fuhr die Frauen an. »Bringt sie zu ihrer Amme, ich bin müde. Als ob es nicht schon genug gewesen wäre, sie zu gebären.«

Die Frauen schienen entsetzt. »Aber Euer Majestät, Eure Tochter braucht einen Namen, so will es das Gesetz. Die Mutter gibt der Tochter den Namen, der Vater dem Sohn.«

Isisnofret hätte sie am liebsten alle umgebracht. Als ob es nicht egal gewesen wäre, welchen Namen das Mädchen trug. Nur die Götter konnten ihr und ihrer Mutter nun helfen, wenn Nefertari einen Sohn haben würde. Welcher Gott, welcher ägyptische Gott konnte ihr schon helfen. Die würden genug damit zu tun haben, den Thronfolger zu schützen.

»Bint-Anat«, fauchte Isisnofret.

Die Hebammen sahen die junge Frau entgeistert an. »Aber das ist kein königlicher Name. Anat ist eine Göttin Amurrus, so schrecklich und kriegerisch wie Sachmet. Sie kann nur Chaos und Krieg über uns bringen, nicht aber Schutz und Frieden.«

Isisnofret fuhr die Frauen an: »Ich kämpfe meinen eigenen Krieg, und auch meine Tochter wird den ihren zu kämpfen haben. Erst danach werde ich es in Erwägung ziehen, an Frieden zu denken.«

# Bint-Anat und Merit-Amun

*Wie Hapi Überfluss schenkt, so gibst auch Du neues Leben und Kraft – Ra –, alles ist anders, ich will sehen, fühlen, verstehen! Mein Herz verzagt ob der vielen Fragen, die unbeantwortet bleiben! Öffne meine Lider, damit ich verstehe, warum ich lebe! Zeige mir ein Ziel, das zu dienen mir würdig ist. Hebe mich über mein Volk, damit ich Dein Diener sein kann.*

# Kapitel 2

*Jahr 8 der Herrschaft Sethos' I. –*
*königlicher Mitregentenpalast in Memphis*

Nefertari war schwach von der Geburt, die sie fast nicht überstanden hätte. Nach zehn Stunden, die sie in den Wehen gelegen hatte, war sie bereit gewesen, sich einfach fallen zu lassen in die Arme der Götter, um letztendlich zu einem leuchtenden Stern am Nachthimmel in der Reihe der Ahnen zu werden. Niemand vermochte zu sagen, wie sie es doch geschafft hatte, ihr Kind zur Welt zu bringen. Irgendwie hatte sie eine letzte Anwandlung von Kraft gespürt, Reserven, die sie aus den Tiefen ihrer Seele hochbeschworen hatte, denn ihr Kind, Ramses' Kind, wollte leben, und sie allein konnte ihm das Leben schenken.

Jetzt war alles überstanden. Sie hielt einen kleinen erschöpften Prinzen im Arm, den Thronfolger! Ramses war sofort nach der Geburt bei ihr erschienen. Er hatte seinen Sohn aus der Wiege genommen und ihn seiner Mutter in den Arm gelegt. Danach hatte er Nefertaris fiebrige Stirn geküsst und ein Dankgebet an die Götter gesandt. Nefertari blickte in das Gesicht des schlafenden Prinzen.

»Wie schwach er ist. Es wäre mein Tod, wenn die Götter ihn uns nehmen würden, nach dem schweren Kampf, den ich um ihn gekämpft habe und zeitweise schon glaubte, zu verlieren.«

Ramses lächelte ihr aufmunternd zu. »Die Götter haben ihn uns gegeben, damit er lebt und ein großer Herrscher wird. Seit seiner Zeugung hielt Amun seine schützende Hand über ihn, und von jetzt an wird er für immer an seiner Seite sein. Er wird seinen Namen mit göttlichem Recht tragen. Amunherunemef – Amun ist an seiner Rechten.«

*Jahr 14 der Herrschaft Sethos' I. –*
*königlicher Mitregentenpalast in Memphis*

Ramses ging aufgeregt in seinem Arbeitszimmer auf und ab, so wie er es immer tat, wenn er Entscheidungen traf. Sein Vater hatte ihm erstmalig eine militärische Aufgabe übertragen, seit er zum Mitregenten ernannt worden war. Einundzwanzigjährig, konnte er es nicht erwarten, seine Kraft unter Beweis zu stellen. Zu lange hatte er sich lediglich mit Tempelbauten und Familienplanung beschäftigen müssen. Jetzt war es so weit.

Der Bau von Pi-Ramses, den sein Vater ihm übertragen hatte, ging zügig voran, Sethos' Totentempel nahm Formen an, und die übrigen Bauvorhaben wurden gut verwaltet. Auch seine dynastischen Verpflichtungen vollzog Ramses mit größtem Vergnügen. Neben zahlreichen Nachkommen aus seinem Harem hatten auch seine beiden großen Gemahlinnen gesunde Kinder geboren. Seine Lieblingsfrau Nefertari, der seine Liebe gehörte, hatte ihm seinen Sohn, Amu, den Thronfolger, geschenkt. Ihre gemeinsame Tochter Merit-Amun war nun vier Jahre alt, und schon sah man die zierliche Schönheit ihrer Mutter in ihr erblühen. Seine zweite Gemahlin Isisnofret hatte ihm die königliche Prinzessin Bint-Anat geboren. Gerade sechsjährig, ließ sie große Klugheit erkennen, welche ihre Mutter jedoch nicht zu fördern verstand. Ramses hatte beschlossen, sich ihrer bald anzunehmen. Dann gab es noch Chaemwese, den Sohn, den Ramses mit Isisnofret hatte, vier Jahre alt und von eher ruhiger Natur, von seiner Mutter abgöttisch geliebt.

Jetzt hatte Sethos Ramses die Oberaufsicht über den Feldzug nach Kusch übertragen, und Ramses hatte einen Entschluss gefasst. Früh von seinem Vater als Mitregent in die ihm zugewiesene Rolle gehoben, befand er nun, dass seine Söhne ebenfalls eine solche Laufbahn einschlagen müssten. Amu war nun sechs und ließ trotz seines zarten Alters schon großen Mut erkennen, und Chaemwese musste aus der verhätschelnden Obhut seiner Mutter gerissen werden. Er entschied, beiden Frauen noch heute seinen Entschluss mitzuteilen.

Isisnofret brauste auf und warf ihm übelste Beschimpfungen hinterher. Wie eine Löwin versuchte sie Chaemwese bei sich zu behalten als Entschädigung für ihre Einsamkeit, die sie sich selbst auferlegt hatte. Ramses liebte auch Isisnofret auf eine eigene Art. Sie war schön, sein Verlangen nach ihr war nie wirklich erloschen. Entgegen seiner Vermutung nach Bint-Anats Geburt, sie könnte niemals jemanden lieben außer sich selbst, war sie doch zu einer brennenden Liebe fähig. Die Gefühlskälte, die sie ihrer Tochter entgegenbrachte, glich sie mit der allzu großen Liebe für Chaemwese wieder aus. Eigentlich hatte er dem Vierjährigen noch ein Jahr unbeschwerter Kindheit gönnen wollen, doch verzog seine Mutter ihn zu Weichheit und verwöhnte ihn wie ein Haustier.

Jetzt änderte Isisnofret ihre Taktik, aus wüsten Beschimpfungen wurden beschwörendes Flehen und große Tränen, die aus ihren dunklen und sonst so wilden Augen flossen. Verzweiflung sah Ramses nicht oft bei Isisnofret.

»Du nimmst mir meinen Sohn, obwohl er noch viel zu jung ist. Außerdem ist er nicht so wie Amu. Er interessiert sich für die Schreibtafel und lauscht den Gelehrten. Er ist sehr klug für sein Alter. Hier kann er ebenso Großes verbringen, es ist nicht nötig, ihn solcher Gefahr auszusetzen.«

Ramses blieb hart. »Er ist mein zweiter Sohn, kommt in der Rangfolge nach Amu. Seine Leistungen weiß ich wohl zu schätzen, und ich will später auch seinen Wünschen Gehör schenken, wenn seine Lebensaufgabe ihn in diese Richtung führt, doch ist auch für ihn eine strenge militärische Laufbahn wichtig. Er darf sich als zweiter Thronfolger keine Schwächen leisten. Ich werde ihn mitnehmen, denn ich weiß, dass Stärke in ihm ist. Sowohl du als auch ich wissen es, denn beide sind wir nicht schwach.«

Ramses schenkte Isisnofrets Einwänden keinerlei Gehör mehr. Er befand es für besser, seinen Sohn höchstpersönlich aus den Gemächern der Königskinder zu holen, ehe Isisnofret noch den ganzen Hof zusammenschrie.

Er betrat die Gemächer der Königskinder und ließ seinen Blick durch den Raum schweifen. Die Amme Teti sowie die Sklavinnen verbeugten sich vor dem Prinzen. Dieser fühlte Wut in sich aufkommen, und eine Zornesfalte bildete sich auf seiner Stirn.

»Teti, wo sind die Prinzen und Prinzessinnen? Um diese Zeit sollten sie hier unterrichtet werden. Ich denke, so ist es seit Jahrhunderten, oder haben die Traditionen etwa keinen Wert mehr?«

Teti verbeugte sich zitternd vor dem Prinzen. »Euer Majestät, die Prinzessin Bint-Anat hat beschlossen, mit dem Prinzen Chaemwese im Garten zu lernen. Sie sagte, dass der Geist mit der frischen Luft aufnahmefähiger sei.«

Ramses' Zorn stieg ins Unermessliche. »So, sagte sie das! Ich bin verwundert, welche Weisheiten dem Geist einer Sechsjährigen zu entspringen vermögen.« Ohne Teti oder die anderen eines weiteren Blickes zu würdigen, ging er schnellen Schrittes in Richtung der Gärten an ihnen vorbei.

Bint-Anat sah ihn schon von weitem kommen, und eine Welle der Wut ließ ihre Wangen in einem gesunden Rosé erstrahlen. Ihr glattes rotbraunes Haar umspielte die Zornesfalte, die sich langsam auf ihrer Stirn zu bilden begann. Ihre braunen Mandelaugen verengten sich zu Schlitzen, und mit aller Anmut, die einer Sechsjährigen gegeben sein kann, erhob sie sich, um die Ankunft dieses neuen Tölpels, der sich als Lehrer glaubte, gebührend zu begehen.

Ramses blieb vor dieser kleinen Prinzessin stehen und musterte sie. Es war nicht ungewöhnlich, dass der Prinz seine Töchter seit ihrer Geburt noch nicht oft zu Gesicht bekommen hatte. Bint-Anat hatte er das letzte Mal als Dreijährige gesehen, und da auch bloß kurz. Nur die Prinzen sahen ihren Vater öfter.

»Wenn du gekommen bist, uns zu unterrichten, muss ich dich leider enttäuschen. Keiner der Lehrer hier kann uns noch etwas beibringen. Die Lehren des Imhotep und die Geschichten des Sinuhe sind uns bekannt. Wir eignen uns schon seit über einem Jahr unser Wissen selbst an. Schicke lieber an unseren Vater, dass wir Lehrer mit größerem Wissen bedürfen, denn auch das Schreiben und Rechnen beherrschen wir.«

Ramses' Zorn verflog ungewollt. Seine Tochter hielt ihn doch wirklich für irgendeinen durchschnittlich begabten Lehrer, der ihr hier die Grundkenntnisse des Wissens vermitteln sollte. Selbst die Zornesfalte auf ihrer Stirn glich der seinen. Genau wie sie hatte er vor Jahren vor seinen Lehrern gestanden und nach größerem Wissen verlangt, mit dem Unterschied, dass ihm als Prinz sofort Gehör vor seinem Vater verschafft und eine Prinzessin von allen Seiten nur belächelt wurde.

Ehe seine Tochter jedoch weitere Beleidigungen vortragen konnte, sprang Chaemwese schützend vor sie. Er war erhaben gekleidet, mit Sicherheit der Einfluss seiner Mutter, und wirkte schon sehr erwachsen für sein Alter. Seine kindliche Angst vor seinem übermenschlichen Vater stand ihm jedoch ins Gesicht geschrieben. Ramses beschloss, seine Tochter zu prüfen, und täuschte wieder Zorn vor. Er wollte ihre Reaktion sehen. Chaemwese stand wie erstarrt da und bestaunte Ramses, der für ihn wie ein Gott erscheinen musste.

»Nun, Prinzessin, dann richte dein Wort direkt an deinen Vater, denn er steht vor dir.«

Bint-Anat blieb standhaft, ihre Reaktion überraschte ihn.

»Es tut mir Leid, Vater, Euch Unverschämtheiten entgegengebracht zu haben, mögen die Götter mir vergeben oder mich nach ihrem Belieben bestrafen.«

Sie zog sich zurück und setzte sich mit Chaemwese. Ramses stemmte die Hände in die Hüften.

»Es hat mich überrascht von deiner Amme Teti zu erfahren, dass eine Sechsjährige sich als Herrin über die Gemächer der Königskinder erhoben hat.«

»Ich habe mich nicht erhoben, ich unterrichte meinen Bruder, denn keiner der Lehrer, die unser Vater für uns als gut zu erachten scheint, kann uns noch etwas beibringen. Amu und

Merit-Amun werden nach deinen Wünschen in ihren Gemächern unterrichtet und sind zufrieden.«

»Und du meinst, dass du das kannst? Du bist sechs Jahre alt, ein Kind, das an der Seite seiner Mutter sein sollte.«

»Meine Mutter sehe ich nur sehr selten, manchmal, wenn ich Chaemwese abhole. Sie ist mir fremd. Ich kann für mich selbst sorgen.«

»Wie schön, denn ich bin gekommen, um Amu und Chaemwese mit mir zu nehmen. Ich denke, dass sie ein wenig mehr Autorität bedürfen. Was meine Töchter angeht, so werde ich mich um eure Belange kümmern, wenn ich aus Kusch zurückkehre.«

Ramses bemerkte das Zucken in Bint-Anats Gesicht, als er Chaemweses Namen nannte. Auf alles konnte sie wohl verzichten, auf Mutter, Vater, vielleicht sogar ihre Amme. Aber ihr Bruder, das merkte er wohl, war ihr liebster Freund. Doch sie reagierte, wie er es sich erhofft hatte, sie ließ ihn ohne Zögern gehen. Eine wahrhaft königliche Haltung für eine Sechsjährige.

## *Der Feldzug nach Kusch*

Chaemwese stand an der Seite seines Vaters auf dessen Streitwagen. Zu Amus Unmut musste er selbst auf dem Streitwagen des Generals mitfahren, denn Ramses wollte auf Chaemwese achten, da dieser zwei Jahre jünger war als sein Bruder Amu. Chaemwese sah seinen Vater als eine Art Gott, in ihm verinnerlichte er Wissen und die Antwort auf alle Fragen des Universums. Langsam hatte er seine eigentlich etwas ruhigere Art abgelegt und es sich angewöhnt, seinem Vater Fragen zu stellen. Zu vielfältig waren die Eindrücke, die hier auf einen hoch begabten Vierjährigen einstürzten. Ramses hatte die hohe Entwicklung seines Sohnes bald erkannt. Er selbst hätte unter normalen Umständen niemals frühzeitig Mitregent seines Vaters werden können. Sethos hatte seinem Geist Arbeit gegeben, Arbeit, ohne die er wahrscheinlich frühzeitig wahnsinnig geworden wäre, denn Untätigkeit und Unterforderung konnten jeden Hochbegabten in den Wahnsinn treiben. Deshalb hatte Ramses beschlossen, seinen Sohn Chaemwese zu fördern. Amu war der Thronfolger, und er brachte die besten Voraussetzungen dafür mit. Entgegen der Annahme seines Vaters Sethos war er nicht schwach und anfällig wie seine geliebte Nefertari. Doch Chaemwese würde eine wichtige Rolle am Hof spielen, und außerdem war er der zweite Kronprinz in der Nachfolge.

*Königlicher Mitregentenpalast in Memphis*

Bint-Anat war gelangweilt. Ohne ihren Bruder hatte sie niemanden, mit dem sie sich austauschen konnte. Ihre Mutter war wieder schwanger, das hatte sie kurz nach Ramses' Aufbruch nach Kusch bemerkt. Mehr durch Zufall hatte Bint-Anat jetzt die dreijährige Merit-Amun im Garten entdeckt.

Merit-Amun hatte ein ruhiges Gemüt. Sie war eher schüchtern und hatte die schwache körperliche Konstitution ihrer Mutter geerbt – allerdings auch deren Schönheit. Schon als Dreijährige spielte sie mehrere Musikinstrumente recht anmutig. Doch nun lag sie apathisch auf der Seite und atmete schwer. Ihr glattes schwarzes Haar war verklebt, und auf ihrer Stirn war ein leichter Schweißfilm. Ihre Amme unterhielt sich ein paar Schritte entfernt mit ein paar Dienerinnen.

Bint-Anat drehte Merit-Amun auf die Seite und entdeckte zwei kleine Punkte am Fuß des Mädchens, die rot gerändert waren. In einem Land wie Ägypten erkannte jedes Kind sofort den Biss einer Schlange. Bint-Anat schrie auf und rief nach der Amme. Diese kam augenblicklich angelaufen und wurde schreckensbleich, als sie ihr Versäumnis bemerkte. Sie wusste wohl, welche Strafe sie erwartete, wenn sie ein Verschulden am Tod der Prinzessin traf. Sofort lief sie los und holte den Arzt, der wenig später Merit-Amun in die Gemächer der königlichen Kinder trug. Dort verabreichte er ihr ein Gegengift, doch ob das Mädchen überleben würde, konnte er nicht sagen, denn sie war nicht besonders robust. Bint-Anat stand unschlüssig in der Nähe des Bettes. Sie hatte sich eigentlich nie viel mit Merit-Amun beschäftigt. Erstens war ihr diese zu jung und zweitens zu ruhig. Doch jetzt tat ihr die Prinzessin Leid, denn sie war noch so klein, und Bint-Anat wollte sie nicht sterben sehen.

Prinzessin Nefertari sah völlig verstört aus, als sie an das Bett ihrer Tochter trat, gefolgt von den Amun-Priestern, die sofort Weihrauch entzündeten und Beschwörungen tätigten, um Osiris' Atem von dem Kind zu nehmen. Bint-Anat stellte erstmalig die frappierende Ähnlichkeit zwischen den beiden fest. Nefertari nahm die Hand ihrer Tochter und redete beruhigend auf sie ein. Dann brachte man ihr einen Stuhl, und sie ließ sich am Bett ihrer Tochter nieder. Bint-Anat schlich sich leise aus dem Raum, denn unwillkürlich schoss ihr der Gedanke durch den Kopf, was ihre Mutter wohl täte, wenn sie hier sterbenskrank auf ihrem Lager liegen würde. Trotzig verscheuchte sie den Gedanken und ging in ihre eigenen Gemächer.

Als es Abend wurde, hatte sie auch von den Dienerinnen nichts über Merit-Amuns Zustand erfahren können. Schließlich wurde das nagende Gefühl in ihr unerträglich, und sie machte sich auf den Weg in Merit-Amuns Gemächer. Über die Terrasse konnte sie an den Wachen vorbeischleichen, und nach einem kurzen Blick in den Raum, der ihr leer erschien, trat sie an das Bett der Prinzessin. Merit-Amun schlief, aber diesmal war ihr Atem ruhig, und auch der kalte Schweiß war von ihrer Stirn verschwunden. Beruhigt wollte Bint-Anat den Raum verlassen, als sie bemerkte, dass sie wohl doch nicht alleine war. Nefertari stand an der Tür und lächelte Bint-Anat beruhigend an, der der Schreck im Gesicht stand. Nefertari hatte eine liebliche Stimme. Im Halbdunkel wirkte sie noch anmutiger, als sie ohnehin schon war.

»Du brauchst keine Angst zu haben, ich bin dir nicht böse. Wenn du nicht gewesen wärst, dann wäre meine Tochter jetzt wohl bei den Göttern.«

Bint-Anat atmete auf. »Heißt das, dass sie leben wird?«

Nefertari nickte. »Ich bin in deiner Schuld. Was du für meine Tochter getan hast, werde ich nie vergessen.« Bint-Anat lächelte verstohlen. »Vielleicht besuchst du Merit-Amun morgen wieder, wenn sie wach ist? Sie wird sich sicherlich freuen, gerade wenn sie hört, was du für sie getan hast.«

Bint-Anat nickte zögernd und verabschiedete sich dann. Sie hatte einfach nicht Nein sagen können, auch wenn sie das gerne getan hätte. Nefertari war wirklich nett zu ihr, und sie vermochte ihr die Bitte nicht abzuschlagen. Eigentlich hätte sie nun doch am liebsten geweint, denn bisher hatte sie nicht gewusst, was eine Mutter zu haben bedeutete. Doch jetzt, jetzt sollte sie morgen wiederkommen und sehen, wie die beiden zueinander gehörten. Erneut überkam sie dieses Gefühl von Alleinsein.

## *Der Feldzug nach Kusch*

Ramses hatte an einer sicheren Stelle ein Lager errichten lassen. Sein Zelt stand in der Mitte, und sofort hatte er sich zur Beratung mit seinen Generälen zurückgezogen. Er wusste, dass ganz in der Nähe eine große Fusion der Stämme stattgefunden hatte, und sein Plan war es, nachts anzugreifen, wenn der Feind sich sicher wähnte, da er in dem Glauben war, die Ägypter würden schlafen. Seine Söhne hatte er vor dem Zelt in der Obhut von ein paar guten Soldaten gelassen. Er wollte sichergehen, dass sie sich nie wirklich auf diesem Feldzug in Gefahr befanden.

Chaemwese und Amu hatten gerade etwas gegessen, und Amu zappelte ungeduldig auf seinen Kissen herum. Er hatte nichts anderes im Sinn, als sich so schnell wie möglich davonzuschleichen und die Gegend zu erkunden. Chaemwese hatte sich über seine Schreibtafel gebeugt. Amu konnte nicht verstehen, warum sein Bruder so versessen auf alles Geschriebene war. Er hatte sich geschworen, diesen Feldzug für sich selbst zu nutzen. Niemand konnte sagen, wann er wieder einmal ein solches Abenteuer erleben durfte. Aus den Augenwinkeln beobachtete er die Soldaten, geriet über ihre immer stärker werdende Müdigkeit in Verzückung und sah schließlich seine Chance gekommen, als beide abgelenkt von ein paar scheuenden Pferden sich einige Schritte entfernten. Hastig sprang er auf und zog seinen Bruder mit hoch. Chaemwese blickte Amu verständnislos an und wehrte sich dagegen, von ihm weggezerrt zu werden.

»Nun komm schon, eine solche Gelegenheit werden wir so bald nicht wieder haben.«

»Unser Vater sagte, wir sollen hier bleiben.«

Amu verdrehte die Augen. »So, hat er das? Worüber schreibst du da eigentlich die ganze Zeit?«

»Ich halte fest, was ich sehe.«

Amu verschränkte die Arme und lachte spöttisch. »So, so! Und was siehst du, Bruder? Ein langweiliges Soldatenlager. Worüber könntest du schreiben, wenn du mit mir etwas die Gegend erkunden würdest? Vielleicht stehen deine Schriften eines Tages bei den großen Gelehrten in hohem Ansehen. Wenn du allerdings über langweilige Soldatenlager berichtest – tja, dann weiß ich nicht so recht.«

Chaemwese trafen die Worte seines Bruders hart genug, um nicht länger über das Verbot seines Vaters nachzudenken und sich schließlich doch von Amu ins nahe gelegene Unterholz mitziehen zu lassen. Sie blieben unentdeckt.

Chaemwese folgte seinem Bruder das Flussufer entlang. Amu hatte die Rolle des Führers übernommen. Stolz trug er seinen Kinderbogen mit den winzigen Pfeilen über der Schulter. Chaemwese wurde jedoch immer unruhiger, je weiter sein Bruder ihn vom Lager wegführte.

»Amu, wie weit willst du denn noch gehen? Es wird bald dunkel werden, und wir werden Ärger bekommen.«

»Den Ärger werden wir ohnehin bekommen, unser Verschwinden ist sicherlich längst aufgefallen. Außerdem suchen die uns ohnehin schon. Wir können also noch ein Stückchen weitergehen. Dazu werden wir auf diesem Feldzug keine Gelegenheit mehr bekommen, man wird uns bewachen wie kleine Kätzchen.«

Chaemwese konnte es eigentlich gar nicht erwarten, wieder gut bewacht im Lager zu sitzen. Da musste er wenigstens nicht unter den verrückten Ideen seines Bruders leiden.

»Amu, wir sollten zurückkehren. Was ist, wenn wir auf Kuschiten treffen. Unser Vater sagte, dass sie auch vor Kindern nicht Halt machen.«

Amu blickte seinen Bruder missbilligend an. »Also gut, du Feigling! Wir gehen noch bis hinter die nächste Flussbiegung, und dann kehren wir um. So können wir im Lager unserem Vater wie Späher berichten, dass das Gelände gesichert ist.«

Chaemwese ließ sich breitschlagen und trottete mit ungutem Gefühl hinter seinem Bruder her.

Amu hatte gerade die Flussbiegung erreicht, als er die Krieger entdeckte, eindeutig Kuschiten, mit Speeren und Schilden bewaffnet. Instinktiv ließ er sich ins hohe Gras fallen und zog Chaemwese mit sich runter. Dieser wollte gerade einen empörten Schrei ausstoßen, als Amu ihm unsanft die Hand auf den Mund presste. Chaemwese beschloss, sich ruhig zu verhalten, denn der panikartige Ausdruck im Gesicht seines Bruders verhieß nichts Gutes. Langsam zog Amu die Hand weg. Ohne zu sprechen, formte er ein Wort mit den Lippen: Kuschiten. Chaemwese glaubte sterben zu müssen. Sie waren im Schilfgras gefangen, und er hörte Stimmen auf sie zukommen. Ein paar Männer gingen an ihnen vorbei, um sich in der Nähe zu postieren. Amu schossen die Gedanken blitzartig durch den Kopf. Wachen! Sie konnten nicht mehr vor und nicht mehr zurück. Zu beiden Seiten waren sie eingekeilt. Nun konnten sie nur darauf hoffen, dass man ihr Verschwinden richtig gedeutet hatte und ihre Spur in die richtige Richtung verfolgte.

Bint-Anat trug eine Schale mit Süßgebäck vor sich her. Ihr war sonst nichts eingefallen, was sie Merit-Amun hätte mitbringen können. Ohnehin wäre sie lieber alleine geblieben, ihre Halbschwester war ihr fremd. Sie und ihr Bruder waren so gut wie nie mit Nefertaris Kindern zusammen.

Sie betrat Merit-Amuns Gemächer und schaute sich um. Es war Gott sei Dank niemand da. Mit ruhigem Gewissen wollte sie sich umdrehen und durch den Garten in ihre eigenen Gemächer zurückkehren, als sie Nefertaris Stimme im Garten hörte.

»Bint-Anat, wir sind im Garten, leiste uns doch etwas Gesellschaft.«

Bint-Anat lief rot an. Jetzt konnte sie nicht einfach weggehen. Sie drehte sich also um und trat auf Nefertari zu, die neben ihrer Tochter auf einer Decke saß. Merit-Amun schien es schon wieder besser zu gehen. Sie spielte mit einer Puppe, der sie immer wieder diverse Kleider anzog und verschiedene Perücken ausprobierte. Nefertari lächelte und machte eine Stelle auf der Decke für sie frei.

»Merit-Amun ist schon fast wieder gesund. Das haben wir nur dir zu verdanken, Bint-Anat.« Nefertari wandte sich an ihre still für sich spielende Tochter. »Meri, sieh nur, deine Schwester Bint-Anat besucht dich. Du solltest dich bei ihr bedanken. Sie war es, die dich gefunden hat.«

Merit-Amun blickte schüchtern ihre große Schwester an. Dann lächelte sie und drückte Bint-Anat ihre Puppe in die Hand. Bint-Anat wusste mit dieser Dankesgeste so recht nichts anzufangen. Verwundert schaute sie auf die abgenutzte Puppe. Nefertari streichelte die Wange ihrer Tochter.

»Meri ist sehr schüchtern, aber diese Puppe da ist ihre Lieblingspuppe. Sie hat sie nie jemand anderem anvertraut. Es ist ihre Art, dir zu danken.«

Bint-Anat blickte verlegen drein. Da ihr nichts Besseres einfiel, bot sie Nefertari und Merit-Amun von dem mitgebrachten Süßgebäck etwas an. Beide nahmen ein Stück davon. Merit-

Amun beobachtete ihre Schwester, halb versteckt hinter dem Rücken ihrer Mutter.

Nefertari stand langsam auf. »Bint-Anat, würdest du eine Weile bei Merit-Amun bleiben? Ich werde im Tempel der Mut erwartet und wäre froh, wenn Meri noch etwas an der frischen Luft sein könnte. Nach dem, was passiert ist, mag ich sie keiner Dienerin oder Sklavin mehr anvertrauen.«

Bint-Anat nickte. Nefertari bedankte sich und schwebte davon. Bint-Anat sah ihr beeindruckt hinterher. So und nicht anders hatte sie sich eine Fleisch gewordene Göttin vorgestellt, wenn sie die Tempelreliefs betrachtete. Auch ihre Mutter war schön, doch hatte Nefertari etwas Überirdisches an sich. Sie war entrückt, stand über allem, was ihr irdisches Leben ausmachte.

Als Nefertari entschwunden war, besann Bint-Anat sich der Anwesenheit von Merit-Amun. Ihre Schwester betrachtete sie immer noch schüchtern aus staunenden Augen, und in gewisser Weise konnte Bint-Anat die gleiche göttliche Aura erkennen, die ihre Mutter selbst um sich hatte. Bint-Anat legte Merit-Amun ihre Puppe zurück in den Schoß.

»Hier, Meri, ich danke dir für dein Geschenk, doch ich weiß, wie viel dir diese Puppe bedeutet, und ich habe selbst welche.« Das war gelogen, Bint-Anat konnte sich nicht daran erinnern, jemals mit Puppen gespielt zu haben. Meri sah ihre Schwester traurig an. »Ich sag dir was, Meri, wenn dir wirklich so viel daran liegt, dann komme ich öfter vorbei, und wir spielen gemeinsam mit ihr. Aber behalten musst du sie, denn sie wäre sicherlich traurig, wenn sie nicht mehr bei dir sein könnte.«

Sofort schlug Merit-Amuns enttäuschtes Gesicht in strahlende Freude um. Bint-Anat konnte sich ihrem Charme ebenso wenig entziehen wie dem ihrer Mutter.

»Wie heißt sie denn?« Bint-Anat deutete auf die verschlissene Puppe.

»Aset«, wisperte Merit-Amun.

Bint-Anat fiel auf, dass es das Erste war, was Merit-Amun gesprochen hatte, seit sie sie gestern gefunden hatte.

»Aset ist ein schöner Name, und Isis wird ihre Namensschwester bestimmt gut beschützen.« Bint-Anat zeigte mit dem Finger auf Merit-Amuns Fuß. »Tut es noch weh?« Merit-Amun schüttelte den Kopf. »Wenn du laufen kannst, können wir zum See in der Mitte des Gartens gehen und ein wenig die Füße ins Wasser halten.«

Merit-Amun richtete sich sofort auf und begann etwas wacklig die ersten Schritte. Bint-Anat legte den Arm um sie, stützte sie, und sie gingen gemeinsam in Richtung des großen Sees.

## *Der Feldzug nach Kusch*

Chaemwese und Amu lagen jetzt schon seit mehreren Stunden im Schilf. Angst und Panik hatte sich in ihnen breitgemacht. Sie wagten es kaum mehr zu atmen, außerdem war es unerträglich kalt geworden. Nut hatte Re einfach verschlungen, und dem bösen Seth gehörte der kalte Hauch der Nacht. Hand in Hand ging er jetzt mit Anubis, um ein paar verlorene Seelen ins Land des Westens zu holen. Und hier im Schilf waren zwei kleine verschreckte Jungen, die die Götter zu übersehen schienen. Amu betete, dass sein Vater Amun auch in diesen Stunden an seiner Rechten sein würde. Chaemwese betete nicht, er war vor Angst keines klaren Gedankens mehr fähig.

Plötzlich zerschnitt ein sirrendes Geräusch die bedrückende Stille. Ein erstickter Schrei folgte und ein gurgelnder Laut, dann war es wieder ruhig. Amu kannte die Geräusche. So sollte es klingen, wenn jemandem die Kehle durchgeschnitten wurde, und nun waren da mehrere sirrende Töne auf einmal. Pfeile schossen durch die Luft, ein paar Schreie, dann waren die Kuschiten alarmiert. Wilde Schreie und zornige Rufe tönten durch die Nacht. Amu und Chaemwese blieben, wo sie waren, dicht an ihnen vorbei trampelten Füße. Chaemwese schloss die Augen, doch Amu sah ganz genau, dass es ägyptische Sandalen waren, die dort an ihnen vorbeiliefen. Ein paar Schritte weiter war bald ein Kampf, und Amu konnte beim besten Willen nicht herausfinden, wer gewann. Dann – auf einmal – war es ruhig! Totale Stille! Einer hatte gewonnen, einer hatte verloren, wer es war … Er konnte nicht weiter darüber nachdenken, denn jemand zog das Schilfgras auseinander, und Hände griffen in seinen Kragen und packten ihn unsanft. Er hörte noch Chaemweses hysterischen Schrei, und ohne weiter über irgendetwas nachzudenken, schlug er seine kleine Faust mit einem Wutschrei auf die Nase des ägyptischen Soldaten, der ihn sofort fallen ließ. Orientierungslos griff er in seinen Schurz und zog den kleinen goldenen Dolch aus der Scheide, doch bevor er dem verdutzten Mann die Klinge in die Brust rammen konnte, hielt Ramses seinen Arm fest. Amu fand das erste Mal die Ruhe, um sein Gegenüber genau anzusehen, und Schamesröte überzog sein Gesicht. Er hatte sich benommen wie ein hysterisches Kind, hatte auf seine Retter eingeschlagen in dem Glauben, sie seien Kuschiten.

Der getroffene Soldat hielt sich die stark blutende Nase, während seine Kameraden schallend lachten. Doch ein Blick in das Gesicht seines Vaters ließ Amu den Ernst der Situation erkennen. Ramses' Augen verhießen unbändigen Zorn, Zorn, der dem Hofstaat nur allzu gut bekannt war. Einzig seine Mutter Nefertari vermochte diesen zu zügeln. Chaemwese saß immer noch im Schilfgras, steif vor Schreck, unfähig, ein Wort herauszubringen. Ramses' Stimme bebte: »Amu, du hast dich meinem Befehl widersetzt. Auch wenn ich dein Vater bin, so bin ich doch der Kronprinz, und meine Verantwortung gilt nicht nur euch, sondern auch meinen Soldaten und ihren Familien, Frauen und Kindern. Wegen euch habe ich Soldaten verloren. Dieser unvorbereitete Angriff hat mich zu viele Menschenleben gekostet. Auch wenn ihr auf die Macht eures Vaters vertraut habt, solltet ihr diese Dummheit noch einmal begehen, so werde ich euch nicht vor das Wohl Ägyptens stellen. Eure Mütter werden weinen, so wie jetzt die Familien der getöteten Soldaten weinen werden.«

Amu schluckte. Chaemwese unterdrückte ein Schluchzen. Ramses wandte sich ihm zu.

»Dich, Chaemwese, hätte ich für klüger gehalten, als dass du dich von deinem Bruder zu dieser Dummheit überreden lässt. Ich nahm euch mit, um euch eure Verantwortung klarzumachen. Ich habe versagt, ihr habt großen Schaden verursacht. Sobald wir nach Memphis zurückkehren, werdet ihr im Kap unterrichtet werden, bis ihr alt genug seid, Verantwortung zu tragen. Ich werde dafür sorgen, dass ihr eine harte militärische Ausbildung erhaltet, und ich verlange von euch doppelt so hohes Wissen wie von den besten Schülern des Kap. Enttäuscht ihr mich, so fehlt ihr an Ägypten, und keiner von euch wird jemals den Thron von Ägypten auch nur aus der Nähe sehen.«

Mit diesen Worten drehte Ramses sich um und stieg auf seinen Streitwagen. Er selbst griff nach den Zügeln und gab den Pferden ein Zeichen, loszugaloppieren.

*Königlicher Mitregentenpalast in Memphis*

Ramses unterhielt sich mit Sethos, und Nefertari richtete ihr Wort direkt an Tuja. Die beiden Frauen hatten sich lange nicht gesehen. Sie verband eine tiefe Freundschaft, und der gelungene Feldzug gegen Kusch hatte die königliche Familie nun hier zusammengeführt.

Bint-Anat suchte sofort Chaemwese und fiel ihm um den Hals. Sie zog Merit-Amun hinter sich her, und neugierig gesellte sich auch Amu zu ihnen.

»Chaemwese, du bist gewachsen. Mir war gar nicht mehr klar, wie lange du weg warst.«

»Es waren doch nur sechs Monate, Schwester.«

»Habt ihr Aufregendes erlebt?« Chaemwese und Amu tauschten einen kläglichen Blick miteinander. Bint-Anat winkte ab. »Wir werden ja jetzt Zeit genug haben, uns zu unterhalten.«

Amu schüttelte trotzig den Kopf. »Glaub das ja nicht, wir werden nicht lange hier sein. Unser Vater schickt uns ins Kap.«

Bint-Anat stockte der Atem. »Ins Kap? Jetzt schon?«

Chaemwese erzählte die ganze Wahrheit und zuckte mit den Schultern. »Ich glaube nicht, dass er seine Entscheidung rückgängig machen wird.«

Bint-Anats Stirn zeigte die wohl bekannte Zornesfalte. »Gut, wenn das so ist, werde ich auch das Kap besuchen.«

Amu lachte spöttisch. »Du, ein Mädchen, willst das Kap besuchen? Warum lernst du nicht lieber ein Instrument zu spielen oder Stoffe zu weben. Für Mädchen ist die Ausbildung dort viel zu hart.«

Bint-Anat sah ihren Halbbruder verachtungsvoll an. »So, das meinst du also, ja? Auf jeden Fall hätte ich mich nicht so tölpelhaft in einen Hinterhalt locken lassen wie du.«

Amu lief tiefrot an. »Was sagst du da? Das nimmst du sofort zurück!«, schrie er.

Bint-Anat stemmte die Hände in die Hüften. »Niemals, du Versager. Du wirst die Ausbildung im Kap nie und nimmer überstehen.«

Mit einem wilden Schrei stürzte sich Amu auf seine Schwester, und sie begannen sich zu prügeln. Das Ganze dauerte allerdings nur ein paar Sekunden, denn sie wurden von ein paar Sklavinnen auseinandergerissen. Nun hatten sie die ungeteilte Aufmerksamkeit aller Anwesenden im Raum. Niemand sagte jedoch etwas, eine Maßregelung kam allein Ramses zu. Dieser winkte Amu und Bint-Anat zu sich heran, und Bint-Anat erkannte ihre eigene Zornesfalte auf der Stirn ihres Vaters. Ramses fiel es schwer, beherrscht zu bleiben.

»Nun, worum geht es?«

»Sie hat mich einen Versager genannt und behauptet, sie würde die Ausbildung im Kap bestehen, ich jedoch könnte es nicht schaffen.«

Ramses blickte seine Tochter fragend an.

»Er ist ein Tölpel, sein Denken ist sehr schlicht und beschränkt.«

Amu zuckte unmerklich zusammen.

»Große Worte für eine kleine Prinzessin. Ich wüsste nicht, warum meine Töchter das Kap besuchen sollten.«

Ramses winkte Nefertari heran, die, gefolgt von Isisnofrets bösen Blicken, an seine Seite trat. »Was denkst du, Nefertari? Meine beiden Söhne enttäuschten mich, und diese Tochter hier will sich nicht in die ihr angeborene Rolle fügen. Was soll ich mit solchen Kindern nur tun?«

Nefertari antwortete mit ruhiger Stimme: »Wenn es den Prinzen und Prinzessinnen an Erziehung mangelt, dann sollte dieser Missstand baldmöglichst beseitigt werden. Wo könnte dieses besser geschehen als im Kap? Erziehe deine Söhne zu Mut, Klugheit und Weisheit und lass den Prinzessinnen die gleiche Erziehung zuteil werden. Doch unterscheide männliche und weibliche Aspekte dieser Eigenschaften. So wirst du Kronprinzen und Prinzessinnen erhalten, die den Thron stärken.«

Ramses blickte besänftigt in die Augen seiner Lieblingsfrau. Dann wandte er sich gefasst an seine Kinder. »Wenn nur einer von euch Nefertaris Weisheit besitzen würde, so könnte ich beruhigt meine Nachfolge regeln. Ich ordne an, dass die Prinzen Amunherunemef und Chaemwese sowie die Prinzessin Bint-Anat unverzüglich dem Kap zugeführt werden. Mögen sie mir erst wieder unter die Augen treten, wenn sie die besagten Charakterzüge aufweisen.«

*Jahr 16 der Herrschaft Sethos' I. –*
*königlicher Mitregentenpalast in Memphis*

Ramses leitete die meisten Bauvorhaben seines Vaters, er behielt die Aktivitäten im ganzen Land im Auge und befehligte von Memphis aus sämtliche Streitkräfte. Sein Vater Sethos war krank. Urplötzlich hatte ihn die Kraft verlassen, und Ramses fühlte das Gewicht der Krone immer schwerer werden. Er hatte nur noch wenig Zeit, der Privatmann Ramses war ihm fast fremd geworden. Nefertari gab ihm gute Ratschläge, sie war ihm eine Hilfe, doch konnte er sie nicht sehr stark belasten, denn zu großer Druck machte sie stets krank. Sie war seine Geliebte, seine

Königin, wirkte im Hintergrund, aber körperliche Anstrengung oder psychische Belastung wirkten wie Gift auf sie.

Der Druck war schon enorm hoch für ihn, und so liebte er Nefertari mit aller Zärtlichkeit, derer er fähig war, und kratzte wie ein hungriger Löwe an der Tür von Isisnofret, die seine wilde Seite zu schätzen wusste und mit der ihn dunkle, animalische Liebe verband. Er hatte gelernt, auf zwei Arten zu lieben und für Ägypten jedwede eigenen Belange zurückzustellen.

Er hatte eine wilde Nacht mit Isisnofret verbracht, seiner zweiten Gemahlin, die immer noch makellos schön war. Auch die Geburt des kleinen Merenptah hatte sie nicht zeichnen können.

Raubkatzen bleiben eben immer schön und geschmeidig, dachte er, als er mit den Händen zwischen ihre Schenkel fuhr. Sie stöhnte und schlang ihre Beine um seine Taille – ihre Aufforderung, sie endlich zu nehmen. Ramses wollte sich gerade über sie beugen, als er Amunnemipet an der Tür seinen Namen sagen hörte. Ramses hob den Kopf. Die Löwin fuhr wütend hoch.

»Sag ihm, dass er verschwinden soll. Es ist noch nicht Tag, und diese Nacht gehört mir. Am Tag kann er meinetwegen tun, was er will.«

Ramses schob Isisnofret zur Seite. »Wenn Amunnemipet hierher kommt, dann ist es etwas Wichtiges.« Und mit einem spöttischen Blick auf seine launische Raubkatze fügte er hinzu: »Seit du dich ihm gegenüber damals so unangemessen verhalten hast, vermeidet er es, deinen Weg auch nur zu kreuzen.«

Isisnofret funkelte Ramses angriffslustig an, was in ihm wiederum unbändiges Verlangen auslöste. Trotzdem legte er den Schurz an und wandte sich von Isisnofret ab, um zur Tür zu gehen. Als er diese öffnete, stand ein kreidebleicher Amunnemipet vor ihm.

»Majestät, der mächtige Stier, geliebt von Ra, Pharao Sethos, ist tot. Ihr seid nun der Pharao!«

Bint-Anat führte gelangweilt den Federkiel über den Papyrus. Ihre Schrift war makellos. Als Mann hätte sie den Beruf des Schreibers mit Bravour ausüben können. Ebenfalls hätte sie Baumeister werden können, ihre Entwürfe wurden von den Lehrern bestaunt, ihre mathematischen Berechnungen waren perfekt. Politische Diskussionen führte die Neunjährige gezielt, und militärische Strategien legte sie ihren Lehrern breitflächig dar, ohne auch nur eine winzige ihr gestellte Falle zu übersehen. Auf all diesen Gebieten konnten ihre Lehrer ihr fast nichts mehr beibringen, doch zu leiden hatten die Priester. Bint-Anat wandte sich gegen alle religiösen Riten, ihre Ohren waren taub für die Lehren der Götter. Nur eine Göttin ließ das langsam erblühende Mädchen in ihre Nähe. Seit sie ihre kleine Katze Nefer vor ihrer Tür gefunden hatte, beschäftigte sie der Kult der Katzenköpfigen. Sie hatte Bastet zu ihrer eigenen Schutzgöttin ernannt, sehr zum Unwillen der Amun-Priesterschaft, denn in Bubastis, der Stadt der Katzengöttin, feierten ihre Priesterinnen zügellose Orgien im Namen der Schönen und hatten einen völlig freien Lebensstil, der nach Meinung der Amun-Priester einer Prinzessin unwürdig war. Bint-Anat jedoch hatte ihre Wahl getroffen, und wer sie kannte, der wusste, dass Entscheidungen, die Bint-Anat für sich selbst traf, unwiderruflich waren.

Als der Lärm im Hof anschwoll, fuhr Bint-Anat aus ihren Gedanken. Ihr Lehrer blickte von seiner Schreibtafel auf, bedeutete ihr aber streng, sitzen zu bleiben. Doch dann hörten sie ein energisches Klopfen, und ehe der Lehrer antworten konnte, standen zwei Soldaten höheren Ranges, gefolgt von dem ersten Amun-Priester, in der Tür.

»Du musst deinen Unterricht vorerst beenden, Lehrer. Wir sind hier, um die königlichen Kinder zum Palast zu bringen. Pharao Ramses wünscht seine Familie zu versammeln, damit diese die Trauerzeit um Osiris Sethos gemeinsam begeht.«

Bint-Anat blieb fast das Herz stehen. Sie traute ihren Ohren kaum. Was sie da hörte, bedeutete eine Wende in ihrem Leben. Ihr Vater war Pharao, ihr Großvater, der große Osiris Sethos, hatte seine Barke bestiegen. Mechanisch erhob sie sich und folgte den Soldaten.

Nefertari legte Ramses sacht die Hand auf die Schulter und fuhr ihm durchs Haar, eine Vertrautheit, die das Paar eigentlich nur in ihren Privatgemächern austauschte, doch heute zählte die Etikette nichts. Ramses hatte seine Familie in seinem Privatsaal versammelt, seine engere Familie, wozu seine Mutter Tuja, Nefertari, Isisnofret sowie die Kinder seiner Hauptgemahlinnen zählten. Amunnemipet durfte als enger Vertrauter und Ramses' Freund auch in dieser schweren Stunde an seiner Seite sein. Tuja war um Jahre gealtert. Es war, als wäre Sethos gegangen und hätte Tuja mitgenommen. Nur eine leere Hülle dieser starken, energischen Frau war zurückgeblieben. Nefertari wusste nicht, wen sie zuerst trösten sollte, Ramses oder Tuja. Amunnemipet stand stumm an der Seite seines Freundes. Worte hätten nichts an seinem Schmerz geändert. Isisnofret hielt sich im hinteren Teil des Raumes auf, grimmig die Intimitäten beobachtend, die Nefertari in aller Öffentlichkeit mit Ramses austauschen durfte. Als Bint-Anat, Chaemwese und Amu den Raum betraten, schien Ramses seine Kraft zusammenzunehmen und begab sich zu seinem goldenen Thronsessel. Dann richtete er sein Wort an Amunnemipet.

»Lasse den ersten und zweiten Amun-Priester herein, den königlichen Schreiber und den Hüter der Kronen. Ich werde meine Beschlüsse verkünden.«

Amunnemipet tat, wie ihm geheißen, und Ramses richtete seinen Blick stur geradeaus, ohne eine der anwesenden Personen anzusehen.

»Dies spricht Ramses, Pharao, Sohn der Sonne, im ersten Jahr seiner Herrschaft. Was ich sage, sei Gesetz. Heute, am sechsundzwanzigsten Tag des dritten Schemu-Monats, beginne man mit den Vorbereitungen zur Bestattung und Auferstehung des großen Osiris Sethos, die Trauerzeit soll siebzig Tage betragen. Morgen, am siebenundzwanzigsten Tag des dritten Schemu-Monats, soll das heute Beschlossene dem Volk verkündet werden. Meine Gemahlin Nefertari soll den Platz der ersten Königsgemahlin an meiner Seite einnehmen. Isisnofret soll ebenfalls alle Ehrentitel erhalten, bis auf den der Gottesgemahlin. Diesen Titel wird meine Gemahlin Nefertari als Abbild der Mut allein tragen. Ich ernenne zum Kronprinzen meinen Sohn Amunherunemef. Die Krone werde ich nach dem Wiedererscheinen des Mondes entgegennehmen. Mein Name wird lauten: Ramses Usermaatre – Stark ist die kosmische Ordnung des Re; der meiner Königin: Nefertari Meri en Mut – Die reich an Zauber ist.«

Als Osiris Sethos siebzig Tage später den Göttern anvertraut war, begann der Palast zu neuem Leben zu erwachen. Ramses, der wie alle anderen Männer des Hofes in der Zeit der Trauer seinen Bart hatte wachsen lassen, rasierte sich und legte Zeremonialgewänder an. Er und die Königin traten getrennt zur Reinigungszeremonie vor die Götter.

Im Palast führte man die gekrönte Nefertari an seine Seite. Sie trug die flache Modius-Krone mit den Doppelfedern. Als Zeichen ihrer Fruchtbarkeit leuchtete zwischen ihnen die Sonnenscheibe. Nefertari, die ohnehin schon verklärt und entrückt gewesen war, konnte nun zwischen den Göttern wandeln.

*Jahr 1 der Herrschaft Ramses' II. –*
*Königspalast in Memphis*

Amunnemipet überprüfte ein letztes Mal das Gespann der Prinzen. Amu und Chaemwese waren von Ramses nach Karnak befohlen worden. Es war dringend erforderlich, einen neuen Amun-Priester in sein Amt zu berufen. Die Anwesenheit der Prinzen, vor allem die des Kronprinzen, war gewünscht.

Bint-Anat stand sehnsüchtig abseits. Für sie sollte der Alltag im Kap wieder beginnen, während ihre Brüder große Feste miterleben durften und Ägypten von seiner schönsten Seite sahen. Bevor Amunnemipet der Eskorte das Aufbruchszeichen gab, kam er noch einmal zu Bint-Anat.

»Prinzessin, die Königin vertraut Euch – und nur Euch allein – die Prinzessin Merit-Amun an. Sie ist nun alt genug, um ebenfalls im Kap unterrichtet zu werden. Es ist der Wunsch der Königin, dass Ihr noch heute mit Eurer Schwester ins Kap zurückkehrt.«

Mit Beendigung seiner Ausführungen verbeugte sich Amunnemipet vor Bint-Anat und brach mit den Prinzen Richtung Theben auf.

Es war nun ein Jahr vergangen, und Bint-Anat fühlte sich wieder einmal allein. Ihr Vater hatte den Herrschaftssitz und somit auch den Königspalast nach Pi-Ramses, der fast fertig gestellten Hauptstadt, verlegt. Memphis war seitdem wie ausgestorben. Ihre Brüder, Nefertari, ja selbst ihre Mutter residierten im Palast. Nur sie und Merit-Amun waren noch hier. Aus lauter Langeweile und damit sie der Familie näher sein konnte, hatte sie sich sämtliche Bauvorhaben und Militäraktionen ihres Vaters von den Lehrern erläutern lassen. Die militärisch anmaßende Stellung der neuen Hauptstadt gegenüber dem Hethiterreich ließ Bint-Anat nachdenklich werden. Als Zehnjährige war sie nun ohne weiteres in der Lage, die politisch gut durchdachten Strategien ihres Vater nachzuvollziehen.

Sorge bereitete ihr der Zustand ihrer Schwester Merit-Amun, die im Kap sehr verloren wirkte. Einzig und allein der Tempeldienst machte ihr etwas Freude. Die Siebenjährige neigte zu der gleichen Anfälligkeit wie die große Königsgemahlin, und Bint-Anat beschloss, einen Brief an Nefertari zu schreiben. An wen hätte sie sich sonst wenden können? Sie griff nach Tusche und Schreibtafel und ließ den Federkiel kunstvoll über den Papyrus gleiten.

*»Grüße an meine Schwester, die große königliche Gemahlin Nefertari Meri en Mut, die reich an Zauber ist.*
*Wie geht es meiner Schwester? Meine besten Wünsche für Dich begleiten diesen Brief. Lass mich Dir sagen, dass es mir selbst an nichts fehlt, doch das Befinden der Prinzessin Merit-Amun zu großer Sorge veranlasst. Meine Gebete zu Bas-*

*tet können die Seele der Prinzessin nicht heilen, ihr Geist weilt nicht an diesem Ort. Nicht die Schrift, das Lesen und Rechnen noch die großen Gelehrten, derer wir hier gedenken, können das Herz der Prinzessin hochleben lassen. Dies vermögen einzig und allein die Götter. In ihren Häusern verbringt sie die meiste Zeit. Nie würde Merit-Amun mich bitten, der großen Königin dies zu schreiben, und nie würde sie ein anderes Schicksal als das ihrige von dem Pharao erflehen. Deshalb werde ich zu ihrer Zunge, ihrem Herzen und ihrem Ka. Lass mich für die Prinzessin Merit-Amun demütig um ein anderes Schicksal flehen, in dem sie ihren Frieden finden kann.*

*Dies schrieb Dir, größte unter den Frauen, die Prinzessin Bint-Anat, von Dir mit Liebe beschenkt.«*

# Bint-Anat und Ramses

*Mir träumte, Ra sprach zu mir – unbeirrbar folge ich nun dem goldenen Pfad, der so klar vor mir liegt. Das höchste Glück erfahre ich, die ich erwählt wurde, ich erblicke das, was anderen verschlossen bleibt. Ra liebte mich, nie werde ich sein wie zuvor, niemals kann ich wieder wandeln unter den Verklärten, denn Du – mein Vater – öffnetest meine Lider und erwecktest mich vom Schlafe!*

# Kapitel 3

*Königspalast in Pi-Ramses*

Nefertari fühlte sich schwach. Seit einem Jahr übte sie nun die Aufgaben der ersten Königin aus, zelebrierte die Mut-Riten, stand bei offiziellen Anlässen an Ramses' Seite, verwaltete die großen Harims und teilte das gesamte Palastpersonal ein. Tuja wusste um die große Last, die auf den Schultern der jungen Königin lag, und stand ihr so gut es ging zur Seite, doch kämpfte Nefertari von Tag zu Tag mehr mit ihrer zunehmenden Schwäche. Um Ramses' willen durfte jedoch niemand von dieser erfahren. Sie war die Königin, befreit von jedem menschlichen Übel, eingereiht in die Annalen ihrer göttlichen Vorfahren. So verstand sie es auch geschickt, ihre Schwäche vor Ramses zu verbergen, der ohnehin die Last seiner eigenen Krone spürte. Tuja, ein Schatten der Frau, die Sethos' Seele gefolgt war, manifestierte ihre Kräfte allein für Ramses und Nefertari, um ihnen in den ersten Regierungsjahren jegliche Unterstützung zukommen zu lassen und sie zu beraten. Ihr Körper blieb unnachgiebig in Pi-Ramses, während sich ihre Seele vom Körper loszulösen versuchte, um Sethos in die schönen Gefilde des Westens zu folgen.

Nefertari verdrängte die düsteren Gedanken und griff nach dem Papyrus, der ihr von ihrer Dienerin überbracht worden war – eine Nachricht der Prinzessin Bint-Anat aus Memphis. Nefertari überflog die Zeilen, die Bint-Anat in sauberer Keilschrift verfasst hatte – zu sauber für die Hände einer Zehnjährigen. Als sie die letzte Zeile gelesen hatte, ließ sie den Papyrus in ihren Schoß sinken und dachte eine Weile nach. Dann befahl sie der Sklavin, die ihr schon den ganzen Nachmittag geduldig mit einem großen Federwedel Luft zufächelte, nach Tuja zu rufen.

Tuja und Nefertari verband enge Freundschaft, weshalb sich die Königsmutter nicht lange bitten ließ und der Sklavin in Nefertaris Gemächer folgte. Tuja war erschüttert über die schlechte Verfassung der erst vierundzwanzigjährigen Königin. Zu schnell schwanden ihre Kräfte auf Erden. Sie setzte sich auf einen Stuhl an die Seite von Nefertaris Ruhebett und legte deren kühle Hand in ihre.

»Tuja, bitte verzeih, dass ich dich einfach habe rufen lassen, anstatt dich selbst aufzusuchen, doch ich fühle mich nicht sehr wohl.«

Tuja runzelte besorgt die Stirn. »Du brauchst dringend Ruhe, Nefertari. Die Last der Krone ist schwer, und du musst sie verlagern, damit du ihr Gewicht ertragen kannst.«

»Nein, Tuja, es gibt nichts, was ich einer anderen aufbürden könnte.«

Tuja dachte an ihre nutzlose zweite Schwiegertochter. »Mit Isisnofret wäre Ramses auch schlecht bedient, sie muss unbedingt von jedweder Machtposition ferngehalten werden.«

Nefertari senkte traurig die Lider. »Einst glaubte ich eine Freundin zu haben.«

Tuja verdammte sich selbst dafür, das Gespräch in diese Richtung geführt zu haben. Sie hatte der sensiblen Nefertari nie von dem Mordanschlag erzählt.

»Als Isisnofret erfahren hatte, dass ich ebenfalls in Ramses' Gunst stand, hat sie jeglichen Kontakt zu mir abgebrochen, Besuche meinerseits abgelehnt. Wenn wir uns treffen, begegnet sie mir feindselig.«

Tuja wollte Nefertari auf andere Gedanken bringen, und so fragte sie: »Warum hast du mich rufen lassen, Nefertari?«

Nefertari fuhr aus ihren Gedanken hoch und gab Tuja den Papyrus zu lesen, der bis jetzt in ihrem Schoß gelegen hatte.

Tuja richtete nachdenklich den Blick auf ihre Schwiegertochter. »Nefertari, wie gut kennst du die Prinzessin Bint-Anat?«

»Gut genug, um in ihrer Schuld zu stehen, denn wie du weißt, hat sie Meri das Leben gerettet.«

Tuja nickte beifällig. »Tat sie es für deine Tochter oder für sich selbst?«

Nefertari blickte Tuja verständnislos an. »Sie liebt Meri, niemand anderem hätte ich meine Tochter nach diesem Vorfall anvertraut. Du kennst sie nicht.«

Tuja erhob sich. »Ich kenne ihre Mutter.«

»Du kennst auch ihren Vater.«

»Nefertari, wenn du Merit-Amun an den Hof zurückholst, wird sie nicht ohne Bint-Anat gehen, da sie ein freundschaftliches Verhältnis verbindet.«

»Bint-Anat hat die gleiche unglaubliche Reife, wie Ramses sie nach deinen Ausführungen gehabt haben muss. Was soll sie im Kap noch lernen können. Der Einzige, der ihr Wissen noch vergrößern kann, ist Ramses. Sie ist die Frucht seiner Lenden.«

Tuja fuhr erschrocken herum. »Sie ist die Frucht der bösen Göttin Sachmet, seinen todbringenden Atem gab Seth.«

»Ramses hat zu Seth immer eine tiefe Verbundenheit empfunden. Wer, wenn nicht er, könnte diesen bösen Geist im Zaum halten? Ramses hat die Kraft, die bösen Seiten Seths zu unterdrücken und seine großen Kräfte zu nutzen. Tuja, sie ist die Erbprinzessin.«

»Nein, Nefertari, niemand hat sie dazu ausgerufen.«

Nefertari sah Tuja entsetzt an. »Tuja, ist es etwa dein Werk, dass Bint-Anat die offizielle Bestätigung nicht erhielt? Ist sie deshalb immer noch im Kap?« Tuja wich Nefertaris Blick aus. »Sie ist nicht wie ihre Mutter. Sie verinnerlicht Ramses' ganzes Wesen in sich. Seine Stärke, seinen Willen, seinen Geist. Sie ist eine geborene Königin.«

Tuja strich sanft über Nefertaris Wangen. »Nein, meine Tochter, das bist du. Keine andere könnte es jemals sein.«

Nefertari richtete sich auf. »Tuja, wenn du dereinst in die Gefilde des Westens gehst, werde ich nicht mehr lange an Ramses' Seite sein. Dies prophezeite mir Isis. Mir ist kein langes Erdenleben vergönnt. Nun überlege einmal, geliebte Freundin. Wenn du und ich nicht mehr sein werden, ist da noch Isisnofret, die an die erste Stelle rückt. Wer hielte ihre Stärke im Zaum? Ramses? Nein, nur eine Frau kann gegen die gewaltige Sachmet bestehen. Dann überlege weiter, Tuja, du hast den Papyrus gesehen, Merit-Amun wäre verloren. Isisnofret würde meine arme schwache Tochter vernichten. Wir brauchen Bint-Anat, Ramses wird sie brauchen. Nur sie kann die Maat am Hof aufrechterhalten. Sie ist Ramses' Blut. Sie hat viel Gutes in sich.«

Nefertari hatte sich so sehr angestrengt, Tuja zu überzeugen, dass sie sich kraftlos zurücksinken ließ. Tuja strich ihr leicht über das blauschwarze Haar.

»Du bist gutmütig und weise, Nefertari. Wenn es dein Ka beruhigt, werde ich nach Merit-Amun und Bint-Anat schicken. Doch werde ich die Prinzessin Bint-Anat und ihre Mutter sehr genau im Auge behalten. Eine Löwin wirft niemals harmlose Kätzchen.«

Mit diesen Worten verabschiedete Tuja sich von ihrer Schwiegertochter.

Bint-Anat hatte keine Ahnung gehabt, wie wunderschön die neue Hauptstadt der beiden Länder war. Im Nachhinein war sie froh darüber, denn sie fühlte sich hier sofort heimisch, und eine Rückkehr ins Kap von hier aus würde äußerst schmerzhaft sein. Merit-Amun war während der ganzen Reise aufgelebt. Sie waren auf dem Nil gereist und hatten viel gesehen. Endlich war auch sie ihrem Gefängnis entronnen. Bint-Anat konnte es spüren. Hier pulsierte das Leben. Das Herz Ägyptens schlug hier – ein junges Herz, das starke Herz eines jungen Pharaos mit neuen Ideen und einer großen Zukunft. Die Stadt wurde allgemein nur die Türkisene genannt, und Bint-Anat verstand auch, wieso. Alle Häuser waren mit bunten Fliesen belegt, bei denen die Farbe Türkis überwog. Auch der Palast bildete da keine Ausnahme. Sie hatte mit größter Begeisterung ihre Gemächer bezogen, zu ihrer Erleichterung weit weg von den Kindergemächern.

Meri saß wie ein strahlender kleiner Stern zur Linken ihrer Mutter. Ramses, der seine Tochter lange nicht gesehen hatte, war entzückt von ihrem zarten Liebreiz und der Ähnlichkeit mit Nefertari. Er hatte seine Tochter zu sich gerufen, und jetzt saß sie schon den ganzen Abend an seiner Seite und blickte ein wenig ängstlich zu ihrer Mutter hinüber, denn Ramses war der Pharao, und dieser musste auf ein kleines Mädchen einschüchternd wirken.

Nach dem Hauptmahl erhob sich Nefertari von ihrem Tisch, den sie sich mit Tuja geteilt hatte, und setzte sich zu Ramses. Ramses küsste die Wange seiner geliebten Königin.

»Unsere Tochter ist gut erzogen, und ihre spätere Schönheit zeichnet sich schon in ihrem Gesicht ab. Die Züge einer Königin.«

Nefertari lächelte zart, dann bat sie Merit-Amun, sich zu Tuja zu setzen, denn diese habe köstliche Honigkuchen. Ramses blickte der kleinen Merit-Amun verzückt nach. So hatte sie ihn schon lange nicht mehr gesehen. Er war entspannt an diesem Abend, wie üblich trug er auch heute den einfachen weißen Pharaonenschurz, den er vor allen anderen Kleidungsstücken bevorzugte. Seine kastanienbraunen Haare deckte er in seinen Privaträumen niemals durch Chepresh oder Perücke ab, seine kräftigen Armmuskeln wurden durch solide Armreifen betont. Seine Schminke war jedoch immer akkurat aufgetragen. Das energische Kinn mochte Nefertari besonders an ihm. Sie blickte ihn liebevoll an.

»Heute sind wir wieder jung, mein Gemahl. Die letzten zehn Jahre gibt es nicht, keine Krone ziert unsere Häupter. Ich sehe dich wie damals am See, als ich mich unsterblich verliebte.«

Ramses griff nach Nefertaris Hand. »Ohne dich wäre die Krone zu schwer. Nur der Gedanke an den Abend mit dir lässt mir ihre Last gering erscheinen.«

»Genau darüber muss ich mit dir reden, mein Gemahl.« Ramses blickte Nefertari besorgt an. »Ich wünschte mir lange Jahre an deiner Seite, doch prophezeiten mir die Götter ein anderes

Schicksal. Wenn ich nun nicht mehr deine große Königin wäre, wen würdest du erwählen?«

Auf Ramses' Stirn bildete sich die altbekannte Zornesfalte. »Kein Gott wird es je wagen, dich von meiner Seite zu nehmen.«

Nefertari drückte beruhigend Ramses' Hand. »Und doch muss ich als Königin und Mutter Ägyptens auf der Beantwortung meiner Frage bestehen.«

Ramses räusperte sich unwillig. »Keiner würde der Titel der Gottesgemahlin zustehen.«

Nefertari entgegnete: »Doch einer würde der Titel der großen Königsgemahlin zukommen müssen.«

»Jede könnte es sein, sie wäre bedeutungslos in meinem Herzen.«

»Aber nicht bedeutungslos für Ägypten. So sage mir, großer König, wer würde es sein?«

»Es wäre egal, sie hätte keinerlei öffentliche Ämter, keinen Platz in meinem Herzen.«

»Wer ist die Erbprinzessin?«

»Wieso fragst du das?« Ramses wand sich.

»Wenn ich nicht mehr lebe, kannst du sie an deine Seite berufen.«

Ramses zuckte zusammen. »Ich könnte ebenso gut Isisnofret die Titel übergeben. Macht hätte sie dann noch lange nicht.«

»Darum geht es. Ich will Ägypten und dich in die Hände einer Frau geben, die nicht nur Statistin ist.«

»Die könnte es nie geben.«

Nefertari lächelte zärtlich. »Vielleicht nicht in deinem Herzen, doch eine treue Gefährtin, die die Krone für Ägypten trägt, die könnte es geben.«

Ramses blickte Nefertari unwillig an. »Eine meiner Töchter wird dies sein.« Nefertari nickte. »Wenn Merit-Amun alt genug ist, wird sie inthronisiert werden.«

»Meri kann diese Bürde nicht tragen. Meri ist still, eine Priesterin zu werden, dies – so sagte mir Bint-Anat – ist ihr Wunsch.«

»Ihr Wunsch muss hinter den Wünschen ihres Vaters und Pharaos zurückstehen.«

»Welche Lasten willst du ihr aufbürden? Sieh sie dir nur an, Ramses. Willst du den Blick der Leichtigkeit aus ihren Augen schwinden sehen?«

Ramses küsste Nefertaris Hand. »Nein. Es schmerzt mich jeden Tag aufs Neue, dass ich ihn dir nahm.«

»Du gabst mir mehr, als du mir nahmst.«

»Meine schöne Königin hat schon eine Gefährtin für mich ausgewählt, nicht wahr?« Wieder nickte Nefertari. »Wer ist es?«

»Die Prinzessin Bint-Anat. Nie sah ich solche Stärke, niemals solche Klugheit in den Augen einer Frau.«

»Sie ist ein zehnjähriges Mädchen.«

»Sie wird zur Frau reifen. Ägypten wird sie lieben – und sie liebt Ägypten.«

»Ich werde meinen Blick auf sie richten, werde deine Ratschläge überdenken, denn du bist weise, Nefertari. Doch weigere ich mich, die Prinzessin in der Rangfolge hinter dich zu stellen. Wenn ich mit dir übereinstimme, werde ich sie Amu als Gemahlin versprechen. Dies sollte vorerst genügen.«

Nefertari senkte die Augen. Ein Zeichen, dass sie zufrieden war.

Bint-Anat saß im Schreibersitz vor ihrem Vater, und ihre Feder zeichnete kunstvoll jede Hieroglyphe, die Ramses ihr nannte. Als er die große Kunstfertigkeit seiner Tochter erkannte, diktierte er ihr einen Brief, danach ließ er sie mathematische Berechnungen für seinen neuesten Tempelbau erstellen. Schließlich diskutierte er ein paar religiöse Texte mit ihr und kam letztendlich auf eine Frage, die er mit keiner Frau jemals erörtert hätte, da Frauen seiner Meinung nach keine politischen Strategien erkennen konnten.

»Nun, Tochter, nenne mir den Grund, warum Pi-Ramses hier in Auraris, der ehemaligen Hauptstadt der Fremdherrscher, erbaut worden ist.«

Bint-Anat blickte ihren Vater kurz beleidigt an, dann stand sie auf und begann mit verschränkten Händen auf und ab zu gehen. Ramses stellte leicht verwundert fest, dass seine Tochter fast alle seine Eigenarten teilte.

»Pi-Ramses soll dir, mein Vater, ein wichtiger Stützpunkt sein. Es erfüllt gleich zwei für dich wichtige Aufgaben. Erstens hast du Truppen in einem Gebiet manifestiert, das zu sehr von den Fremdländern bedroht wurde. Zweitens ist dir nicht entgangen, dass das Hethiterreich sehr stark geworden ist. Eine Fusion mit Amurru könnte Ägypten in eine ungünstige Lage bringen. Doch ich glaube, dass du nicht nur daran denkst, den Frieden zu gewährleisten. Wenn die Zeit kommt, wirst du gegen Kadesch ziehen.«

Ramses vermochte nur schwer seine Verblüffung zu verbergen. Es war, als könnte die Prinzessin seine Gedanken lesen, doch ihr angestrengter Blick ließ erkennen, dass ihr Geist innerlich arbeitete, Theorien aufstellte, wieder verwarf und letztendlich zu logischen Schlussfolgerungen kam.

»Du wirst dein Augenmerk auf den Fürsten Benteschina von Amurru richten. Er ist schwach, ein schlechter Verbündeter.«

Ramses erhob sich und begann ebenfalls auf und ab zu gehen. »Woher beziehst du dein Wissen, Tochter?«

»Ich verwickelte meine Lehrer im Kap so geschickt in politische Diskussionen, dass sie im Eifer des Gefechts vergaßen, dass ich ein Mädchen bin, und mir so ein Wissen vermittelten, das allein den Königssöhnen überliefert wird.«

»Es ist äußerst gefährlich, so zu deinem Pharao zu sprechen.«

»Zu wem sonst könnte ich sprechen?«

»Du bist klug, Bint-Anat. Welche Freude könntest du mir bereiten, wenn du mein Sohn wärst. Im Kopf einer Prinzessin ist Wissen immer fehl platziert.«

»Nicht in meinem Kopf. Ägypten fließt durch meine Adern!«

»Isisnofrets Blut fließt durch deine Adern.«

»Dein Blut fließt durch meine Adern, Vater. Vertraust du dir selbst so wenig, dass du deinem eigenen Blut misstraust?«

Ramses starrte Bint-Anat fassungslos an. Eine solche Dreistigkeit hatte sich niemals jemand bei ihm erlaubt. Doch erinnerte er sich an die Worte der sechsjährigen Bint-Anat im Garten von Memphis. Sie war furchtlos. Allein so konnte sie um das Vertrauen des großen Ramses bitten.

»Also gut, Tochter. Ich werde dich prüfen. Gefällt mir, was ich sehe, wird Ägypten einst dein Gemahl werden. Enttäuschst oder betrügst du mich, wird Ägypten dich als Hochverräterin betrachten. Du erbatest die Privilegien eines Prinzen, so nimm also auch seine Bürden auf dich.«

Bint-Anat verbeugte sich.

Tuja war außer sich. Wie konnte ihr Sohn dieser Schlange die Hand reichen. Eine Diskussion war entbrannt, bei der Tuja Ramses die Schlechtigkeit seiner zweiten Gemahlin und deren Tochter vor Augen führen wollte. Doch dieser hatte sich entschieden.

»Ras Blick wird nicht von ihr weichen. Ich werde sie prüfen, streng, unerbittlich und hart. Wenn sie mit vierzehn Jahren meine Erwartungen erfüllt, gebe ich sie als Erbprinzessin an Amu. Amu ist stark, doch bedarf er einer klugen Königin.«

Tuja verstand überhaupt nichts mehr. »Was ist mit Merit-Amun, der Tochter deiner Gottesgemahlin? Hätte sie nicht den größeren Anspruch auf den Thron?«

»Ich folge Nefertaris Wunsch und dem Wunsch der Prinzessin. Aber selbst wenn du Recht hättest und Merit-Amun würde einen dynastisch höheren Anspruch auf den Horus-Thron haben, so überwiegt meiner Ansicht nach doch der intellektuelle Anspruch einer Prinzessin. Eine starke Frau sichert den Thron ihres Gemahls.«

Damit war das Thema für Ramses abgeschlossen. Seine Wahl war getroffen. Tuja hingegen wollte die vier Jahre nutzen, um Ramses eines Besseren zu belehren.

*Jahr 4 der Herrschaft Ramses' II. –*
*Königspalast in Pi-Ramses*

Bint-Anat saß an ihrem Schreibtisch und bearbeitete die Listen der Güter, die für den Amun-Tempel geliefert worden waren. Sorgfältig überprüfte sie jeden einzelnen Posten, überschlug im Kopf die Summe der Güter und strich hier und da ein paar überzogene Forderungen der Priester, um eine gleichmäßige Aufteilung auf die Tempel zu gewährleisten.

Während die gesamte Amun-Priesterschaft den Namen Bint-Anat nur mit knirschenden Zähnen aussprach, war die junge Prinzessin bei allen anderen Priesterschaften sehr beliebt, denn endlich hatten auch kleinere Tempel eine reelle Chance, Tempelgüter im ausreichenden Maße zu erhalten. Der Moloch der Amun-Priesterschaft bekam trotz der Kürzungen noch mehr als genug. Von ihrem Vater immer mehr ins Vertrauen gezogen, war man zu dem Schluss gekommen, die zu groß gewordene Macht der Amun-Priesterschaft durch Taktik zu schmälern und ein starkes Gegengewicht zu schaffen. Kürzungen der Warenlieferungen waren nur ein unbedeutender Teil von Ramses' großen Reformen.

Dem Pharao war es gelungen, eine große Götterdreiheit zu schaffen, die aus Amun, Re und Ptah bestand. Geschickt hatte er die großen Priesterschaften gegeneinander ausgespielt, sodass sie sich niemals als gewaltige Einheit gegen den Pharao stellen konnten. Karnak, Memphis und Heliopolis trauten sich gegenseitig nicht über den Weg, ein jeder war darauf bedacht, die größten Anteile zu erhalten. Die anderen Gotteshäuser konnten somit wieder atmen, da die Mächtigen sich uneins waren. Ein raffinierter Schachzug, mit dessen Durchführung er seine kluge Tochter beauftragt hatte.

Bint-Anat arbeitete zu Ramses' Zufriedenheit. Ein Platz an seiner Seite war ihr bei fast jeder Gelegenheit gesichert. Und trotzdem fand Bint-Anat noch die Zeit, Nefertari, der sie alles zu verdanken hatte, zu unterstützen. Die Stellung der großen königlichen Gemahlin blieb unangetastet. Bint-Anat war zufrieden, ihren Platz gefunden zu haben – doch ein Gewitter braute sich über dem Palast zusammen. Isisnofret hatte die Qualitäten ihrer Tochter erkannt, und zum ersten Mal seit Jahren regte sich ein winziger Funken Hoffnung in ihrem vergrämten Herzen.

# Bint-Anat und Chaemwese

*Ra – Deine Strahlen lassen meine Knospe erblühen, und schimmerndes Gold verbreitet Entzücken. Welch seltsames Götterspiel – süßer Wein, berauschend und vollmundig mein Blut – wie ein Vöglein den Frühling begrüsst, trunken der mannigfaltigen Pracht – so fühle ich, erblicke ich den Zwilling meiner Seele, den Chnum auf seiner Töpferscheibe allein mir erschuf.*

# Kapitel 4

*Jahr 4 der Herrschaft Ramses' II. –*
*Königspalast in Pi-Ramses*

Ramses sah die Schriftrollen durch, die seine Tochter ihm durch einen Boten hatte zukommen lassen. Jeder einzelne Posten war gewissenhaft aufgeführt, die Güter gerecht auf die Tempel verteilt worden. Zufrieden legte er die Schriftrollen beiseite, ohne die restlichen Posten zu überprüfen, einen Luxus, den er sich nur bei Dokumenten erlaubte, die seine Tochter bearbeitet hatte.

Ramses ließ die letzten drei Jahre vor seinem inneren Auge Revue passieren. Bint-Anat hatte sich als ehrgeizig und vertrauenswürdig erwiesen. In einem halben Jahr war die Zeit reif, sie zur Erbprinzessin zu ernennen. Ramses war nun neunundzwanzig Jahre alt. Obwohl er sich noch immer jung fühlte, war er sich der Pflicht seines Amtes bewusst. Sein Volk und Ägypten verlangte, dass die Thronfolge früh geregelt wurde, damit Thron- und Erbstreitigkeiten nach seinem Ableben nicht das Land ins Chaos stürzten und die Verbündeten Ägyptens nicht urplötzlich zu Gegnern würden. Alles das war in früheren Zeiten schon öfter geschehen, und Ägypten hatte Jahrhunderte gebraucht, sich aus den Klauen der Fremdherrscher zu befreien. Ramses hatte in den alten Schriftrollen viel über die Fremdherrschaft der Hyksos gelesen, ein schwacher Pharao hatte ganz Unterägypten an sich gerissen. Wie lange hatten seine Vorfahren kämpfen müssen, um die eroberten Landstriche wieder in die Hände der Götter zu geben. Und dann war da noch der Ketzerkönig gewesen. ECHNATON! Von einer Vision beseelt, hatte er die Vielgötterei verboten und sich Aton, der strahlenden Mittagssonne, als alleinigem Gott unterstellt. Seine schöne Hauptstadt war zum Steinbruch geworden, aus der man nur noch die weißen Felsblöcke abtrug, um neue große Denkmäler für die zahlreichen Götter Ägyptens zu erbauen. Zu welchem Ruhm hätte seine Vision erblühen können, wenn Echnaton nur den Unwillen des Volkes und der Priesterschaft zu befriedigen gewusst hätte. Gefangen in seinem hochintelligenten, doch wahnsinnigen Geist, hatte er die Fragen der Außenpolitik völlig außer Acht gelassen, bis seine Dynastie aus den eigenen Reihen gestürzt wurde.

Achet-Aton war ein großes Denkmal, das Ramses die Wichtigkeit einer strukturierten Politik und eines ausgewogenen Götterkultes vor Augen hielt. Das Dreierkonzept – Amun, Ptah und Re – war eine strategisch wichtige Lösung gewesen. Gegeneinander aufgehetzt, hatten die drei großen Heiligtümer aufgehört, ein Konsortium zu bilden und die kleinen Heiligtümer so ihrer Privilegien und Güter zu berauben. Chaemwese war sogar noch einen Schritt weiter gegangen. Er hatte den Kult des Apis-Stieres wieder aufleben lassen und begann erste Schritte als Förderer dieser Religion. Karnak brodelte! Doch Ramses war zu stark, als dass man ihn noch hätte stürzen können. Amu, sein erwählter Thronfolger, versprach ein ausgezeichneter Soldat zu werden. Die Reife seiner Kinder stärkte dem Pharao den Thron von allen Seiten. Bint-Anat steuerte den riesigen Verwaltungsapparat, Chaemwese kontrollierte die Religion – und Amu hatte das Militär fest im Griff. Über ihnen stand nur noch einer! Ramses selbst, der vom Arbeitszimmer aus die Fäden zog und seine Beliebtheit mit häufigen öffentlichen Auftritten festigte. Ja, bald würde es Zeit sein, seine Nachfolge unwiderruflich zu regeln. Doch vorher gab es noch etwas anderes, das Vorrang hatte, und heute Abend würde er seine Vertrauten zusammenrufen, um es mit ihnen zu besprechen.

# *Hathor-Heiligtum in Pi-Ramses*

Bint-Anat schlenderte neben Merit-Amun durch die Tempelanlage. Das kleine Hathor-Heiligtum der Stadt war Meris zweites Zuhause geworden. Sie verbrachte hier mehrere Tage der Woche und wurde unterrichtet, um irgendwann einmal in die Mysterien eingeweiht zu werden. Sie war ein ruhiges Kind, sehr ernst, der Tempeldienst hatte sie schnell reifen lassen. Doch sie war glücklich, und um das zu gewährleisten, besuchte Bint-Anat sie wöchentlich.

»Meri, deine Lehrer sind äußerst zufrieden mit dir. Es wird nun langsam Zeit, dass du dich größeren Aufgaben widmest. Doch das kannst du nicht in Pi-Ramses.«

Meri blickte betrübt zum Himmel. »Ich habe auf diese Worte gewartet, Schwester, und ich habe sie gefürchtet, denn im Herzen fühle ich, dass du die Wahrheit sprichst. Ich habe nachgedacht und bin zu einem Entschluss gekommen.« Bint-Anat sah ihre Schwester neugierig an. »Ich werde sehr weit fortgehen, denn ich bin mir wohl bewusst, dass du deine starke, schützende Hand über mich hältst. Du bist mir Mutter, Freundin und Schwester, doch ich sehe, dass dein Weg dich von mir wegführt. Es ist Zeit für mich, eigene Aufgaben und meinen Platz unter den Menschen zu finden. Deshalb habe ich mich für das Hathor-Heiligtum in Abu Simbel entschieden.«

Bint-Anat erschrak. »Warum gerade dorthin? Es gibt nähere Tempel, in denen du genauso gut unterrichtet werden kannst.«

»Ja, doch den Unterricht, den ich brauche, muss ich mir selbst auferlegen.« Bint-Anat schüttelte den Kopf. »Bint-Anat, glaube mir doch bitte, dass es das Beste für mich ist. Ich werde lernen, auf eigenen Füßen zu stehen, und irgendwann werden wir uns wiedersehen. Doch jetzt und hier müssen unsere Wege sich trennen. In meinem Herzen aber wirst du immer einen Platz haben, in meinen Träumen wirst du an meiner Seite sein.«

Bint-Anat fiel ihrer Schwester um den Hals. »Meri, ich muss dich wohl gehen lassen – um deinetwillen.«

Ramses saß neben seinem Freund Amunnemipet und seinem Sohn Amu an einem Tisch. Bint-Anat teilte sich mit Chaemwese einen Tisch. Immer noch verband sie tiefe Freundschaft. Nefertari unterhielt sich mit Tuja, und ausnahmsweise war auch Isisnofret beim heutigen Abendessen anwesend. Bint-Anat kannte das Spiel nur allzu gut. Ramses wollte seine zweite große Gemahlin für die kommende Nacht milde stimmen. Immer wenn Isisnofret mit ihnen aß, hatte Ramses vor, die Nacht mit ihr zu verbringen. Bis jetzt hatte Bint-Anat sich nie an der Anwesenheit ihrer Mutter gestört, doch seit ein paar Wochen fühlte sie deren Blicke, die sich ihr in den Rücken bohrten. Chaemwese hatte nach wie vor ein herzliches Verhältnis zu seiner Mutter, sie war immer gut zu ihm gewesen. Auch der kleine Merenptah war von seiner Mutter verwöhnt worden. Der sechsjährige Sohn von Ramses und Isisnofret hatte schon früh eine Neigung zu Süßspeisen entwickelt, was man ihm auch deutlich ansah. Ramses, der militärisch erzogen worden war und diese Ausbildung auch seinen Söhnen zuteil werden ließ, tadelte Isisnofret oft für die Naschereien, die sie ihrem Sohn zusteckte. Es nutzte nichts. Isisnofret hatte noch nie etwas auf Ramses' Worte gegeben. Wahrscheinlich war es das, was Ramses so anziehend an ihr fand. Merenptah nannte man in Hofkreisen hinter vorgehaltener Hand nur »das kleine Nilpferd«. Der übergewichtige Junge hatte einen schweren Stand bei seinem Vater.

Isisnofrets Augen suchten ihre Tochter. Bint-Anat wurde immer unbehaglicher zu Mute. Sie bat darum, sich zurückziehen zu dürfen, doch Ramses bedeutete ihr von weitem zu warten, er wolle nach dem offiziellen Abendessen noch eine Besprechung durchführen. Bint-Anat seufzte innerlich.

Zwei Stunden später saß sie mit Chaemwese und Amu neben ihrem Vater. Asha, ein Freund aus Ramses' Jugendtagen im Kap, war ebenfalls anwesend. Bint-Anat hatte ihn noch nicht oft gesehen, doch bekleidete er das Amt des ausländischen Gesandten, und Ramses' Aussagen zufolge war er hinterhältig und schlau wie ein Fuchs. Er war etwa in Ramses' Alter und sehr auf ein gepflegtes Aussehen bedacht. Er trug eine bürgerliche Kurzhaarperücke, die diesen erhaben aussehenden Mann jedoch nicht zu einem Bürgerlichen zu degradieren vermochte. Ramses nickte Asha zu, ein Zeichen, dass er mit seinen Ausführungen beginnen möge.

»Majestät, ich bringe dir beunruhigende Neuigkeiten aus Amurru. Unser Verbündeter, der Fürst Benteschina, hat Verrat geübt und sich unseren viel zu stark gewordenen Feinden, den Hethitern, zugewandt. Unsere Provinz Kanaan wird von Kadesch aus durch den Hethiterfürsten Muwatalli gehalten.«

Ramses' Augen verengten sich zu Schlitzen. »Benteschina ist ein schwaches Glied in der Kette unserer Untergebenen. Gut für uns in Friedenszeiten, da leicht zu kontrollieren, doch ist er in Kriegszeiten eher belastend. Ich gedenke Kanaan zurückzuerobern. Es bildet eine Pufferzone zwischen Ägypten und dem Hethiterreich. Auch mag ich nicht auf die jährlichen Abgaben verzichten.« Ramses wandte sich Amu zu. »Die Streitkräfte können sofort mobilisiert werden?«

Amu verbeugte sich. »Auf Befehl meines Vaters!«

Ramses wandte sich an Bint-Anat. »Meine Tochter wird die Maat in Ägypten gewährleisten, während ich fort bin?«

»Auf Befehl meines Vaters!« Bint-Anat verbeugte sich ebenfalls.

»Du und Tuja werdet zusammenarbeiten.«

Bint-Anat lief es kalt den Rücken hinunter. Sie wusste, was sie Tuja zu verdanken hatte. Doch Ramses war Pharao.

»Chaemwese und Amu werden an meiner Seite sein, wenn ich gegen Kanaan ziehe. Asha, wie gut sind unsere Verbindungen in das feindliche Gebiet?«

»Mein König kann sich auf mich verlassen, meine Spitzel sind überall.«

Ramses nickte zufrieden. »Hole Informationen ein, Asha. Wenn es mir die Zeit erlaubt, werde ich noch bis zum Ende der Überschwemmungszeit warten, bis wir abrücken.«

Asha verbeugte sich.

Bint-Anat saß mit Chaemwese auf ihrer Terrasse, vor sich ein Senet-Spiel. Doch keiner von ihnen konnte sich auf das Spiel konzentrieren. Zu viel ging in den Köpfen der beiden jungen Leute vor sich.

»Ich werde die Zeit ohne dich kaum aushalten. Mit wem soll ich sprechen, mit wem soll ich lachen, mein Herz wird leer sein.«

Chaemwese blickte auf seine schöne Schwester. Trotz ihrer Reife warf sie die Worte so leichtfertig in den Raum. Sie war eine Blume, die gerade erblühte, und er eine Biene, die das erste Mal den süßen Nektar entdeckte. Seit einiger Zeit konnte der Elfjährige seinen Blick nicht mehr von ihr lassen. Er war reif für sein Alter, doch schien Bint-Anat in ihm trotzdem immer nur den kleinen Bruder zu sehen, den sie im Garten unterrichtet hatte. Wie sehr beneidete er Amu. Nicht um die Krone, die er dereinst tragen würde, nein, Chaemwese begehrte nur die Königin, die an seiner Seite sein würde. Doch Amu schien nicht so zu empfinden. Er hasste Bint-Anat. Sie war ihm zu intelligent, zu selbstbewusst für eine Frau. Sie stellte zu viele Fragen, sie hatte zu viel Macht. Er würde Bint-Anat dereinst schwängern, um seine Thronfolge zu sichern, sich dann jedoch mit seinen Konkubinen und Nebenfrauen vergnügen, diesen dummen Gänsen – für Amu hatte eine Frau eben nicht zu denken. Er vergnügte sich schon seit seinem elften Lebensjahr mit einem eigenen Harem, ein Zustand, der Bint-Anat einmal zu der dahingeworfenen Frage veranlasst hatte, wann Chaemwese denn einen Harem gründen wolle. Chaemwese war rot geworden, aber seine Schwester hatte ihn nur mit großen unschuldigen Augen angesehen. Bint-Anat konnte ja nicht ahnen, dass das einzige Verlangen, welches Chaemwese verspürte, nur von ihr selbst hätte befriedigt werden können. Und Chaemwese wusste, dass Bint-Anat dies auch nie erfahren dürfte. Sie war die Erbprinzessin. Und sobald Ramses aus Kanaan zurückkam, würde er sie offiziell an Amus Seite berufen.

»Chaemwese, du bist dran.« Der junge Prinz fuhr aus seinen Gedanken und setzte seine Spielfigur einen Zug voran. »Jetzt hast du verloren. Was ist denn bloß mit dir los? Sonst habe ich dich nie im Senet-Spiel schlagen können.«

Chaemwese erhob sich. »Dieser Tag ist nicht der meine. Lass uns etwas anderes spielen. Wie wäre es mit ›Hund und Schakal‹?«

Bint-Anat stutzte. »Nein, Bruder, versuche mich ja nicht mit deinen religiösen astrologischen Spielen zu becircen. Die Götter sollen mein Schicksal nicht preisgeben.«

Chaemwese lehnte sich zurück. »Ah, aber der Göttin Bastet vertraust du deine heimlichen Wünsche an.«

Bint-Anat lächelte. Bei dem Erwähnen der Katzenköpfigen fiel ihr Nefer wieder ein. Sie rief nach der kleinen Katze, und Nefer sprang auf ihren Schoß.

»Bastet hält ihre Hand über mich ...«, sie blickte auf ihr Kätzchen, »... und über Nefer.«

»Oh, wie kann es sein, dass du Bastet deine Liebe schenkst und Sachmet dabei ganz vergisst? Entstammen sie nicht derselben Familie? Solltest du nicht auch ihr etwas Aufmerksamkeit schenken?«

Bint-Anat zeigte die tiefe Zornesfalte. Sie kannte die Wortgeplänkel ihres Bruders nur allzu gut. Isisnofret musste mit Engelszungen auf ihn einreden, ihm Lügen erzählen, sie wolle ihre Tochter wieder in ihre mütterlichen Arme schließen. Diese falsche Schlange wollte etwas von ihr, und Bint-Anat mochte gar nicht erst wissen, was das war.

»Chaemwese, ich habe dich gewarnt. Du hattest versprochen, Isisnofret nicht mehr zu erwähnen.«

Chaemwese zuckte entschuldigend mit den Schultern. »Warum reichst du ihr nicht die Hand? Sie scheint wirklich zu leiden.«

Bint-Anat lächelte verbittert. »Wobei wir die Betonung auf das Wort ›scheint‹ legen sollten.«

Chaemwese stand auf und küsste seine Schwester sanft auf die Stirn. »Du wirst nicht immer davonlaufen können.«

»Und sie wird mir nicht immer hinterherlaufen können.«

Chaemwese verdrehte die Augen und verabschiedete sich. Seine Schwester hatte stets das letzte Wort.

Ramses hatte die erste Festung mit Leichtigkeit genommen, und seine Überlegungen hatten Bestätigung gefunden. Muwatalli war nicht dumm. Die Hethiter waren Krieger, und Muwatalli hatte keinen von ihnen in Kanaan eingesetzt. Wahrscheinlich wartete er in Kadesch auf Ramses, den jungen Pharao. Unerfahren im Kampf, würde er die uneinnehmbare Festung Kadesch zu stürmen versuchen.

Kadesch war ein strategisches Meisterwerk. In den Felsen gehauen und so nur von der Front anzugreifen, ragte das Bollwerk hoch in den Himmel. Muwatalli konnte also seine gesamte Streitmacht in Kadesch stationieren, und eine geballte Ladung Kraft würde den plumpen Frontangriff der Ägypter zerschlagen. Ramses' Streitmacht würde vernichtet werden, der Pharao hingerichtet, und Muwatalli konnte sich den Reichtum und die Fruchtbarkeit der beiden Länder zu Eigen machen. Sein eigenes Land war karg, und Reichtum vermochte Muwatalli nur durch Plünderung und Eroberung zu erlangen.

Doch hatte Ramses nicht vor, Kadesch zu stürmen. Die Zeit war nicht reif – noch nicht. Nach der Eroberung besagter erster Festung war das Selbstbewusstsein der Kanaaniter sofort zerschlagen gewesen. Ramses beschloss, die Konfrontation mit Kadesch weitläufig zu umgehen. Sein besonderes Augenmerk galt Amurru und dem verräterischen Benteschina. Er brauchte keine großen strategischen Mittel anzuwenden, denn der Fürst wägte sich in Sicherheit, durch den ebenfalls aufständischen Pufferstaat Kanaan abgeschirmt zu sein. Ein gezielter Angriff überrumpelte Benteschina, und Ramses konnte Amurru wieder unterwerfen.

Chaemwese und Amu hatten alles an der Seite ihres Vaters miterlebt und die Beteuerungen des Fürsten mitgehört, als er versprach, Ägypten von nun an die Treue zu halten. Chaemwese war stumm geblieben und seinem Vater zurück ins Feldlager gefolgt. Auf halbem Weg konnte er jedoch nicht mehr an sich halten.

»Vater, warum bestrafst du diesen Verräter nicht? Er wird dich wieder hintergehen.«

Ramses lächelte. »Das weiß ich, mein Sohn. Doch jetzt ist nicht die Zeit für einen Krieg. Wir werden uns noch etwas gedulden müssen.«

Chaemwese gab sich mit der Antwort nur ungern zufrieden, doch war er auch auf einen Krieg nicht sonderlich erpicht.

»Wir werden uns zurückziehen und kehren nach Ägypten zurück.«

»Und Kadesch?«

»Später, Chaemwese, später.«

Isisnofret zerbrach sich den Kopf, wie sie das Vertrauen ihrer Tochter gewinnen konnte. Dreizehn Jahre waren nicht so einfach aufzuholen. Hätte sie gewusst, was für einen Rang ihre Tochter einst erhalten würde, so wäre sie ganz bestimmt anders mit ihr umgegangen. Überhaupt war ihr eigentlich nicht klar, warum sie ihre Söhne liebte, ihre Tochter aber verabscheute. Doch wie es Isisnofrets Art war, setzte sie sich nicht lange mit solch tiefsinnigen Gedanken auseinander. »Es ist halt so, wie es ist, und wichtig sind nur die eigenen Interessen«, sagte sie zu sich.

Isisnofret stand vor dem Bronzespiegel. Es galt nun schon, etwas dafür zu tun, dass sie attraktiv blieb. Neunundzwanzig Jahre und drei Kinder gingen nicht spurlos an einem vorbei, jedoch gelang es ihr durch eine eiserne Diät und tägliche Massagen, den Körper einer Zwanzigjährigen zu halten. Aber wie lange noch? Isisnofret betrachtete sich argwöhnisch. War da nicht eine Falte unter den Augen, die vor zwei Jahren noch nicht da gewesen war? Und ihre Brüste, sahen sie noch wie die Brüste eines blutjungen Mädchens aus? Ramses war immer noch leidenschaftlich, wenn er zu ihr kam, doch musste sie schon bald etwas unternehmen. Weitere zehn Jahre würden sie für ihn mit aller Wahrscheinlichkeit uninteressant werden lassen. Die Antwort auf alle ihre Fragen und Ängste lag in ihrer Tochter. Doch das eigenwillige Mädchen wollte von ihr nichts wissen. Warum auch? Bald würde sie alt genug sein, selbst Kinder zu gebären. Dann war für Isisnofret alles verloren. Sie beschloss, ihre Schauspielkünste wirken zu lassen.

Unangemeldet machte sie sich auf den Weg zu Bint-Anats Gemächern. Wenn sie auf ihr gebrochenes Mutterherz verweisen würde, würde Bint-Anat es sich überlegen. Nicht sofort, doch bald – das schlechte Gewissen würde sie plagen.

Sie rieb sich die Augen, bis sie tränten und die gesamte Schminke verwischt war. Schluchzend stürzte sie in die Gemächer ihrer Tochter. Die Wachen vor der Tür waren kein Problem, denn niemand wollte mit Isisnofret aneinandergeraten. Sie stieß die Tür auf und sah ihre Tochter auf der Terrasse stehen. Weinend warf sie sich vor deren Füße. »Meine Tochter, warum erhörst du mich nicht? Kannst du mir nicht verzeihen? Lass mich dir wenigstens noch für ein paar Jahre Mutter sein, bevor ich dich ganz verliere.«

Bint-Anat war beim Aufschwingen der Tür erschrocken herumgefahren. Entrüstet hatte sie Isisnofrets Auftreten beobachtet, die schlechte Schauspielerei ärgerte sie maßlos.

»Verschwinde, Isisnofret! Deine Lügen erzähle jemand anderem, der sie von dir hören will. Wir haben uns nichts zu sagen.«

Isisnofret zeigte ein betrübtes Gesicht. Unschlüssig, wie weiter zu verfahren wäre, kam ihr der Zufall zu Hilfe. Erneut flog die Tür auf, und Tuja eilte herein. Sie ging ein paar Schritte, ehe sie Isisnofrets Anwesenheit wahrnahm, blieb sodann stehen und starrte diese feindselig an. Dann wanderte ihr Blick hinüber zu Bint-Anat.

»Nun, Prinzessin, sollte sich Ramses doch in dir getäuscht haben? Ich wusste nicht, dass du ein inniges Verhältnis zu Isisnofret pflegst. Ramses weiß es, glaube ich, auch nicht.«

Bint-Anat fuhr zornig hoch und begann sofort ein wütendes Wortgefecht mit Tuja. Diese schien ihr nicht zu glauben, hatte sie doch endlich einen berechtigten Grund, Bint-Anat bei ihrem Sohn anzuprangern. Isisnofret wurde gar nicht mehr beachtet. Aber die gewitzte Frau nutzte die Zeit, sich umzusehen. Ihr Blick fiel auf einen von Bint-Anat gesiegelten Papyrus, eine Aufstellung von Gütern, die an den Palast geliefert werden sollten. Er war vom Schreibtisch heruntergefallen – wahrscheinlich, als sie die Tür aufgestoßen hatte – und lag jetzt genau vor ihr. Instinktiv griff sie danach und versteckte ihn schnell unter ihrem Gewand. Dann stand sie auf, wischte sich die Tränen aus dem Gesicht und verschwand. Weder Bint-Anat noch Tuja schenkten ihr die geringste Beachtung.

Ti saß vor der Königin und überblickte den Papyrus. Einige Gefälligkeiten hatten Ti an die Seite eines hohen Beamten gebracht, auf Isisnofrets Vermittlung hin hatte sie ihn geheiratet und konnte sich jetzt ein angenehmes Leben ermöglichen. Doch war das der jungen Frau nicht genug. Diese Sache hier würde nicht allzu schwierig werden. Ti war eine Meisterin im Betrug und hatte sich ein kleines Imperium aufgebaut. Die Landgüter ihres Gatten profitierten von Tis Betrügereien. Jetzt grinste sie boshaft, als sie Bint-Anats Siegel sah.

»Ja, Majestät, ich kann nach Euren Wünschen verfahren. Ich kenne jemanden, für den es ein Leichtes ist, die Schriftzeichen zu ändern. Schon bald werden alle Güter auf diesem Papyrus in den Privatbesitz von Bint-Anat gelangen. Wenn das der König erfährt, ist ihr Schicksal besiegelt. Und wenn sie erfährt, dass Ihr besagten Papyrus mit ihrem Siegel in Eurem Besitz habt, wird sie sofort zu einer kleinen Gefälligkeit Euch gegenüber bereit sein.«

### *Eine Schänke in Pi-Ramses*

Bint-Anat hatte Isisnofrets Nachricht erhalten, überbracht durch einen Boten, der sie natürlich nur mündlich vorgetragen hatte. Eine offene Drohung hatte ihr die Falschheit ihrer Mutter bestätigt. Auch der Ort des Treffens ließ keine Fragen mehr offen. Eine Weinschänke in der Stadt, wo die Bürgerlichen verkehrten. Bint-Anat trug das erste Mal in ihrem Leben grobes Leinen und verzichtete auf jede Schminke. Als Mitglied des Königshauses aufzufallen wäre ein Fehler gewesen. Auch Isisnofret hatte sich für ärmliche Bekleidung entschieden. Die Schänke war schmierig, und die Männer richteten lüsterne Blicke auf die Frauen. Bint-Anat setzte sich wortlos ihrer Mutter an dem dreckigen Holztisch gegenüber.

»Was willst du, Isisnofret?«

Isisnofret lächelte anmutig – ein wissendes, sicheres Lächeln. »Was bist du bereit zu geben, Tochter?«

Bint-Anat konnte ihren Zorn nur schwer verbergen. »Komm zur Sache, Mutter.«

»Nicht viel, etwas, was ich schon vor langer Zeit wollte, aber mir leider misslang.« Sie machte eine kurze Pause. »Nefertari ist krank und schwach. Wie schnell könnte sie sterben. Dann nehme ich meinen Platz auf dem Thron Ägyptens ein. Ramses gibt sehr viel auf deine Meinung. Was würde eine Tochter glücklicher machen, als ihre Mutter auf dem Thron zu sehen?«

In Bint-Anats Hals bildete sich ein dicker Klumpen. Nur mit Müh und Not blieb sie ruhig. »Warum sollte ich das für dich tun?«

»Weil es illegal ist, Güter, die für den Palast bestimmt sind, auf seine eigenen Besitztümer zu verteilen. Außerdem wäre es für dich der dynastische Tod. Und alles wegen eines Papyrus mit deinem Siegel.« Bint-Anat stand auf und wandte sich ab. Isisnofret wurde ungeduldig. »Also, was ist nun?«

»Nefertari soll sterben?« Isisnofret nickte. »Durch wessen Hand?«

»Das soll nicht deine Sorge sein. – Was ist nun?«

»Du wirst bekommen, was dir zusteht.«

Isisnofret nickte wieder, diesmal zufrieden, und erhob sich.

»Einen Moment noch!«

Eine Männerstimme hatte sich vom Nebentisch gemeldet. Isisnofret fuhr herum. Der große Mann trat auf sie zu und blickte sie direkt an. Isisnofret gefror das Blut in den Adern. Amunnemipet stand vor ihr. Der treu ergebene Freund von Ramses hatte alles mitangehört.

Isisnofret fuhr ihre Tochter an: »Du falsche Schlange, ich bin deine Mutter.«

»Das warst du nie für mich.«

Isisnofret wollte sich an Amunnemipet vorbeidrücken. »Was könnt ihr schon beweisen? Ich bin die Königin. Eine Königin ist unantastbar.«

Amunnemipet stellte sich ihr in den Weg. »Ja, eine Königin schon. Geht nur nach draußen, Euer Gemahl wartet bereits auf Euch. Welch seltsames Bild, eine Königin in Lumpenkleidern in einer zwielichtigen Schänke. Der König weiß alles. Ihr habt endgültig verloren.«

Isisnofret ließ sich benommen zurück auf den Stuhl sinken. Aus – es war vorbei, vorbei, vorbei!!!

*Königspalast in Pi-Ramses*

In einem Thronsaal hatte Isisnofret die Geierhaube empfangen, hatte Ramses das erste Mal in die Augen gesehen. Das war nun zehn Jahre her. Und nun, heute, würde sie alles wieder verlieren. Es erschien ihr wie ein böser Traum. Bint-Anat hatte sie verraten. Hätte sie von Ramses' Rückkehr am selben Tag gewusst, wäre sie vielleicht doch vorsichtiger gewesen. Sie wollte nicht als entmachtete, aller Würden beraubte Frau in einem Tempel ihr Dasein fristen. Sie waren alle anwesend. Ramses saß neben Nefertari auf dem Thronpodest, Amu, Chaemwese und Bint-Anat standen hinter ihnen. Tuja saß neben dem Königspaar auf einem eigenen Thron. Amunnemipet, der verhasste Freund von Ramses, hatte sie vor den Thron geführt. Isisnofret wunderte sich über die Abwesenheit der Priester, der Richter und der hohen Würdenträger. Eine Verurteilung brauchte Zeugen, und dass sie hier verurteilt werden sollte, war klar zu erkennen. Ramses trug das pharaonische Nemestuch mit dem Uräus, der jeden Feind des Königs vernichten sollte. Nefertari trug die hohe Doppelfederkrone mit dem Sothis-Gestirn in der Mitte. Unwillen keimte in Isisnofret auf. Sie war als Erste niedergekommen. Das Zeichen göttlicher Fruchtbarkeit hatte von jeher ihr zugestanden.

»Isisnofret, du hast schweren Verrat an Ägypten begangen. Dieser Verrat ist nicht wiedergutzumachen. Deshalb werde ich dich aus Pi-Ramses entfernen, dein Fuß wird den Palast nie wieder betreten. Ich verbanne dich aus Pi-Ramses und schicke dich in den Harem Faijum zurück, wo du unter Hormins Aufsicht stehen wirst. Dein Name wird aus den Annalen gestrichen, dein Ka möge mit deinem Körper sterben, wenn die Zeit gekommen ist. Alle deine irdischen Besitztümer fallen an Ägypten zurück.«

Isisnofret zitterte. So konnte sie nicht leben, sie wollte so nicht existieren. Als ranglose Verräterin – sie sah Hormins hämisches Grinsen schon vor sich. Doch sie vermochte nicht zu sprechen. Widerstandslos ließ sie sich von Amunnemipet zurück in ihre Gemächer bringen, wo sie bis zu ihrer Abreise streng bewacht werden würde.

Nefertari betrat Isisnofrets Gemach mit leisen Schritten. Sie hatte erwartet, eine zerstörte, weinende Frau vorzufinden, doch als sie Isisnofret erblickte, gefror ihr das Blut in den Adern. Isisnofret saß steif vor ihrem Schminktisch und probierte ihren gesamten Schmuck, strich über diesen und über jenen Edelstein, liebkoste ein letztes Mal den Luxus, der sie zehn Jahre als Selbstverständlichkeit begleitet hatte. Jetzt hatte sie Nefertari bemerkt und ließ die Schmuckstücke auf den Boden fallen. In einer hastigen Bewegung fuhr sie herum und funkelte Nefertari hasserfüllt an.

»Isisnofret, es tut mir so Leid, dass alles so kommen musste. Wie sehr leide ich mit dir.«

Isisnofret lachte plötzlich schallend. »Die große Gottesgemahlin leidet mit Isisnofret? Aber warum nur, du einfältiges Ding? Hat dir denn niemand den Tatbestand meines Verrates erklärt?« Nefertari schüttelte den Kopf. Isisnofret nickte belustigt. »Dann höre mir jetzt genau zu, Nefertari. Wenn es nach mir gegangen wäre, wärst du schon seit zehn Jahren im Sat-Neferu, dem Tal der Königinnen. Die Krone, die auf deinem lächerlich schwachen Haupt sitzt, ist an dich verschwendet worden. Ich könnte dich ohne mit der Wimper zu zucken mit meinen eigenen Händen erwürgen. Du wärst nicht einmal in der Lage, einen Schrei auszustoßen.«

Isisnofret umkreiste Nefertari jetzt drohend wie ein Raubtier. Diese fühlte Isisnofrets Worte wie einen Stich ins Herz.

»Isisnofret, bitte hör auf so zu sprechen. Du bist zornig, du weißt nicht, was du da sagst. Bald wirst es dir Leid tun. Und selbst wenn nicht – so erinnere dich doch an die kurze Zeit unserer Freundschaft.«

Isisnofret griff nach einem Tontiegel, in dem sie ihre Mesdemet-Schminke aufbewahrte, und schleuderte ihn mit einem Schrei in die Ecke des Raumes.

»Freundschaft? Niemals empfand ich für dich etwas anderes als Hass.« Sie schritt drohend auf Nefertari zu. »Und du, du widerliche kränkliche Ratte, hast es immer wieder geschafft, dass deine schwachsinnige Brut das Licht der Welt erblickte. Ich hatte gehofft, deine Kinder würden dir den Tod bringen, ihnen würde das gelingen, was mir nicht vergönnt war.« An Isisnofrets Schläfen traten die Adern hervor. Jahrelanger Hass entlud sich auf die Nebenbuhlerin. Geifer troff ihr aus dem verzerrten Mund, als sie fortfuhr, ihre Hasstiraden auf die entsetzte Nefertari abzuschießen. »Beinahe wäre es mir geglückt, dich vor deiner ersten Begegnung mit Ramses in die Gefilde des Westens zu schicken. Das Olibanum in den Honigkuchen und später in der Medizin, die dir mein Arzt verabreichte, hätte fast zum gewünschten Erfolg geführt, wenn Tuja und dieser kriecherische Amunnemipet es nicht herausgefunden hätten. Doch da, meine kleine Blume, war es schon zu spät, um mich bei Ramses zu verraten.« Isisnofret stand jetzt ganz nah vor Nefertari. Sie überragte sie um fast zwei Köpfe. Drohend senkte sie ihr Gesicht, um die verängstigte Nefertari dem Blick ihrer Raubtieraugen auszusetzen. »Kennst du deinen Gemahl, Nefertari? Hat er dich je so geliebt, wie er es mit mir tat? Hast du ihm jemals gegeben, was er braucht? Er hat eine dunkle Seite, Nefertari. Schmerz, Folter, Qual und die Macht, über all diese Gefühle Herr zu sein, bereiten ihm größtes Entzücken. Wie ein ausgehungertes Tier kratzte er an meiner Tür, unbefriedigt verließ er dein Bett – jedes Mal. Jetzt, da er niemanden mehr hat, der seine Wildheit befriedigen kann – o Nefertari, er wird dich zerreißen, du schwache Närrin.«

»Hör auf!«, schrie Nefertari aus voller Kehle. Was Isisnofret da von sich gab, war krank. Isisnofret war zur leibhaftigen Sachmet geworden. »Ich bin gekommen, um dir zu sagen, dass ich bei Ramses für dich gesprochen habe. Du wirst deine offiziellen Titel behalten, deine Namen werden nicht aus den Annalen gestrichen. Deine Besitztümer bleiben in deiner Hand, der Harem Faijum wird dir nicht auf ewig zum Gefängnis werden. Es wird dir erlaubt werden, dich zeitweise auf deine Landgüter zurückzuziehen.« Nefertari holte tief Luft, versuchte sich zu beruhigen.

Isisnofret ging zum Schminktisch. »Wie edel, Nefertari, und wie dumm von dir.« Sie drehte sich um, und in ihrer Hand blitzte ein schmaler, aber langer, spitzer Dolch. »Jetzt hab ich doch wieder Hoffnung geschöpft, aber immer noch stehst du mir im Weg. Meine edle Freundin, erweise mir eine letzte Gunst, und stirb für mich!«

Mit einem Schrei stürzte Isisnofret auf die vor Angst erstarrte Nefertari und zielte mit dem Dolch auf deren Herz. Nefertari löste sich unter Aufwendung der letzten Kräfte aus der Umklammerung der Löwin und schaffte es, sich zur Seite zu drehen. Trotzdem spürte sie einen heißen Schmerz durch ihre Schulter fahren, der sie halbseitig zu lähmen schien. Mit letzter Kraft schrie sie um Hilfe, und endlich hatten die Wachen bemerkt, was vor sich ging, und stürzten ins Zimmer. Sie rissen das Raubtier von seinem Opfer weg. Isisnofret zog dabei den Dolch aus Nefertaris Schulter, und das Blut spritzte ihr ins Gesicht. Hysterisch lachend warf sie den Dolch beiseite.

»Seht ihr, ich bin die wahre Königin. Ich gebe und nehme das Leben – den Göttern gleich. Ruft den Pharao, er soll dieses Wunder erkennen.« Isisnofret lachte irre und drehte sich im Kreis.

Die Wachen sahen sich entsetzt an. »Sie ist wahnsinnig!«

Bint-Anat saß an Nefertaris Bett und hielt ihre Hand. Sie war in einen ruhelosen Schlaf gefallen. Der Arzt hatte die Schulter der Gottesgemahlin verbunden und heilende Kräuter in den Wundumschlag gegeben. Ein starker Mohntrunk hatte Nefertari endlich Ruhe finden lassen. Die Wunde des Dolches saß tief und hatte die schwache Natur der Königin sehr erschüttert. Bint-Anat war froh, dass sie jetzt schlief und die monotonen Gesänge der anwesenden Priester nicht hören musste. Sie stand seufzend auf und verließ Nefertaris Gemächer. Auf dem Weg zu ihren eigenen Gemächern begegnete sie ihrem Vater. Ramses' Gesicht schien versteinert, die Angst um seine geliebte Königin ließ ihn um Jahre älter wirken. Als er seine Tochter erblickte, blieb er stehen.

»Bint-Anat, wie geht es Nefertari?«

»Sie ist schwach, Vater, die Wunde ist tief, und sie hat einen Schock. Ich bete zu den Göttern, dass ihr Lebenswille groß genug ist.«

Ramses biss sich auf die Lippe. »Das schätze ich an dir, Tochter. Keine heuchlerischen Lügen trüben unser Verhältnis. Die Priester und Ärzte würden mir sogar ein Wunder versprechen, nur um gefällig zu sein.«

»Vielleicht vermagst du ihr die nötige Kraft zu geben. Ich muss zu Chaemwese gehen.«

Ramses nickte verstehend. »Bint-Anat, was geschehen ist, darf nicht durch die Mauern des Palastes dringen. Tuja soll alles veranlassen. Sie weiß, wie zu verfahren ist.«

»Ich werde es ihr gleich sagen, Vater.«

Ramses nickte müde. »Danach gehe zu deinem Bruder.«

Nachdem sie Tuja Ramses' Nachricht überbracht hatte, begab sie sich sofort zu Chaemwese.

Chaemwese saß mit gesenktem Kopf im Garten an dem schönen großen See und starrte auf seine Füße.

»Chaemwese, mein geliebter Bruder. Hasst du mich jetzt?«

Chaemwese hob den Kopf. Seine Augen waren rot gerändert. »Dich hassen, Bint-Anat? Wie könnte ich?«

»Ich habe das nicht gewollt, Chaemwese. Aber sie hat mich erpresst, ihr Geist war besessen von ihrem großen Hass.«

Chaemwese nickte. »Sie hat mich geliebt, sie hat Merenptah geliebt, doch dass so viel Hass in ihr war, konnte ich nie erkennen. Wie geht es Nefertari?«

Bint-Anat setzte sich neben ihren Bruder ins Gras. »Wenn sie diese Nacht überstehen wird, wird sie genesen – hoffe ich.«

»Und Isisnofret?«

Bint-Anat starrte auf den See. »Sie hat sich beruhigt, sie wird in ihren Gemächern streng bewacht. Die ganze Zeit sitzt sie vor ihrem Spiegel und spricht zu sich selbst. Dass sie die wahre Königin sei, dass Ramses bald kommen und ihr die Krone überbringen werde.« Bint-Anat schluchzte laut auf. »Wenn Nefertari stirbt, wird man mit dem Finger auf mich zeigen.«

Chaemwese blickte Bint-Anat an. »Warum sollte man das tun?«

»Ich bin ihre Tochter.«

»Ich bin doch auch ihr Sohn.«

Bint-Anat schüttelte traurig den Kopf. »Das ist etwas anderes. Du bist Ramses' Sohn.«

»Du bist seine Tochter.«

»Nein, ich werde in den Augen der Menschen immer die Tochter der wahnsinnigen Verräterin sein, die ihre geliebte Königin tötete.«

Chaemwese legte den Arm um Bint-Anat, die jetzt erbärmlich schluchzte. Es war das erste Mal, dass er Tränen im Gesicht seiner Schwester sah. Ihre Wange lag an seiner, und die heißen Tränen liefen an seinem Hals hinunter. Der Wunsch überkam ihn so schnell, dass er nicht mehr in der Lage war, darüber nachzudenken. Seine Zunge fuhr über ihre Wange, kostete die Tränen, um dann den Weg zu ihren weichen Lippen zu finden und einen langersehnten Kuss zu stehlen. Bint-Anat erstarrte zunächst, doch dann entspannte sich ihr Körper, und sie ließ ihn gewähren. Vom Taumel ihrer Gefühle übermannt, ließen sie sich ins Gras sinken, und Bint-Anat genoss dieses für sie völlig neue Gefühl der Geborgenheit. Sie ließ ihn die Träger ihres Kleides abstreifen, ließ ihn ihre gerade erblühenden Brüste sanft liebkosen, ehe plötzlich die erschreckende Erkenntnis ihres verbotenen Treibens durch den zarten Nebel der Leidenschaft drang. Bint-Anat stieß Chaemwese von sich weg.

»Was tust du?«

Chaemwese wich zurück. »Bint-Anat, es tut mir Leid, ich wollte es unterdrücken, aber es geht nicht. Ich begehre dich, mein Herz ist schwer, weil du mir so nah und doch so fern bist.«

Bint-Anat richtete ihr Kleid. »Du weißt, dass es nicht sein kann. Bald bin ich vierzehn Jahre alt, und dann gehöre ich Amu.«

Chaemwese stand wütend auf. »Ist es das, was du willst? Amu liebt dich nicht, er liebt nur sich selbst.«

»Was weißt du schon von Liebe, du bist gerade erst zwölf geworden.«

Chaemwese war gekränkt. »Ich weiß nichts von der Liebe, ich weiß nur, dass ich ohne dich nicht sein kann.«

»Vergiss, was heute geschah, es kann niemals sein.«

Bint-Anat drehte sich um und rannte davon. Zurück ließ sie einen traurigen Chaemwese, dessen schmerzlicher Gesichtsausdruck sie erneut weinen ließ.

Nefertari öffnete benommen die Augen. Sie wusste im ersten Moment nicht, wo sie war. Als sie sich aufrichten wollte, schoss abermals ein heißer Schmerz durch ihre Schulter, der die Erinnerung unbarmherzig zurückbrachte. Ihre Augen weiteten sich, und Panik überkam sie, doch dann sah sie Ramses' Gesicht über dem ihren, und ihr Körper entspannte sich.

»Ramses, o ihr Götter, was ist nur geschehen?«

Ramses küsste ihre heiße Stirn. »Es ist alles vorbei, Nefertari. Isisnofret ist fort, und du wirst leben, das ist die Hauptsache.«

Nefertari ordnete ihre Gedanken. »Es gibt etwas Wichtiges, ein Versprechen, dass du mir gabst.« Ramses verstand nicht direkt. »Wenn ich einst gehen muss, brauchst du eine Gefährtin.«

Ramses lehnte sich zurück. »Nefertari, du wirst leben, ich brauche keine andere Königin.«

Nefertari hob schwach den gesunden Arm. »O doch, mein König, das tust du. Meine Kräfte verließen mich, lange bevor Isisnofret den letzten Rest meiner Gesundheit zerstörte. Schon eine ganze Weile hat eine andere mich unterstützt und verrichtet die Aufgaben, die eigentlich auf meinen Schultern lasten müssten.« Ramses wusste natürlich, dass Nefertari auf Bint-Anat anspielte. »Ich werde keine großen offiziellen Feste mehr begehen können, ich spüre, dass ich nie wieder richtig genesen werde. Löse also dein Versprechen ein.«

Ramses wurde zornig. »Du bist meine Gottesgemahlin.«

»Das werde ich auch bleiben – hier im Palast und in den Schriften der Tempel und des Nachts in deinen Armen.« Nefertari nahm Ramses' Hand. »O Ramses, lass mich dich nun endlich lieben, wie ich es mir immer gewünscht habe. Gewähre mir die wenigen Jahre, die mir noch bleiben, nur den Mann Ramses zu lieben. Den König überlasse ich gerne einer Stärkeren.«

Ramses biss sich auf die Lippe. »Ich liebe dich zu sehr, Nefertari, als dass ich dir einen Wunsch abschlagen könnte.«

Bint-Anat war nun vierzehn, ein Alter, das große Veränderungen für sie bringen würde. Sie würde nun eine Frau sein. Sie stand nackt vor dem Spiegel und betrachtete ihren erblühenden Körper, die leichten Rundungen, die ein reizloses Kind in eine Frau verwandelten. In der letzten Zeit waren ihr öfter die Blicke der Männer aufgefallen, wenn sie durch die Gärten streifte. Hatte sie noch vor zwei Jahren keine Beachtung erfahren, fühlte sie nun die bewundernden Blicke in ihrem Rücken.

Bint-Anat hatte ihre Weiblichkeit niemals wirklich zur Kenntnis genommen – bis zu diesem einen Abend, als Chaemwese sie berührt hatte. Es war, als hätte er sie wach geküsst. Ihr Verhältnis war seitdem nicht mehr so eng, Verlegenheit überkam sie, wenn sie zusammen in einem Raum waren. Und doch ertappte Bint-Anat sich immer wieder dabei, wie sie die zunehmenden männlichen Merkmale bei Chaemwese betrachtete und ein starkes Kribbeln sie durchfuhr. Auch wurde sie oft rot, wenn

Chaemwese ihr nur eine unbedeutende Frage stellte. Er schien dies jedoch nicht zu bemerken. Seit diesem Abend schenkte er ihr nicht mehr Aufmerksamkeit als allen anderen. Und noch etwas war Bint-Anat aufgefallen. Chaemwese hatte angefangen, sich für seine Sklavinnen zu interessieren. Bestimmt schlief er mit ihnen. Ein ungutes Gefühl überkam Bint-Anat. Sie war eifersüchtig.

Mühsam zerschlug sie die deprimierenden Gedanken in ihrem Kopf und verließ ihre Gemächer, um in den Thronsaal zu gehen. Heute war ihr vierzehnter Geburtstag.

Ramses saß neben Tuja auf dem Thron. Nefertari war immer noch zu schwach. Sie hatte sich nicht mehr völlig von der Verletzung erholt, die Isisnofret ihr zugefügt hatte. Damit sie schneller genas, hatte Ramses sie auf einen Landsitz geschickt, wo sie die nötige Ruhe finden konnte.

Amunnemipet führte Bint-Anat an den Thron heran, und Bint-Anat warf einen Blick auf Amu. Er stand wie immer hinter dem Thron seines Vaters, und natürlich war auch Chaemwese dort.

Amunnemipet begann einen Papyrus zu entrollen und las laut: »Ich, Ramses Usermaatre Setepenre, erlasse im Jahr 5 meiner Herrschaft folgenden Beschluss: Ich befehle die Prinzessin Bint-Anat, die von königlicher Herkunft und reinem Blut ist, an meine Seite. Als meine große königliche Gemahlin soll sie ihren Platz auf dem Horus-Thron an meiner Seite einnehmen und die Insignien der Macht erhalten.«

Bint-Anat war wie betäubt. Sie merkte kaum, wie Amunnemipet ihr die hohe Federkrone aufs Haupt setzte – wohlgemerkt ohne das Sothis-Gestirn, denn das würde ihr erst zukommen, wenn sie ein Kind bekam. Bint-Anat schluckte. Was sollte das? Sie war hierher gekommen, um Amu zu heiraten. Jetzt hatte ihr Vater sie zu sich befohlen. Sie zitterte. War ihr Vater nun ihr Mann? Wie sollte sie sich ihm gegenüber verhalten? Hilfe suchend und verzweifelt warf sie Chaemwese einen Blick zu, der dem ihren gezielt auswich. Amu sah sie gelangweilt an. Wie in Trance bekam sie mit, wie Tuja sich vom Thron erhob und die

Stufen zu ihr hinabstieg. Wie ein Hündchen ließ sie sich von ihrer Großmutter die hohen Stufen hinaufführen, um an der Seite ihres Vaters Platz zu nehmen. Der anwesende Hofstaat ließ sie hochleben, es war ein Tag zum Feiern.

Bint-Anat stand nervös vor dem Schreibtisch ihres Vaters und wusste nicht recht, wie ihr geschah. Ramses hatte sie als ihr Gemahl in seine Gemächer geführt, und nun befanden sie sich hier und blickten sich an.

»Es tut mir Leid, wenn ich dich erschreckt habe, Bint-Anat.« Er sah das nervöse Zucken ihrer Lider. »Du brauchst keine Angst zu haben, es war Nefertaris Wunsch. Sie meinte, ich brauche eine Gefährtin an meiner Seite. Du hast alle meine Erwartungen übertroffen. Keiner anderen konnte ich die Krone geben.«

Bint-Anat lächelte gequält. Ramses verstand die Qualen seiner Tochter gut. Er erhob sich und gab ihr einen Kuss auf die Stirn.

»Du solltest dich jetzt in deine Gemächer zurückziehen. Das, wovor du dich fürchtest, wird nicht passieren.« Ramses drehte sich zum Gehen um, dann überlegte er es sich noch einmal anders und fügte hinzu: »Vielleicht wirst du eines Tages etwas anderes in mir sehen als den Vater deiner Kindheit. Du wirst Zeit genug haben, dich für das Eine oder das Andere zu entscheiden. Ich werde für eine ganze Weile fort sein. Es ist so weit, Krieg gegen unseren Feind Muwatalli zu führen. Ich brauche eine starke Königin auf dem Horus-Thron. Tuja wird dir helfen, die neue Last zu tragen.«

Ramses drehte sich um und verließ den Raum, ein junger Mann, gerade dreißig geworden. Bint-Anat wusste, es hätte sie schlimmer treffen können – wenn sie Amus Gemahlin geworden wäre. Ramses hatte sie nicht gezwungen, in dieser Nacht mit ihm zusammen zu sein, doch hatte er sie auch nicht abgelehnt. Er wusste, dass Bint-Anat nicht ihr Leben in Keuschheit verbringen konnte. Die Leidenschaft ihrer Mutter wuchs in ihr. Und Ramses hatte diese Leidenschaft trotz allem geliebt. Bint-Anat wollte über sein Angebot nachdenken.

Ramses hatte sie auf diesen Tag vorbereitet. Er hatte viel Liebe in ihre Erziehung investiert, *Sieg in Theben* und *Göttin Mut ist zufrieden* tänzelten ungeduldig in ihren Geschirren. Und er hatte viel Zeit mit ihnen verbracht, sodass er sich sicher sein konnte, dass ihn seine beiden schönen Schlachtrösser nicht enttäuschen würden. Er sah zu Bint-Anat hinüber, die mit Tuja auf dem Empfangsbalkon stand, ausgestattet mit den Königsinsignien, der Doppelfederkrone und einem wunderschön gearbeiteten Zeremonialgewand. Er hatte sich nicht in ihr getäuscht. Sie hatte sich recht schnell in ihre neue Rolle eingefunden und hielt mit Tuja einen distanzierten Frieden. Die beiden Frauen liebten sich nicht, aber sie respektierten einander. Tuja war umgänglicher geworden, seit die für sie größte Bedrohung, die wahnsinnig gewordene Königin Isisnofret, aus Pi-Ramses verbannt worden war. Ramses litt mit Nefertari, doch ohne dass er es jemals zugegeben hätte, trauerte er auch um Isisnofret. Sie hatte nicht verwinden können, dass Nefertari die erste Stelle an Ramses' Seite einnahm. In ihrem vom Hass zerfressenen Geist hatte sie nicht erkennen können, dass Ramses auch sie auf eine andere Art geliebt hatte. Jetzt hatte Bint-Anat die schwere Last der Krone für Nefertari und Isisnofret übernommen. Ramses war reifer geworden. Er wollte kein Leben mehr um seinetwillen zerbrechen sehen. Bint-Anat war die Einzige gewesen, der er diese schwere Last hatte aufbürden können. Doch auch sie war nicht aus Stein. Ramses vertraute auf die Zeit. Die Zeit würde sie einander näher bringen. Mit einem letzten Gruß an seine Mutter und an seine Königin gab er den Befehl zum Abmarsch. Amu und Chaemwese folgten ihm in den Kampf.

## *Der Feldzug nach Kadesch*

Ramses marschierte mit der Division des Amun. Direkt hinter ihnen befehligte der vierzehnjährige Amu die Division des Re. Den Abschluss bildete die Division des Ptah und des Seth. Letztere lagen einen Tagesmarsch zurück. Ramses hatte seinen genauen Schlachtplan mit seinen Generälen durchgesprochen, der Angriff war gut geplant. Er zog unbehelligt durch die wieder einmal abtrünnig gewordenen Regionen und hatte keine Mühe, sie erneut unter ägyptischen Befehl zu bringen. Doch diesmal war er entschlossen, diese Regionen ein für alle Mal unter ägyptische Oberherrschaft zu stellen. Kadesch war das entscheidende Steinchen im Mosaik.

Amu hatte sich die Sandalen ausgezogen, seine Füße schmerzten. Zwar war er bestens gedrillt worden, doch war ein Feldzug immer etwas anderes als eine Übung. Er setzte sich etwas abseits des Lagers, um ein wenig entspannen zu können, als ihm plötzlich eine Bewegung im Unterholz auffiel. Amu war durch und durch Soldat, und so ließ er sich nichts anmerken, sondern suchte mit seinen Augen den Blick seines Wagenlenkers und Freundes Amose. Die beiden hatten schon seit frühester Jugend zusammen trainiert, und so konnte Amose Amu wortlos verstehen. Ohne Hast griff er nach seinem Bogen und tat so, als wollte er ihn reparieren. Doch dann fuhr er blitzschnell herum, spannte die Sehne, und der Pfeil traf sein Ziel. Der Beduine, der sich im Unterholz versteckt gehalten hatte, schrie auf, der Pfeil hatte sein Bein getroffen. Amu nutzte die Schrecksekunden aus und stürzte in Richtung Unterholz, wo er den unverletzten der beiden Männer sofort zu Boden rang und ihm einen Dolch an den Hals hielt. Amose kam ihm zu Hilfe.

»Spione!«, sagte er.

»Ja, mein Vater wird erfreut sein.«

Ramses ging auf und ab. Die beiden Gefangenen knieten vor ihm und waren sichtlich verängstigt. Ramses wusste um sein einschüchterndes Auftreten. Die Jahre hatten ihm gezeigt, wie er sich geben musste, damit man ihm den nötigen Respekt zollte. Ramses trug wie meistens den einfachen Pharaonenschurz und seinen blauen Chepresh.

»Warum habt ihr dort im Unterholz gelauert?« Seine Stimme klang wie Donner.

Der unverletzte der beiden Männer begann stockend zu sprechen. »Majestät, wir sind geflohen von dem elenden Unterdrücker, dem Herrn von Chatti.«

Ramses nickte leicht. »Und wo befindet sich der elende Muwatalli?«

»Majestät, der elende Hund ist vor Angst erstarrt, da er um die Größe und die Macht deiner Truppen weiß. Als er hörte, dass Euer Majestäts Truppen den Orontes erreicht haben, floh er mit seinen Soldaten aus der Stadt in Richtung Aleppo.«

Ramses setzte sich auf einen edel gearbeiteten Stuhl, der ihm während langer Reisen oder Feldzüge stets als Thron diente. »Soll das heißen, dass Kadesch verteidigungslos ist?«

Der Beduine nickte schnell. »So ist es, Euer Majestät, so ist es.«

Ramses fuhr sich nachdenklich mit der Hand über das energische Kinn. »Gebt den beiden zu essen und versorgt ihre Wunden.«

Die Beduinen verbeugten sich überschwänglich und drückten ihre Häupter zum Dank in den Staub. »Ihr seid ein gnädiger Herrscher, Euer Majestät. Der Sieg wird auf Eurer Seite sein.«

Ramses nickte abwesend und gab ihnen ein Zeichen, sich zu entfernen. Kaum waren die Beduinen außer Hörweite, befahl er seinem Wedelträger, das Lager sofort abzubrechen und eilenden Schrittes Richtung Kadesch zu ziehen.

»Schicke eine Nachricht ins Feldlager meines Sohnes, er soll uns so schnell wie möglich mit der Division des Re folgen und die Division des Ptah und des Seth wissen lassen, dass sie rasch zu uns aufschließen sollen. Danach schicke einen Boten an meine Naruna-Truppe. Sie soll uns morgen vor Kadesch treffen.« Ramses war aufgeregt. Dies würde ein leichter Sieg werden.

Ramses hatte seinen Leuten kaum Ruhe gegönnt. Sie hatten den Orontes überquert und jetzt vor Kadesch ihr Lager aufgebaut. Allgemeine Müdigkeit hatte sich breitgemacht, doch Ramses hatte keine Eile, die fast schutzlose Festung zu erobern. Ein Tag der Ruhe würde die Kräfte seiner Soldaten schnell zurückbringen. Er sorgte immer für gute Verpflegung auf den Feldzügen, denn darin lag die Stärke und Ausdauer einer Streitmacht. Vor seinem Zelt sitzend, genoss er den kühlen Karobensaft, sein Lieblingsgetränk, den ihm sein Knappe Menna gebracht hatte. Plötzlich durchschnitten Schreie den Frieden des Lagers. Ramses wandte seinen Kopf und konnte nicht fassen, was seine Augen sahen. Hethitische Krieger brachen aus den Büschen hervor und fielen ins Lager ein. Ramses sprang auf und befahl seine Männer zu den Waffen. Dann rief er Menna zu: »Bring mir die beiden Beduinen.« Menna rannte los.

Ramses selbst führte die Peitsche. Unter Schreien brach der redseligere der beiden Beduinen endlich zusammen.

»Unser König, der Herr von Chatti, hat uns geschickt, dich zu täuschen. Muwatalli ist nie geflohen, seine gesamte Streitmacht wartet in Kadesch, und um dieses Lager sind Soldaten postiert.«

Ramses ließ die Peitsche fallen und befahl zwei Soldaten, die Verräter sogleich zu enthaupten. Dann rief er seine Generäle zusammen. Seine Worte waren knapp, aber präzise.

»Die Verräter haben uns getäuscht.« Ramses wandte sich an seinen Wedelträger und ersten Waffenlenker Paraherunemef. »Nimm den Prinzen Chaemwese und benachrichtige die Truppen des Re. Amu muss so schnell es geht zu uns stoßen. Hol dir aus dem Lager des Prinzen frische Pferde und versuch die Division des Ptah nachzuziehen. Die Division des Seth ist zu weit entfernt, wir müssen uns auf das rechtzeitige Eintreffen der Naruna-Truppe verlassen.«

Ramses stand auf, die Besprechung war beendet. Eilig wandte er sich seinem Knappen Menna zu, der ihm den Brustharnisch anlegte und seine Pferde einspannte.

Ramses stieß zu seiner Einheit und verstand es, diese zu motivieren. Es entbrannte ein Kampf auf Leben und Tod. Zuerst behielten die gut ausgebildeten Soldaten der Ägypter die Oberhand, doch dann ermüdeten sie. Die Gegner schienen nicht weniger zu werden. In Ramses wuchs eine unglaubliche Wut. Seine Offiziere kämpften nicht an seiner Seite, sondern hatten sich – wohl der Aussichtslosigkeit der Lage bewusst – an den sicheren Rand des Schlachtfeldes zurückgezogen. Mit unglaublicher Kraft ließ Ramses einen Pfeil nach dem anderen von seiner Bogensehne schwirren. Sie verfehlten ihr Ziel nie. Mitten im Kampfgetümmel schrie Ramses seinem Knappen zu: »Menna, binde mir die Zügel um die Hüften, damit du uns mit dem Schild schützen und mir schneller die Pfeile reichen kannst.« Menna tat, wie ihm geheißen, Ramses fuhr unermüdlich fort, seine Feinde zu töten. Die Wut über die Feigheit seiner Offiziere trieb ihn zu Höchstleistungen an. »Kämpft endlich, ihr Narren, nur ein Sieg kann euer feiges Leben retten.«

Die Soldaten, die sich von der Feigheit der Offiziere hatten beeinflussen lassen, erbebten bei Ramses' donnernder Stimme, und wohl mehr aus Angst vor der Strafe ihres Königs als aus Überzeugung sammelten sie noch einmal die letzten Kräfte.

Plötzlich sah Ramses vom Rande des Schlachtfeldes vereinzelte Streitwagen der Division des Re ins Kampfgetümmel eingreifen. Er lenkte den Wagen in Richtung der verstörten Soldaten. »Wo bleibt die Division des Re? Warum seid ihr nur so wenige?«

Der Wagenlenker des gerade eingetroffenen Streitwagens rief Ramses zu: »Die Hethiter haben die Division des Re aus dem Hinterhalt überfallen und sie in zwei Hälften geteilt. Durch die Teilung jeglicher Kraft beraubt, zerstörten die Hethiter sie fast gänzlich. Unsere Soldaten fliehen, die Hethiter treiben sie in die Fluten des Orontes, wo sie jämmerlich ertrinken.«

Weitere Auskünfte konnte ihm der Wagenlenker nicht geben, er sank tödlich getroffen zusammen. Ein Pfeil hatte sich durch seinen Hals gebohrt.

Verzweifelt richtete Ramses seine Stimme an die Götter. »Mein Vater Amun, habe ich dir nicht Tempel erbaut und zu deinem Ruhme gehandelt? Reiche mir deinen göttlichen Arm, damit ich dir Gerechtigkeit schaffen kann.«

Ramses' letzter Pfeil bohrte sich in den Rücken eines Hethiters. Er warf seinen Bogen fort. Jetzt gab es nur noch seinen Wurfspieß und das Bronzeschwert.

Dann hörte er ein dumpfes Grollen. Ramses wandte den Kopf und erblickte den Arm Amuns, um den er gebeten hatte. Seine Naruna-Truppe traf ein. Sehr schnell wandelte sich das Schlachtfeld wieder. Ramses gewann die Oberhand, und als seine Offiziere dies sahen, kehrten sie zurück an die Seite ihres Königs. Ramses schaffte es in kürzester Zeit, die feindlichen Streitkräfte zurückzudrängen. Sie flohen in die Festung von Kadesch, doch viele stürzten sich auch von Panik erfasst in den Orontes und ertranken. Die Seelen der ertrunkenen Soldaten aus der Division des Re hießen sie willkommen.

Der Leibarzt hatte die Wunde an Ramses' Arm gereinigt und mit den besten Leinenbinden bedeckt. Er hatte seine Aufgabe erfüllt und war froh darüber. Der Pharao raste vor Wut. Die Divisionen des Ptah und des Seth waren endlich eingetroffen. Sie hatten jedoch nur noch das Schlachtfeld säubern können und die Toten und Verwundeten ins Lager gebracht. Amu hatte seinem Vater Kriegsgefangene vorgeführt. Ramses hatte wortlos in ihre Augen gestarrt. Jetzt stand er auf und stemmte die Fäuste in die Hüften.

»Wo waren meine Offiziere? Wo waren meine Soldaten? Ich schäme mich für die Feigheit der Ägypter. Ehre wird euch auf diesem Feldzug nicht zuteil. Doch dafür werde ich diejenigen dreifach belohnen, die mir die Treue hielten. Der Prinz Amunherunemef soll von heute an den Namen Amunherchepeschef tragen. Ein jeder soll sich an die Tapferkeit des Prinzen erinnern. Ich sah ihn nicht einen Augenblick von meiner Seite weichen, seit die Division des Re eintraf. Auch vorher, so wurde mir berichtet, als die Hethiter die Division des Re angriffen, welcher der Prinz vorstand, ließ er sich nicht von seinen Soldaten trennen. Er war immer an ihrer Seite.« Ramses wandte sich Menna zu. »Mein Knappe Menna soll höchste Ehren erfahren. Im Kampf schützte er mein Leben mit dem seinen. Nie bat er mich um den Rückzug. Auch der Prinz Chaemwese stellte sich mit der Division des Re dem Feind.« Ramses' Blick richtete sich auf seine Söhne. »Sie vergaßen die Lektionen nie, die ich sie einst lehrte.

Mein Wunsch nach würdigen Nachfolgern wurde mir hundertfach in ihnen erfüllt. Ägypten wird ihnen danken, wenn sie als Helden heimkehren. Euch jedoch«, sagte Ramses in Richtung seiner Offiziere, »werde ich namentlich nicht auf einer Siegesstele erwähnen, noch sollen eure Namen in die Berichte aufgenommen werden.« Ramses wandte sich ab und ging in sein Zelt. Er brauchte nur Ruhe, Ruhe, um etwas nachzudenken und zu schlafen. Er war furchtbar müde und enttäuscht.

Der nächste Morgen brachte Ramses keine besonders guten Nachrichten. Seine vier Divisionen waren geschwächt, und sogar seine Elitetruppe, die Naruna, hatte starke Verluste erlitten. Ramses berief seinen Generalstab ein und befahl die Belagerung von Kadesch. Er vermochte die Verluste des Hethiterkönigs nur schwer einzuschätzen, doch hoffte er, Muwatallis Heer wäre zu einem weiteren Angriff ebenfalls nicht mehr in der Lage. Ramses befand sich in einer heiklen Situation. Angreifen konnte er nicht, seine Streitmächte waren geschwächt. Abziehen konnte er ebenfalls nicht, es wäre einer Niederlage gleichgekommen, die sich der egozentrische König niemals eingestehen würde. Also verharrte er vor der Festung und wartete, was sein Gegner unternahm. Er brauchte nicht sehr lange warten, schon bald schickte Muwatalli einen Boten mit einer Nachricht für den Pharao. Ramses las sie ruhig und berief dann seinen Kriegsrat ein.

»Muwatalli bietet einen Waffenstillstand an. Unter den gegebenen Umständen bin ich geneigt, diesem zuzustimmen.« Ramses blickte prüfend jeden einzelnen seiner Generäle an. Keiner gab ein Widerwort. Das Einzige, was sie wollten, war heimkehren nach Ägypten – in ihr schönes Ägypten, von den Göttern geliebt.

»Sie kommen!«

Bint-Anat sprang auf und lief von der Terrasse zu dem Stuhl hinüber, auf dem Nefertari saß. Nefertari blickte Bint-Anat freudig an. Dann stand sie auf und folgte ihr hinaus auf die Terrasse.

»Sieh nur, Bint-Anat, Ramses' Wagen glänzt wie keiner der anderen.«

Bint-Anat schob Nefertari den Stuhl zu. Lange konnte die große Königsgemahlin nicht stehen, ihre Kräfte schienen mit jedem Jahr zu schwinden, obwohl sie noch immer jung und schön war. Bint-Anat hatte gerade ihr fünfzehntes Lebensjahr erreicht, und Nefertari war vor kurzem erst dreißig geworden, doch besaß sie nicht einmal mehr die Kraft einer Sechzigjährigen.

»Lass uns in den Thronsaal gehen, wir müssen sie empfangen.«

Nefertari lächelte Bint-Anat müde an. »Nein, Bint-Anat, ich werde hier bleiben. Gehe du und empfange Ramses. Du bist die Königin.«

Bint-Anat seufzte. »Aber du doch auch.«

»Ramses weiß, dass ich nicht da sein werde. Du musst jetzt offiziell an seiner Seite sein. Ich werde Ramses heute Abend sehen, ohne seine Königsinsignien.«

Bint-Anat erhob sich langsam und machte einen letzten Versuch. »Das Volk liebt dich.«

»Aber es braucht eine starke Königin. Es braucht dich. Bitte geh jetzt, es ist Zeit.«

Ihr war schwindlig. Das Gewicht der Krone und der Weihrauch, den die Priester vor ihnen verbrannten, wurden langsam unerträglich. Schon seit zwei Stunden saß Bint-Anat an Ramses' Seite und ließ die endlosen Lobesreden über sich ergehen. Die Kriegsbeute wurde vorgeführt, doch Bint-Anat sah das alles nicht. Ihre Hände zitterten. Aber dann hörte sie wie von weitem den Namen ihres Bruders an ihr Ohr dringen. Sie erwachte aus dem tranceartigen Zustand. Amu und Chaemwese traten vor sie hin. Bint-Anat blickte verstohlen zu Chaemwese hinunter. Er war groß geworden. Und er war älter geworden. Und Bint-Anat stellte fest, dass er gut aussah. Er wirkte viel älter als dreizehn, wie gut würde er erst aussehen, wenn er ein Mann war. Sie ertappte sich, wie ihr Herz wild zu schlagen begann. Krampfhaft versuchte sie den Blick von Chaemwese abzuwenden. Es gelang ihr nicht. Sie flehte in ihrem Innern um ein winziges Zeichen, einen kurzen unbedeutenden, doch für sie erlösenden Blick. Sieh mich an, bitte sieh mich an, flehte ihr Herz. Wende dich ab, beachte ihn nicht, mahnte ihr Verstand. Chaemwese warf ihr einen verstohlenen Blick zu, nur eine Sekunde, doch er genügte, und Bint-Anats Herz siegte. Sein Blick schien nur eines zu sagen: Warum hast du das getan? Bint-Anat verzweifelte.

Ramses war sofort nach der Zeremonie zu Nefertari gegangen. Vorher hatte er seiner geliebten Mutter Tuja einen kurzen Besuch abgestattet.

Bint-Anat hatte den Abend für sich allein. Verbotene Vorstellungen gruben sich in ihren Geist, sie glaubte verrückt zu werden. Wie einfach waren doch die Gefühle des Kindes Bint-Anat gewesen, die der Frau verwirrten und verletzten sie tief. Vater und Bruder waren klare Begriffe für sie. Doch jetzt war der Vater ihr Gemahl, und für den Bruder war sie in heftiger Liebe entbrannt. Es durfte nicht sein. Beides durfte nicht sein. Und doch wusste sie, dass beides ihr Schicksal war. Sie musste lernen mit ihren Gefühlen umzugehen. Sie konnte nicht ewig so leben. Es würde durch die Jahre nicht vergehen, dieses Gefühl der Leere.

Sie beschloss, ein wenig im Garten spazieren zu gehen. Sie musste klare Gedanken fassen, musste abwägen, was gut war und was nicht. Sie wollte sich in einen abgelegenen Teil begeben und vielleicht etwas weinen. Sie hatte festgestellt, dass Weinen befreiend wirkte. Früher hatte sie es als Schwäche abgetan, aber nun war es eine Gewohnheit geworden, sich Erleichterung zu verschaffen. Natürlich ließ sie es nie jemanden wissen.

Doch sie war offenbar nicht die Einzige, die allein sein wollte. Als sie um eine Biegung kam, sah sie ihren Bruder. Wie damals saß er an dem schönen See im Gras. Sie wollte umkehren, aber es war zu spät. Chaemwese hatte sie erblickt. Zaghaft setzte sie sich neben ihn ins Gras. Keiner von beiden konnte Worte finden, bis Bint-Anat endlich die Initiative ergriff.

»Ich habe dich vermisst, Bruder. Du kannst nicht erahnen, wie leer mein Herz war.«

Chaemwese rupfte Grasbüschel aus. »Ich habe darum gebetet, auf dem Schlachtfeld zu sterben. Ich wollte dich nicht wiedersehen. Ohne dich, was hat mein Leben für einen Sinn?«

Bint-Anat schüttelte heftig den Kopf. »Wir können nicht für uns allein entscheiden. Es wäre egoistisch.«

Chaemwese schleuderte den eben ausgerissenen Grasbüschel zornig von sich. »Ist Liebe egoistisch? Was soll ich gegen meine Gefühle tun? Sie verbrennen meinen Leib und zerfressen meine Seele. Mein Ka wird niemals Ruhe finden.« Chaemwese wandte sich Bint-Anat zu. »Lass mich dich küssen, Schwester. Schenk mir wenigstens diese unbedeutende Geste deiner Zuneigung. Lass mich wissen, wofür ich leide.«

Bint-Anat gab den Widerstand auf. Sich fallen lassen, o ja, dieses Gefühl der Schwerelosigkeit in einem Leben, das ihr jeden Tag aufs Neue schwere Bürden auferlegte. Wer konnte ihr diese Kleinigkeit schon missgönnen. Die Götter würden sie verstehen. Sie ließ sich ins Gras zurücksinken und zog ihn zu sich herab. Seine Zunge fuhr zwischen ihre Lippen, und seine Hände glitten unter ihr Gewand. Unter den zärtlichen Berührungen seiner Hände wurden ihre Brustwarzen hart. Sie wusste, sie gingen zu weit, doch diesmal konnte sie sich nicht wehren. Ihre Glieder waren wie gelähmt. Seine Hand wurde fordernder. Er legte sie zwischen ihre Schenkel, und sie wanderte langsam hinauf, bis sie ihre Scham erreichte. Seidige Nässe ließ seinen Finger schnell in sie gleiten. Bint-Anat schreckte auf. Es war zu viel. Er wusste es nicht. Was sie hier taten, konnte sie ihr Leben kosten. Sie griff nach seiner Hand und zog sie unsanft weg.

Chaemwese stöhnte gequält auf. »Warum tust du das, Schwester? Was macht es schon aus? Du willst es, ich will es. Keiner wird es erfahren, doch wir können endlich ruhiger schlafen, wenn wir uns zueinander bekennen.«

Bint-Anat setzte sich auf. »Chaemwese, du verstehst nicht, es geht nicht.«

Er packte sie bei den Schultern. Trotz der zwei Jahre Altersunterschied war er größer als sie. »Warum gewährst du mir, wenn du mich liebst, nicht das, was du Ramses gewährst?«

Bint-Anat löste sich aus seiner Umklammerung und drehte sich weg. »Wie könnte ich dir etwas gewähren, was ich noch niemandem gewährt habe.«

Chaemwese schwieg. Er ließ Bint-Anats Worte auf sich wirken, und endlich verstand er. Er zog sie langsam an sich. »Heißt das, du bist nicht wirklich seine Gemahlin?«

Bint-Anat schüttelte den Kopf. »Er überließ mir die Entscheidung.«

Chaemwese sagte ernst: »Er liebt Nefertari.«

»Sie kann das Bett nicht mehr mit ihm teilen – glaube ich. Sie ist so furchtbar schwach, und er liebt sie genauso hoffnungslos wie du mich.«

Chaemwese streichelte Bint-Anats Wange. »Hör mir zu, Bint-Anat, der Weg zu unserer Erlösung führt über sein Bett.« Bint-Anat erschrak. »Verstehst du nicht, Schwester? Damit es nicht auffällt, musst du mit ihm das Bett teilen. Er wird sehen, dass du rein bist. Danach kann es nicht mehr auffallen.«

Bint-Anat wich unwillig zurück. »Was verlangst du von mir?«

Chaemwese senkte den Kopf. »Vergiss, was ich sagte, Schwester, es war töricht und kindisch.« Er hob entschuldigend die Hände. »Nie wieder werde ich mit deinen Gefühlen oder den Gefühlen meines Vaters spielen.«

Er drehte sich rasch um und verschwand. Bint-Anat krampfte sich der Magen zusammen, und sie übergab sich.

Bint-Anat hatte sich anmelden lassen. Sie wusste, dass die Abendstunden Nefertari gehörten und auch sie es sich nicht erlauben konnte, unangemeldet zu erscheinen. Doch Ramses war allein. Bint-Anat sah sich um.

»Ich dachte, Nefertari würde dir um diese Zeit Gesellschaft leisten.«

Ramses stand schwerfällig auf. »Ja, eigentlich tut sie das, doch sie schläft. Ihre Kräfte schwinden dahin.«

Bint-Anat schüttelte traurig den Kopf. »Sie sieht immer noch so schön aus. Die Krankheit vermag ihre Schönheit nicht zu vernichten.«

Ramses seufzte. »Gerade das lässt mich leiden. Wenn sie alt wäre, wenn ihre Krankheit sie gezeichnet hätte, vielleicht könnte ich dann Abschied von ihr nehmen, doch so bin ich es, der sie um dieses erbarmungswürdige Leben kämpfen lässt, um jede Stunde davon. Ich denke, wenn ich es nur zulassen würde, würde sie einschlafen und einfach nicht mehr aufwachen.«

Bint-Anat ließ sich auf einen Stuhl sinken. »Ich werde ihr jede Last abnehmen, sie soll in den Augen des Volkes die strahlende Göttin sein, die sie immer war.«

Ramses lächelte. »Nefertari hat sich in dir nicht geirrt. Du trägst die Krone mit göttlichem Recht.«

Bint-Anat konnte die bedrückende Stimmung nicht mehr ertragen. Sie stand auf und ergriff Ramses' Hand. Liebevoll steckte sie ihm einen Ring auf den Finger.

»Mein Geschenk an dich, mein Gemahl.«

Ramses lächelte erneut. »Du kommst mit einem Geschenk zu mir, obgleich ich es doch eigentlich bin, der dir zu Dank verpflichtet ist.«

Ramses streifte seine beiden goldenen Armreifen ab, auf denen zwei Enten aufgesetzt waren und seine eigene Kartusche abgebildet war. Er legte sie sanft um Bint-Anats Handgelenke. Bint-Anat stutzte.

»Die gab dir Osiris Sethos. Sie sind zu wertvoll.«

»Deshalb gebe ich sie dir. Du bist sehr wertvoll. Sie stehen dir ganz alleine zu. Dies ist mein Geschenk an dich, das du mit niemandem teilst. Diese Gunst will ich dir alleine erweisen.«

Bint-Anat war zu Tränen gerührt. Solche Momente waren selten in ihrem Leben. Es hatte für sie keine Schulter zum Anlehnen gegeben. Ramses nahm ihre Hand.

»Du bist meine Tochter, doch du bist zu einer Schönheit geworden. Es fällt mir nicht schwer, in dir meine Gemahlin zu sehen – wenn du es nur willst.«

Wieder das Angebot. Sie hatte lange Zeit gehabt. Sie liebte Chaemwese, aber sie fühlte sich von Ramses sehr stark angezogen. Den Vater hatte sie nie wirklich gekannt, sie hatten zusammen gearbeitet, doch konnte sie sich nicht erinnern, jemals als Tochter auf seinem Schoß gesessen zu haben. Hatte sie sich nicht immer insgeheim etwas Zärtlichkeit von ihm gewünscht? Die Zeit für eine innige Vater-Tochter-Beziehung war vergangen, warum sollten sie nicht eine andere Seite an sich entdecken. Ramses war unglücklich verliebt und sie ebenfalls. Vielleicht konnten sie sich durch die körperliche Vereinigung Trost spenden.

Bint-Anat blickte Ramses an. Er war erst einunddreißig, ein junger gut aussehender Mann.

»Ich will es.«

Ramses nahm ihre Hand und führte sie in seine Schlafgemächer. Sie hatte diese noch nie betreten. Für eine Tochter geziemte sich so etwas einfach nicht. Da er der Erfahrene war, nahm er die Träger ihres Kleides und ließ sie über ihre Schultern gleiten. Der dünne Stoff fiel lautlos zu Boden. Ramses zog Bint-Anat an sich. Er erinnerte sich an die erste Nacht mit Isisnofret. Wie hatte er sie begehrt. Er war ruhiger geworden, er würde Bint-Anat nicht enttäuschen, so wie er damals Isisnofret enttäuscht hatte. Liebevoll hob er sie aufs Bett und beugte sich über sie. Sie schloss die Augen. Es war einfach schön, jemand anderem die Führung zu überlassen. Das hatte sie sich immer gewünscht. Den Luxus der Schwäche. Hier durfte sie schwach sein, Ramses führte sie. Als sie die Augen öffnete, war er nackt und schob sanft ihre Schenkel auseinander. Sie war verblüfft, wie unendlich zärtlich er sein konnte. Sie erlaubte sich endlich, sich hinzugeben und zur Frau zu werden. Mit einem leisen Seufzer schlang sie die Arme um Ramses' Nacken. Er küsste sanft ihren Hals, und sie vergaßen alles andere um sich herum.

Bint-Anat wachte erst spät auf. Sie konnte sich nicht erinnern, jemals so lange geschlafen zu haben. Sie stand auf und zog sich ihr Gewand vom Vorabend über. Die Sandalen ließ sie unbeachtet, sie liebte das Gefühl der morgendlichen Kühle an ihren nackten Füßen. Sie trat auf die Terrasse und ging von dort aus hinab in den Garten. Ihre Füße berührten den langsam trocknenden Morgentau, der sich auf dem Gras gebildet hatte. Ihre glatten, kastanienbraunen Haare fielen ihr etwas zerzaust ins Gesicht, doch das störte sie nicht. Sie begab sich hinunter zum See, ihrem Lieblingsplatz, setzte sich ins Gras und ließ ihre Hand sacht ins Wasser gleiten, um die schönen Fische anzulocken.

»So hatte ich deine Mutter am liebsten, wenn sie diesen ganzen Schmuck, die Perücke und die Schminke abgelegt hatte und man die Schönheit sehen konnte, die die Natur ihr geschenkt hat.«

Bint-Anat drehte sich erschrocken um. Sie hatte nicht bemerkt, dass Ramses gekommen war. Plötzlich bereute sie ihren Müßiggang. Ramses war schon längst angekleidet, hatte seit Stunden Depeschen gelesen und wahrscheinlich heute auch ihre Aufgaben miterledigt. Sie stand auf.

»Ich müsste schon lange angekleidet sein. Es ist das erste Mal, dass ich meine Aufgaben vernachlässige.«

Ramses lächelte Bint-Anat nachsichtig an und setzte sich ins Gras. Dann griff er nach ihrer Hand und zog sie zu sich herunter.

»Warum solltest du dir nicht einmal einen Tag des Müßiggangs gönnen? Ich weiß dein Verantwortungsgefühl sehr wohl zu schätzen, doch nehme auch ich mir manchmal Zeit – heute ist so ein Tag.«

Bint-Anat blickte Ramses erstaunt an. Er fuhr langsam mit seiner Hand durch ihre langen Haare.

»Willst du heute mit mir im Schilf Enten jagen?«

Bint-Anat lächelte nun ebenfalls. Sie entdeckte eine ganz andere Seite an ihm als die, die sie so gut zu kennen glaubte. Der strenge Herrscher wurde zum liebeshungrigen Gemahl. Es war in Ägypten Brauch, eine Frau zu fragen, ob sie mit ihm im Schilf jagen wolle, wenn man vorhatte, sich mit ihr der Liebe hinzugeben.

»Ich muss mir zuerst etwas anderes anziehen.« Sie wollte erneut aufstehen, doch Ramses hielt sie fest.

»Nein, genau so will ich dich haben. Du brauchst keine Schminke, keine Perücke. Ich will nur dich, nicht die Königin.«

Die Barke glitt leise durch das Papyrusdickicht in den abgelegenen Teilen des Nils. Ramses hatte kaum Bedienstete mitkommen lassen. Die wenigen, die das Boot lenkten, waren an Deck und hatten den Befehl, sie nicht zu stören.

Auf Bint-Anats Körper klebte der Schweiß, die Schwüle in der Kabine nahm ständig zu. Doch es störte sie nicht, ebenso wenig wie Ramses, dessen Körper gleichfalls schweißnass im Dämmerlicht glänzte.

Nachdem Ramses sie wie beim ersten Mal sanft geliebt hatte, war Bint-Anat mutiger geworden, hatte ihre eigenen Fantasien ausgelebt und selbst die Führungsrolle übernommen. Ramses hatte es zugelassen, und ihre Wildheit hatte auch ihn dazu veranlasst, sie rauer zu lieben. Er liebte sie, wie er Isisnofret geliebt hatte, heißblütig und bis zur Besinnungslosigkeit.

Nun lag Bint-Anat neben ihm. Erschöpft hingen sie ihren eigenen Gedanken nach, bis Bint-Anat das Bedürfnis verspürte, ein Gespräch zu beginnen.

»Ich wünschte, es wäre immer so, keine Sorgen und nur die Stille des Nils.«

Ramses blickte sie zärtlich an. »Wie oft habe ich mir das schon gewünscht, doch die Götter wollten es anders.«

»Du wirst schon bald gehen, nicht wahr? Deshalb hast du mir diesen Tag heute zum Geschenk gemacht.«

Ramses streichelte Bint-Anats Gesicht. »Wenn ich nicht wüsste, dass du diese Last tragen kannst, hätte ich dich nicht in mein Bett geholt.«

Bint-Anat drehte sich auf den Rücken und starrte auf die Decke der Kabine. »Wann wirst du gehen?«

»In ein paar Tagen schon. Es gibt keinen Grund, länger zu warten.«

Bint-Anat wurde trotzig. »Bin ich nicht Grund genug?«

Ramses blickte sie ernst an. »Nicht einmal Nefertari könnte mich dazu bewegen zu bleiben.«

Bint-Anat stiegen die Tränen in die Augen. Sie war zu weit gegangen. Mit dieser verschlüsselten Andeutung machte er ihr klar, dass Nefertari seine große Liebe war, es immer sein würde.

Sie schluckte die Tränen hinunter und wandte sich ihm wieder zu. Ihre Hand berührte zärtlich seine Lippen, und er küsste jeden einzelnen ihrer Finger.

»Wie gerne würde ich mit Nefertari tauschen, selbst wenn ich morgen sterben müsste. Ich würde sogar den Tod in Kauf nehmen für einen Tag unsterblicher Liebe. Bis in alle Ewigkeit würde ich in den Gefilden des Westen davon zehren.«

Ramses zog sie an sich. Sie hatte ja so Recht, sie hatte diese große Liebe wirklich verdient. Er liebte sie, ja, doch würde sie nie die Stelle in seinem Herzen ausfüllen, die Nefertari gehörte. Auch wenn sie dereinst von ihm ginge, keine andere Frau könnte die Leere in seinem Herzen jemals wieder ausfüllen.

»Ich werde dich niemals von meiner Seite verstoßen, Bint-Anat – ich gelobe es dir.«

Sanft umarmte sie ihn, als könnte sie diese kurze Zeit der Geborgenheit in ihrem Herzen einschließen und für immer davon zehren.

Ramses hatte die Stadt verlassen, und Bint-Anat verrichtete weiterhin unermüdlich ihre Aufgaben. Die erste Woche war nun vergangen, und Bint-Anat hatte sich wieder in ihren alten Tagesablauf eingefunden. Der Vormittag gehörte den Regierungsformalitäten, und am Nachmittag besuchte sie meist Nefertari. Gott sei Dank ging es ihr etwas besser, sie vermochte wieder aufzustehen, doch war dies ein trügerisches Glück, denn Rückfälle konnten ihren labilen Gesundheitszustand schnell zerstören.

Es war am fünften Tag nach Ramses' Abreise, als sie verblüfft in Nefertaris Gemächern stehen blieb und sich umsah. Unzählige Dienerinnen rannten umher und verpackten Nefertaris persönliche Habe in Reisekisten. Nefertari stand auf der Terrasse und genoss sichtlich ihre momentane Gesundheit. Bint-Anat ging zu ihr.

»Nefertari, was passiert denn hier?«

Diese drehte sich um und umarmte Bint-Anat glücklich. »O Bint-Anat, es geht mir so gut. Seit dem Tag, als Isisnofret mich verletzte, habe ich mich nicht mehr so kraftvoll gefühlt.«

»Ja, ich sehe es, und ich freue mich redlich für dich, aber was soll das Ganze hier?«

Nefertari sah Bint-Anat entschuldigend an. »Ich werde Ramses hinterherreisen.«

Bint-Anat blickte erstaunt drein. »Ja, ich weiß, wenn es mir schon einmal besser geht, sollte ich meine Pflichten als Gottesgemahlin wahrnehmen und dich entlasten. Ich handle egoistisch dir gegenüber.« Nefertari ergriff die Hand ihrer Freundin. »Doch bitte versteh mich, Bint-Anat. Vielleicht ist es das letzte Mal, dass meine Kraft wiederkehrt. Ich spüre, dass ich nicht gesund bin. Es ist eine eigenartige Kraft, die mich aufgerichtet hat. Vielleicht wollen die Götter, dass mir noch eine letzte kurze Zeit des Glücks zukommt. Vielleicht kann mich Ramses noch einmal in den Armen halten, als seine Geliebte. Ich wünsche es mir so sehr.«

Bint-Anat fühlte einen Stich ins Herz, doch sie ließ sich nichts anmerken. »Geh ruhig, Nefertari. Und besuche auch Merit-Amun. Erblicke das Heiligtum, das Ramses dir zu Ehren erbaut. Ich weiß, dass die Götter es wünschen. Und ich wünsche es mir ebenso. Ich könnte ruhiger schlafen, wenn ich wüsste, dass du wieder als seine Gemahlin an Ramses' Seite bist.«

»Ich danke dir, Bint-Anat. Du wirst auf ewig deinen festen Platz in meinem Herzen haben.«

Bint-Anat hatte von Amunnemipet erfahren, dass Chaemwese nach Sakkara zu gehen beabsichtigte. Sie stürzte in Chaemweses Gemächer. Leer! Ihr Bruder war nicht da. Wo mochte er sein? Fieberhaft überlegte sie. Wer konnte es wissen? Amu natürlich! Zwangsläufig verbrachten die beiden die Tage zusammen. Sie kümmerten sich um die Verwaltung des Reiches während Ramses' Abwesenheit – genau wie sie. Eilends verließ sie Chaemweses Gemächer, um sich zu Amu zu begeben. Unangemeldet stürmte sie hinein und bereute es sofort. Amu hatte eine seiner Nebenfrauen bei sich, und Bint-Anat überraschte sie in einer heiklen Situation. Amu stand wütend auf.

»Was willst du hier? Wie kommst du dazu, einfach unangemeldet hier hereinzustürmen?«

Bint-Anat hob entschuldigend die Hände. »Es tut mir Leid, Amu, ich hätte mich anmelden lassen sollen, aber es ist wichtig. Ich suche Chaemwese.«

Amu machte ein verärgertes Gesicht. Dann begann er zu grinsen. »So, Chaemwese suchst du also. Nun, ich weiß, wo er ist.«

Bint-Anat blickte Amu erwartungsvoll an. Dieser ließ sich lasziv auf einem Stuhl nieder. Sich etwas anzuziehen, kam ihm dabei nicht in den Sinn. Seine Gespielin hatte eilends das Bett verlassen und war ins Badehaus geflohen.

»Geh hinaus und klopfe an meine Tür. Wenn ich dich dann hereinbitten sollte, wäre ich vielleicht geneigt, dir Auskunft zu geben.«

Bint-Anat traute ihren Ohren nicht. »Ich soll was tun?«

Amu verdrehte die Augen. »Nur, wenn du wissen willst, wo Chaemwese ist, natürlich.«

Bint-Anat sah rot. Blitzschnell schoss sie auf ihren Bruder zu und griff in sein Gemächt. Erbarmungslos drückte sie zu. Amu schrie auf, doch die Schmerzen machten ihn zu schwach, sich dem Griff seiner Schwester zu entziehen.

»Du wirst mir sofort sagen, wo Chaemwese ist.«

Amu sah Sternchen. Schreiend gab er die gewünschte Auskunft. »Er ist unten im Hafen … überwacht das Verpacken seiner Sachen … Bei Sachmet, lass endlich los.«

Bint-Anat zog ihre Hand weg. Ihr Bruder sprang auf und krümmte sich vor Schmerzen.

»Ich danke dir für deine Hilfe, Bruder.«

»Du elende Schlange. Du bist genauso verrückt wie Isisnofret.«

Bint-Anat schenkte Amu keine Beachtung mehr. Doch im Hinausgehen rief sie noch: »Dann sieh zu, dass ich dich nicht zerreiße. Du weißt doch, Löwen sind immer hungrig.«

## *Der Hafen*

Bint-Anat hatte sich beeilt. Sie hasste Sänften, und so hatte sie sich von dem obersten Verwalter der Pferdeställe auf seinem Streitwagen zum Hafen bringen lassen. Die Fahrt war rasend schnell verlaufen, Bint-Anat hatte sich gut fest halten müssen, um nicht bei jeder Unebenheit, die den Wagen erzittern ließ, heruntergeschleudert zu werden.

»Warte hier, ich werde bald wieder zurück sein.«

Eilends lief sie auf das einzige Schiff zu, von dem sie erkennen konnte, dass es gerade beladen wurde. Es musste die Barke sein, mit der Chaemwese Pi-Ramses verlassen wollte. Bint-Anat kümmerte sich weder um die Arbeiter noch um die Sklaven, die dort ihre Arbeit verrichteten. Sie lief schnurstracks zum Kapitän des Schiffes und blieb vor ihm stehen.

»Wo ist der Prinz Chaemwese, Kapitän?«

Der Kapitän, ein gepflegter Mann, der mit Sicherheit auch in Hofkreisen verkehrte, war schon recht verwundert über das Auftreten der großen Königin, doch stand es ihm nicht zu, sie in Frage zu stellen.

»Er ist unter Deck, Euer Majestät. Er weist die Arbeiter an, sein Gepäck an die richtigen Stellen zu bringen.«

Bint-Anat machte sich sofort auf den Weg. Nachdem sie sich an weiteren Arbeitern vorbeigedrückt hatte, fand sie Chaemwese endlich. Er war in seiner Kabine und gab Anweisungen. Da er mit dem Rücken zu ihr stand, sprach Bint-Anat ihn an.

»Chaemwese, hattest du vor, Pi-Ramses zu verlassen, ohne von mir Abschied zu nehmen?«

Chaemwese fuhr herum. Ungläubig betrachtete er Bint-Anat von oben bis unten. »Ich dachte, es wäre wohl das Beste.«

Bint-Anat schüttelte unwillig den Kopf. »Warum nur verlassen mich alle? Zuerst Meri, dann Nefertari und jetzt auch noch du. Warum kann ich nicht einfach fliehen, wie ihr alle es tut?«

Chaemwese senkte den Blick und flüsterte: »Du bist die Königin.«

»Wie wahr! Wenn ich nun frei wäre, eine rangniedere Prinzessin, hättest du Ramses dann um meine Hand gebeten?«

Chaemwese fuhr sich nervös durchs Haar. Er hasste Perücken. Fast immer trug er seine natürliche Haarpracht, die kurzen dunkelbraunen Haare, frei zur Schau. »Das weißt du doch, Bint-Anat.«

Bint-Anat ergriff Chaemweses Hand und zog ihn hinter sich her. Hier konnten sie nicht ungestört reden, zu viele Zuhörer waren um sie herum. Chaemwese ließ sich willig von ihr fortziehen. Der Raum, der Chaemwese auf der Reise als Arbeitszimmer dienen sollte, war noch leer. Bint-Anat ging hinein und schloss die Tür. Dann legte sie den kleinen Riegel vor. Chaemwese stand gesenkten Hauptes in der Mitte der Kabine. Bint-Anat ließ sich in seine Arme sinken.

»Verlasse mich nicht, Chaemwese. Allein dein Gesicht nicht mehr sehen zu können, bedeutet endlose Qualen für mich.«

Chaemwese hielt sie an sich gedrückt. »Verstehe doch, Bint-Anat. Ich kann dich nicht an Ramses' Seite sehen. Ich werde niemals eine andere Frau heiraten können. Ich ertrage das alles nur, wenn ich dich nicht sehen muss.«

Bint-Anat löste sich aus seiner Umarmung. »Wenn ich dich gehen lassen muss, soll es so sein.« Sie fuhr sanft durch die kurzen Haare ihres Bruders. »Doch wir sollten nicht auseinander gehen, ohne uns etwas zu geben, wonach wir uns schon so lange sehnen.«

Chaemwese blickte seine Schwester ungläubig an. »Wie könnten wir dies, ohne dass es die Todesstrafe für uns bedeutet?«

»Jetzt nicht mehr, Chaemwese. Niemand kann es mehr bemerken.«

Chaemwese löste sich hastig aus der Umarmung seiner Schwester. »Du hast das Bett mit ihm geteilt?« Er kämpfte gegen schmerzende Eifersucht an.

Bint-Anat bemerkte seine Gefühle sofort. »Chaemwese, ich bitte dich. In meinem Herzen bist du mein Gemahl. Ich bin gekommen, um dir mein Herz zu bringen. Nimm es mit dir nach Sakkara. Ich verlange nicht viel dafür. Nur ein Stück Erinnerung an meine große Liebe.«

Chaemwese küsste sie voller Verzweiflung. »Heute Abend – wir treffen uns am See. Ich warte auf dich, Schwester.«

Unwillig trennten sie sich und gingen ihrer Wege.

### *Die Stadt*

Chaemwese war nicht in die dicht besiedelten Gebiete gefahren, er war am äußeren Rand der Stadt geblieben, wo die Häuser der Reichen standen. Vor einem schönen Anwesen zog er die Zügel der Pferde an. Es war kein Problem gewesen, sich unbeobachtet von hinten zu nähern. Chaemwese hielt am Hintereingang des schönen weiß-türkis gefliesten Hauses. Dann stieg er ab, half Bint-Anat herunter und zog sie hinter sich her in den Garten des Grundstücks. Bint-Anat blieb stehen.

»Was ist, wenn die Besitzer kommen?«

Chaemwese lächelte. »Der Besitzer ist da, denn das Haus gehört mir. Ich habe es schon vor Monaten gekauft.«

Bint-Anat sah ihn erstaunt an. »Warum?«

»Ich weiß nicht, es gefiel mir einfach. Komm jetzt, drinnen ist es noch viel schöner als draußen.«

Bint-Anat ließ sich mit ihm auf das Ruhebett gleiten. Ruhe wollte sie hier nun wirklich nicht finden. Ihre Hände fingen an seinen Körper zu erkunden, und sie genoss die Berührungen, die ihren Körper liebkosten. Chaemwese war ausgehungert nach ihr, endlich hielt er die Frau in den Armen, für die er sein Leben gelassen hätte. Sie hatten sich schnell entkleidet, und jetzt bemerkte Bint-Anat, dass er wirklich viel älter wirkte als dreizehn. Sein Körper war überdurchschnittlich gut ausgebildet. Er hätte ohne weiteres für einen durchtrainierten Sechzehnjährigen durchgehen können. Ein Erbfaktor, den er mit Sicherheit seinem Vater zu verdanken hatte.

Bint-Anat flüsterte ihm ins Ohr: »Liebe mich, Chaemwese. Nur heute Nacht, sodass ich weiß, die große Liebe erfahren zu haben.«

Sie liebten sich, der Einzigartigkeit dieser Nacht bewusst. Nur diese Nacht, danach würden sie sich in ihr Schicksal ergeben. Für immer!

# Bint-Anat II. (Tani)

*Leben in seiner reinsten Form, gewährt von Ra – meinem Vater. Ich erblicke das größte aller Wunder, kann es nicht erfassen, obwohl mir die Lider geöffnet wurden, bleibe ich blind und hilflos angesichts dieses Mirakels, gewährt durch die schöpferische Allmacht Atums, der Leben erschafft.*

# Kapitel 5

*Jahr 4 der Herrschaft Ramses' II. –*
*das Ramesseum*

Ramses saß auf seiner Terrasse in dem kleinen Palast und genoss die Stille. Kaum war er an Land gegangen, hatte schon ein Diener mit einer Nachricht für ihn am Landungssteg gewartet. Ramses hatte seinen Augen nicht getraut, denn die Botschaft war von seiner Gemahlin Nefertari gewesen. Sie teilte ihm mit, dass sie auf dem Weg hierher war. Nun wartete er auf seine erste Gemahlin, seine süße Liebe, das schöne Antlitz, um derentwillen Re erstrahlt.

Endlich hatten Ramses und Nefertari etwas Privatsphäre. Ramses führte seine schöne Gemahlin durch die Hallen des Ramesseums und erklärte ihr seine großen Bauvorhaben. Nefertari war beeindruckt. Sie hatte nicht bereut, Ramses gefolgt zu sein. Obwohl er ihr schon oft von seinen Plänen berichtet hatte, hätte sie doch niemals mit derartig überwältigenden Bauten gerechnet. Nefertari blieb vor den großen Osirispfeilern stehen, die den Tempel umringten.

»Mein Gemahl hat mir niemals zu viel versprochen, Freude erfüllt mein Herz beim Anblick solcher Vollkommenheit.« Doch dann senkte Nefertari traurig den Kopf. »Ich werde nicht die Vollendung dieser Kunst sehen können, die Götter werden es mir nicht erlauben.«

Wieder dieser Stich ins Herz. Das Band, das sie auf immer zusammenhielt, zog sich enger und enger. Es durfte nicht zerreißen.

Tuja blickte ihre Schwiegertochter skeptisch an. Bint-Anat, die sonst beim Abendmahl wahre Mengen an Nilbarsch, Brot, Wein, Gans und Ente verschlang, litt jetzt schon den zweiten Abend an Appetitlosigkeit. Tuja hatte sich niemals über die Mengen gewundert, die Bint-Anat zu sich nahm, sie arbeitete viel und holte sich die benötigte Energie beim Abendmahl zurück. Obwohl sie es sich nicht gerne eingestand, machte sie sich Sorgen um das Mädchen. Ihr Groll gegen Bint-Anat verging langsam, denn Tuja sah, dass sie ihre Aufgaben gewissenhaft erfüllte und niemals Tuja von einer Entscheidung ausschloss. So konnten die beiden Frauen während Ramses' Abwesenheit recht gut zusammenarbeiten. Keine hatte das Gefühl, von der anderen übergangen zu werden. Außerdem hielt sich Bint-Anat zu Tujas Erstaunen im Hintergrund und überließ die offiziellen Ehrenbezeugungen und Auftritte ihrer Schwiegermutter. Tuja musste zugeben, dass sie das von der Tochter der Löwin nicht erwartet hätte. War sie vielleicht doch mehr Ramses' Tochter als die von Isisnofret?

»Warum isst du nichts, Bint-Anat? Ich muss dir sagen, dass mich das beunruhigt.«

Bint-Anat tat jetzt auch das letzte Stück Nilbarschfilet auf den Teller zurück. »Ich fühle mich nicht gut. Müdigkeit überfällt mich schon am Mittag, obwohl ich morgens ausgeschlafen bin, und abends habe ich das Empfinden, als wäre mein Leib mit Wasser gefüllt. Oft wache ich morgens auf und muss mich übergeben.« Tuja nickte stumm. »Vielleicht werde ich krank.«

»Ich werde dir meinen Leibarzt schicken, er versteht sich auf jede Krankheit.«

Tuja hatte eine ganz andere Vorstellung, als Bint-Anat sie hegte. Wenn es das war, was sie glaubte, würde ihr Arzt es sofort erkennen. Bis dahin würde sie ihre Enkelin jedoch im Unklaren lassen.

Bint-Anat lag in ihrem Ruhebett auf dem Rücken. Der Arzt tastete ihren Bauch ab und drückte hier und da. Ein starkes Ziehen überkam sie dabei, und ein Stöhnen entfuhr ihr.

»Euer Majestät, ich muss Euch bitten, Eure Beine zu öffnen, ich muss auch Euren Unterleib untersuchen.«

Bint-Anat öffnete unwillig ihre Schenkel. Es war ihr äußerst unangenehm. Der Finger des Arztes untersuchte Stellen, die sie bis dahin als ihre Intimsphäre angesehen hatte. Endlich zog er seinen Finger aus ihr heraus, und Bint-Anat schob sofort das Gewand über ihre Scham.

»Es ist das, was ich mir gedacht hatte. Euer Majestät trägt den Samen des Gottes in sich.«

Bint-Anat fuhr hoch. Warum war ihr das nicht in den Sinn gekommen? Sie hatte mit Ramses sogar noch darüber gesprochen. Mit Ramses! Aber konnte es nicht auch das Kind von Chaemwese sein? Wer war der Vater? Bint-Anat wischte die Fragen einfach beiseite. Es war doch egal, wer von beiden der Vater war. Beide trugen sie königliches Blut in sich. Beiden schenkte sie gerne ein Kind. Das Wichtigste war – sie würde Mutter sein. Sie würde das Kind lieben, und sie würde geliebt werden. Sie wollte eine gute Mutter sein. Die Mutter, die sie niemals gehabt hatte.

Bint-Anat konnte sich nicht mehr auf ihre Aufgaben konzentrieren. Ständig wartete sie auf ein Zeichen ihres Kindes, das in ihrem Leib wuchs. Tuja hatte ihr gesagt, dass es dafür noch viel zu früh sei, ihre Schwangerschaft sei noch nicht einmal zwei Monate fortgeschritten. Doch Bint-Anat konnte die Geburt nicht erwarten. Abwesend legte sie die Hand auf ihren Leib.

»Wachse, Kind zweier Väter! Ich erwarte dich so sehnsüchtig.«

Nefertari und Ramses befanden sich auf dem Weg nach Süden. Dort würde die Königin endlich das ihr geweihte Heiligtum der Hathor erblicken können. Zuvor jedoch mussten sie noch sehr oft Halt machen, um Tempel zu besichtigen, Heiligtümer zu besuchen und Gunstbeweise entgegenzunehmen. Nefertari fühlte zeitweise wieder die Schwäche in sich aufkommen, die sie jedoch mit Willenskraft unterdrückte. Ramses durfte nichts davon mitbekommen. Er würde sie nach Pi-Ramses zurückschicken, und sie wünschte sich nichts sehnlicher, als an seiner Seite zu sein. Nie zuvor hatte sie ihm so nah sein können, außer vielleicht ganz am Anfang, als sie noch so jung war und Ramses sie für sich entdeckt hatte. Bevor die Last der Kronen auf ihnen gelegen hatte, gab es doch einige schöne Tage, die sie jegliche Verantwortung hatten vergessen lassen. Nefertari unterdrückte den leichten Anfall von Schwindel.

»Nefertari, bist du bereit? Wir sind angekommen und wollen an Land gehen.«

Nefertari stand lächelnd auf. »Natürlich, mein Gemahl. Was immer du wünschst.«

*Königspalast in Pi-Ramses*

Tuja und Bint-Anat saßen gemeinsam über den Depeschen und wägten ab, welche wohl am wichtigsten seien und deshalb noch heute bearbeitet werden mussten. Tuja ließ mit einem besorgten Gesichtsausdruck die zuletzt gelesene Papyrusrolle sinken.

»Was ist denn?«

Bint-Anat erhob sich schwerfällig, ihr Bauch machte ihr jetzt schon Probleme. Ihr sechster Schwangerschaftsmonat neigte sich dem Ende zu. Tuja blickte ihre Schwiegertochter nachdenklich an. Sie konnte sich nicht erinnern, im sechsten Monat schon so schwer getragen zu haben.

»Das Kind wird sicherlich groß werden. Das ist nicht gut, meistens haben Mütter mit großen Kindern eine schwere Geburt.«

Bint-Anat lächelte. »Größe verspricht Stärke. Was macht es da schon aus, wenn sie mir eine schwere Geburt bereitet?«

»Sie?«

Bint-Anat zuckte mit den Schultern. »Es wird ein Mädchen.«

Tuja zog die Augenbrauen zusammen. »Woher willst du das denn wissen?«

Bint-Anat lächelte. »Ramses weiß es.«

»So?« Tuja beschloss, das Thema nicht mehr weiter zu verfolgen.

»Was ist es also, was dich beunruhigt?«

Bint-Anat hatte sich schwerfällig neben Tuja niedergelassen.

»Es gibt einen Aufstand der israelitischen Arbeiter im Deir-el-Medina, dem Arbeiterviertel, von wo aus unsere Häuser für die Ewigkeit gebaut werden. Einer ihrer Anführer scheint die ganze Sippe aufgehetzt zu haben. Die Arbeit wurde völlig niedergelegt.«

»O nein, das bedeutet Verzögerungen, die wir uns nicht erlauben können. Was willst du tun?«

Tuja seufzte. »Das ist eine gute Frage. Ich müsste sofort nach Deir-el-Medina reisen, um die Streitigkeiten aus dem Weg zu räumen. Doch steht mein jährlicher Besuch im Harem Faijum an, eine Überprüfung der erwirtschafteten Güter ist unerlässlich. Ich kann nicht an beiden Orten gleichzeitig sein.«

Bint-Anat stieg ein Kloß in den Hals, doch sie erwiderte: »Ich kann für dich in den Harem Faijum reisen.«

Tuja blickte Bint-Anat zweifelnd an. »Ramses würde es in deinem Zustand sicherlich nicht gutheißen.«

»Ramses würde sagen, dass Ausnahmesituationen Ausnahmelösungen bedürfen. Siehst du eine andere Lösung?«

Tuja stand auf. »Ehrlich gesagt, nein, doch werde ich dafür sorgen, dass es dir auf der Reise an nichts fehlt. Deine komplette Dienerschaft muss dich begleiten. Sieh zu, dass du dich nicht überanstrengst und nicht zu fett isst.«

Bint-Anat nickte gleichgültig.

Dieses Mädchen würde Tuja noch einmal in den Wahnsinn treiben, doch wieder musste sie feststellen, dass sie sich gar nicht über sie ärgerte. Eigentlich hatte sie Bint-Anat lieb gewonnen.

## *Abu Simbel*

Etwas so Großes hatte Nefertari noch nicht gesehen. Das, was Ramses ihr versprochen hatte, übertraf jetzt ihre kühnsten Erwartungen. Ramses, der sitzend vor seinem Tempel dargestellt war, beeindruckte durch Größe und Statur.

Doch den absoluten Höhepunkt bot ihr ihr eigener Tempel. Mit Erstaunen stellte sie fest, dass die Arbeiter sie neben Ramses in gleicher Größe abgebildet hatten. Etwas Derartiges hatte es noch für keine Königin gegeben. Die Sitte gebot es, die Königin in Kniehöhe ihres Gemahls darzustellen. Ramses hatte seiner Gemahlin ein wahres Denkmal errichtet. Ungläubig drückte sie Ramses' Hand.

»Das hätte ich niemals erwartet.«

»Es ist mein Geschenk an dich. Es soll meine große Liebe zu dir zeigen.«

Nefertari ging näher heran und las die Weiheinschrift. *König Usermaatre, der von Re Erwählte, hat diesen Tempel gebaut für die große königliche Gemahlin Nefertari Meri en Mut, um derentwillen Re erstrahlt, von ihm mit Leben beschenkt, für immer und ewig.* Sie trat zurück.

»Welch eine Königin hat jemals eine solche Ehre erfahren, welch eine Frau eine so große Liebe?«

Ramses lächelte sie an. »Komm, lass uns Meri besuchen. Sie hat lange auf diesen Augenblick gewartet.«

Bint-Anat betrat die Räumlichkeiten ihrer Mutter. Es war dunkel und stickig. Alles schien durcheinander, niemand räumte mehr hinter der einst großen Königin her. Man hatte sie weitestgehend ihrem Schicksal überlassen.

Im Dämmerlicht bemerkte sie eine Bewegung in der linken Ecke. Sie trat weiter in den Raum und hielt sich ihren geschwollenen Leib. Dann sah sie sie. Isisnofret saß vor ihrem Schminktisch und war unablässig damit beschäftigt, ihre verfilzten Haare zu kämmen. Summend starrte sie ihr Spiegelbild an.

Als sie Bint-Anat gewahr wurde, fuhr sie sie an: »Los, Sklavin, geh und hole mir meine Krone. Ramses wird bald eintreffen, und ich muss schön sein für ihn. Die falsche Königin ist tot, nun wird er meine Rechtmäßigkeit anerkennen.«

Bint-Anat kam näher. »Isisnofret, ich bin es, Bint-Anat.«

Isisnofret sprang auf. »Du, die du mich verraten hast, willst kommen, um mir die Krone zu stehlen. Doch es ist zu spät. Meine Legitimation ist unantastbar.« Danach sah sie den schwangeren Bauch ihrer Tochter und erblickte die Königsinsignien. »Schlange«, zischte sie. »Wie hast du es geschafft, dir die Königsinsignien anzueignen, die mir zustehen? Ich habe Ramses zuerst Nachkommen geschenkt.« Isisnofret ließ sich die Wand hinuntergleiten und starrte an Bint-Anat vorbei. »Bei deiner Geburt wusste ich schon, dass du mir nur Unglück bringst. Mädchen bringen immer nur Unglück.« Isisnofret sprang plötzlich wieder auf. Ohne ihren letzten Gedanken weiterzuverfolgen, lamentierte sie mit sich selbst. »Ich wusste, dass du Großes erreichen würdest, Tochter, dass du es dir selbst erkämpfen würdest.«

Sie fuhr herum und funkelte Bint-Anat mit ihren Raubtieraugen an. Bint-Anat konnte sie das erste Mal von nahem in diesem Dämmerlicht sehen und stellte fest, dass die Krankheit der Königin ihre Schönheit geraubt hatte. Sie war nur noch ein Abglanz ihrer einstigen Schönheit, die unter rot geränderten Augen und den ersten Falten vergangen war. Auch waren ihr bereits zwei Zähne ausgefallen. Isisnofret hatte mit einunddreißig Jahren den Kampf gegen das Alter verloren. Mit Sicherheit ließ Hormin ihr nicht mehr die Pflege zukommen, die einer viel versprechenden jungen Haremsanwärterin anheim fiel. Unterernährung ließ Isisnofrets Wangenknochen noch raubtierähnlicher hervortreten. Der irre Blick richtete sich wieder auf den Bauch ihrer Tochter. Schützend legte Bint-Anat die Hände auf ihren Leib. Isisnofret neigte den Kopf, dann begann sie zu kichern und zu tanzen.

»Was für eine Brut trägst du da aus, Tochter? Ist es die von Ramses oder eines anderen?«

Isisnofret stürmte auf ihre Tochter zu und packte sie mit einer Stärke, die nur den Weltentfremdeten zur Verfügung steht, an den Armen. Sie riss ihre Augen weit auf und blickte ihre Tochter prüfend an. Bint-Anat fühlte sich durchsichtig wie Wasser.

»Chaemwese oder Ramses, Tochter, wer ist der Vater?«

Bint-Anat erschrak zu Tode. Sie hatte gehört, dass Verrückte oft die Gabe des zweiten Gesichts besaßen, doch hatte sie es nicht wirklich für möglich gehalten. Sie versuchte sich vergeblich aus dem Griff ihrer Mutter zu befreien.

»Du weißt es nicht, nicht wahr, Tochter? Welch großer Betrug. Selbst ich hätte das nicht gewagt.« Isisnofret ließ ihre Tochter los und setzte sich mit ruhigen Bewegungen wieder vor ihren Schminktisch. Für einen Moment wirkte sie völlig normal, bis sie fortfuhr, sich unablässig die Haare zu bürsten. »Siehst du, meine Tochter, du kannst es niemals leugnen. Du bist nun mal die Tochter deiner Mutter.«

Raus, nur raus, dachte Bint-Anat. Das hier war zu viel für sie. Panikartig verließ sie die Gemächer von Isisnofret, die wieder in schallendes Gelächter ausbrach.

Nefertari schloss ihre Tochter in die Arme. Merit-Amun war nun fast vierzehn und wies die gleiche zarte Schönheit wie ihre Mutter auf. Tränen rannen Nefertari über das Gesicht. »Wie sehr habe ich mir gewünscht, dich wiederzusehen. Doch hatte ich Angst, die Enttäuschung über mich in deinem Gesicht lesen zu können.«

Merit-Amun setzte sich neben ihre Mutter. »Pi-Ramses zu verlassen war das Beste, was ich tun konnte. Ich musste lernen, ich selbst zu sein, meinen eigenen Weg zu finden – und der der Priesterin füllt mich gänzlich aus. Meinen Dienst in deinem und meines Vaters Heiligtum zu versehen, als Oberpriesterin der Goldenen, welch großes Glück mir das Schicksal gewährte.«

Ramses blickte in das schöne Gesicht seiner Tochter. So wie Bint-Anat die unzähmbare Schönheit ihrer Mutter geerbt hatte, war Merit-Amun Nefertaris Ebenbild. Genauso hatte er sie damals als Vierzehnjährige am See in Memphis gesehen. Und nun war Merit-Amun so glücklich. Er würde sie zerstören, wie er Nefertari zerstört hatte, wenn er sie Amu geben würde. Merit-Amun würde an der Königsbürde zerbrechen. Doch Amu würde sie verlangen, bald schon. Merit-Amun war eine Frau, wie er sie liebte. Zart und schön und still wie ihre Mutter. Sie hatte ja keine Ahnung von ihrem Schicksal. Jetzt jedenfalls würde er ihr noch nichts sagen. Er brachte es einfach nicht übers Herz, ihr Glück zu zerstören.

## *Die Königsbarke von Bint-Anat*

Seit zwei Tagen war sie nun unterwegs, und die Schwüle wurde immer drückender. Sie fühlte, dass das Kind in ihrem Bauch bald verlangen würde, geboren zu werden. »Warte noch etwas, Tochter. Bald sind wir in Pi-Ramses, dann kannst du kommen. Bitte warte noch ein paar Tage.«

Bint-Anat stand auf, um sich frisches Wasser zu holen. Es war nicht ihre Art, für jede Kleinigkeit ihre Dienerinnen herumzukommandieren. Sie trank gierig einen großen Schluck, doch plötzlich entglitt ihr der Becher. Ein lähmender Schmerz schoss durch ihren Steiß. Unfähig, sich zu bewegen, rief sie nach ihrer Dienerin.

»Neferti, hilf mir in meine Kabine zu gehen.«

Völlig aufgelöst kam ihre Dienerin herangelaufen und verstand sofort, was los war. Sie griff nach Bint-Anats Arm.

»Hilf mir, Neferti, und schicke nach dem Arzt.«

»O Herrin, der Arzt ist auf einem der anderen Schiffe, eine der Hofdamen ist krank. Ihr habt ihm gesagt, er solle sich bei Bedarf um die Angelegenheiten Eurer Frauen kümmern.«

»Ich weiß, was ich sagte, Neferti. Also gut, dann bring mich in die Kabine, und frage, ob eine der Frauen schon einmal bei einer Geburt geholfen hat oder wenigstens anwesend war. Sobald ihr den Arzt findet, schickt ihn zu mir.«

Bint-Anat lag stöhnend auf ihrem Lager. Die Wehen folgten in immer kürzeren Abständen, und wenn sie nicht bald pressen würde, hätte sie später dazu keine Kraft mehr. Endlich kam Neferti zurück, gefolgt von einer jungen nubischen Sklavin.

»Das ist Tanina. Sie ist die Einzige, die Erfahrung mit Geburten hat.«

»Gut, gut!« Bint-Anat stand der Schweiß auf der Stirn, und sie atmete schwer.

Tanina blickte gefühllos auf die in den Wehen liegende Königin. Dann wandte sie sich an Neferti. »Du gehen und holen Wasser. Aber vorher du abkochen. Das wichtig. Du richtig abkochen Wasser.«

Neferti rannte sofort los, froh, dieser heiklen Situation entronnen zu sein. Tanina setzte sich neben Bint-Anat. Mit ernster Miene tastete sie ihren Bauch ab und öffnete Bint-Anat dann die Schenkel. Taninas Hand in ihrer Scham fühlte sie nicht mehr, eine erneute Wehe durchfuhr sie. Bint-Anat stöhnte auf.

»Du dürfen nicht pressen … hören, nicht pressen.«

»Ich kann nicht mehr. Es muss raus.«

Tanina zog ihre Hand zurück und wischte sie an einem Tuch ab. »Du wirst Kind nicht lebend zur Welt bringen können.«

»Was?« Bint-Anat richtete sich unter Aufwendung der letzten Kraft auf. »Was hast du da gesagt?«

»Kind liegt verkehrt herum. Kann nicht kommen. Wir warten, bis tot, dann holen.«

»Nein!«, schrie Bint-Anat. »Dieses Kind muss leben. Lieber sterbe ich selbst, damit mein Kind leben kann.«

Tanina schüttelte den Kopf. »Wenn ich große Königin von Pharao sterben lasse, um Kind zu retten, dann ich mein Leben verwirkt.«

»Ich entlaste dich jeder Verantwortung, Tanina. Unter Zeugen, wenn du es willst. Rette mein Kind. Es muss leben.«

Tanina setzte sich wieder neben Bint-Anat. »Du wollen sterben für Kind?«

»Wenn es sein muss, will ich für mein Kind sterben.«

Tanina nickte. »Dann ich versuche dir zu helfen. Aber ich muss sagen, wenn ich Kind drehe, ich kann verletzen dich so stark, dass du verbluten. Wenn du nicht verbluten, du aber vielleicht keine Kinder mehr haben.«

Bint-Anat nickte. »Ja, ist gut. Ich verstehe.«

»Dann ich dir versuchen zu helfen, Königin.«

Bint-Anat hielt ihre kleine Prinzessin im Arm. Sie selbst fühlte sich schwach, doch wusste sie, ihre Tochter würde leben. Tanina hatte ihr das Leben gerettet. Nach und nach waren auch Bint-Anats Hofdamen wieder zurückgekehrt. Die Situation war gerettet, es drohte keine Gefahr mehr. Wie ein Haufen Hündchen schwänzelten sie um Bint-Anat herum, versuchten sich bei der Königin einzuschmeicheln.

»Sie ist bezaubernd, ein Abbild des Pharaos. Wie stark sie ist. Selten erblickten wir ein stärkeres Kind.«

Bint-Anat war das alles zuwider. Sah sie Ramses ähnlich – oder Chaemwese? Ähnelten sich nicht Ramses und Chaemwese ohnehin? Waren sie nicht beide kräftiger Statur? Was sagte das alberne Geschwätz ihrer Hofdamen schon aus?

»Verschwindet jetzt alle! Ich will ein wenig Ruhe haben.«

Beleidigt zogen sich die Mädchen zurück. Tanina hatte die letzten blutigen Tücher zusammengepackt und wollte ebenfalls gerade gehen.

»Tanina, warte, ich stehe in deiner Schuld. Welche Art der Entlohnung begehrst du für deine Hilfe?«

Tanina schüttelte den Kopf. »Du mir nicht danken, Königin. Du leben, Kind leben, aber du keine Kinder mehr haben.«

Bint-Anat legte sich zurück in die Kissen. »Das ist nicht wichtig, Tanina. Meine Tochter lebt, mehr habe ich von dir nicht verlangt. Also sage mir, was du als Lohn für deine Arbeit begehrst?«

»Was ich begehren, du mir nie können geben, große Königin.«

»Es gibt nichts, was ich dir nicht erfüllen könnte.«

Tanina blickte Bint-Anat wütend an. »Du mir können geben zurück Familie? Du mir können geben meine kleine Tochter und meinen Sohn, die ägyptische Soldaten töteten, als überfielen unser Dorf? Du mir geben Ehemann? Du mir geben zurück Leben?«

Bint-Anat richtete sich auf. »Nein, Tanina. Das kann ich dir nicht zurückgeben. Doch wenn es dein Wunsch ist, sollst du die Freiheit erhalten. Dann kannst du in deine Heimat zurückgehen und Ägypten vergessen, das dir so viel Leid zufügte.«

Tanina verbeugte sich. »Ich gerne gehen, große Königin. Doch vergessen – niemals. Ägypten für immer mein Feind sein!«

*Königspalast in Pi-Ramses*

Bint-Anat kam erschöpft zurück von ihrer langen Reise. Tuja war immer noch in Deir-el-Medina. Bint-Anat traf aber Amunnemipet an, den Tuja dagelassen hatte, um bei ihrer Rückkehr die junge Königin unterstützen zu können. Er verordnete Bint-Anat sofort Bettruhe.

»Euer Majestät muss sich ausruhen, die lange Reise war viel zu anstrengend für Euch. Macht Euch keine Sorgen, Tuja hat den Aufstand fast niedergeschlagen. Sie wird in ein paar Tagen die Rückreise antreten. Und das Königspaar wird mit höchster Wahrscheinlichkeit schon in den nächsten Tagen wieder da sein.«

Bint-Anat freute sich aufrichtig. »Wie geht es Nefertari? Ist sie immer noch bei bester Gesundheit?«

Amunnemipet zuckte mit den Schultern. »Zumindest ist mir nichts Gegenteiliges bekannt, Königin. Ruht Euch jetzt aus, ich werde nach der Amme schicken.«

Bint-Anat ließ sich in die Kissen zurücksinken. Alles würde gut werden.

Zwei Tage nachdem Bint-Anat in Pi-Ramses eingetroffen war, legte ebendort die königliche Barke an. Glücklich und erholt führte Ramses seine Königin in den Palast zurück.

»Wie glücklich ich bin, das Volk heute mit dir gemeinsam begrüßen zu können. Lange mussten die Bürger von Pi-Ramses auf deine Schönheit verzichten.«

»Ramses, ich glaube, es wird nicht möglich sein.«

Verwundert blickte Ramses in das bleiche Gesicht seiner Gemahlin. »Nefertari, was ist mit dir?« Sie konnte nicht mehr antworten. Bewusstlos sank sie in seine Arme.

Ramses betrat Bint-Anats Gemächer und fand sie schlafend vor. Er brachte es einfach nicht übers Herz, sie zu wecken, so friedlich wie sie schlief. Er lächelte. Sie hatte ihr Kind nicht in die Gemächer der Königskinder bringen lassen, nicht in die Verantwortung einer Amme gegeben. Es schlief in einer Wiege neben ihrem Ruhebett. Sanft nahm Ramses es aus der Wiege. Glücklich las er den Namen Bint-Anat auf dem kleinen goldenen Armband. Er betrachtete das winzige Bündel voller Liebe. Warum hatte er seine Tochter und jetzige Gemahlin damals nicht in die Arme geschlossen? Warum hatte er nicht wie ein Vater empfunden? Das Kind gab ein glucksendes Geräusch von sich, und Bint-Anat war sofort wach. Suchend ging ihr Blick zu Wiege.

»Mein Gemahl, du bist zurück. Und ich habe deine Ankunft verschlafen.«

Ramses setzte sich zu ihr aufs Ruhebett. »Wie geht es dir, meine Königin? Amunnemipet erzählte mir von der schweren Geburt.«

»Unsere Tochter lebt, das ist das Einzige, was zählt.« Bint-Anat blickte Ramses entschuldigend an. »Doch ich werde keine Kinder mehr haben können.«

Ramses küsste ihre Stirn. »Du hast mir mit unserer Tochter mehr als genug Freude geschenkt. Ich könnte nicht ertragen, wenn ich dich im Kindbett verlieren würde.«

Bint-Anat streichelte die Wange ihrer kleinen Tochter, die Ramses im Arm hielt. »Wie geht es Nefertari?«

Ramses wich ihrem Blick aus. »Die ganze Reise über war sie stark, und ihre Gesundheit schien gänzlich wiederhergestellt zu sein. Seit sie den Palast betrat, kehrte ihre Schwäche zurück, und sie liegt krank darnieder.«

Bint-Anat nickte. »Und Tuja ist noch nicht wieder zurück, sodass du gekommen bist, mich zu bitten, heute an deiner Seite das Volk zu begrüßen.«

Ramses ergriff Bint-Anats Hand. »Wenn es eine andere Möglichkeit gäbe, glaube mir, ich würde dich nicht bitten.«

»Schon gut, ich werde es schaffen. Ich habe ohnehin schon zu lange im Bett gelegen. Es wird mir guttun, unter Menschen zu kommen.«

Ramses wusste, dass es nicht das war, was sie fühlte, sondern dass sie unendlich verletzt war. Was brachte es einer Frau, stark zu sein? Immer würde sie dafür leiden müssen. Er zog sie an sich und flüsterte ihr ins Ohr: »Die Maat lebt in dir – du bist Maat. Du bist die tapferste meiner Königinnen.«

»Ja«, flüsterte Bint-Anat, »aber nicht die, die dein Herz besitzt.«

Bint-Anats Kopf hämmerte, ihr Leib schmerzte, ihre Hände zitterten. Schweiß bedeckte ihren Nacken, und eine kalte Hand griff ihre Wirbelsäule hinunter und lähmte ihre Beine. Stunden waren vergangen, sie hatte sich die endlosen Lobeshymnen angehört und gegen die erlösende Besinnungslosigkeit angekämpft. Endlich standen sie auf, endlich folgte sie Ramses ins Innere des Palastes, weg von den neugierigen Augen des Volkes. Nun konnte es endlich geschehen, ihre Beine versagten ihr den Dienst, die Götter legten ihre Hände vor ihre Augen, damit sie Gnade in tiefer Bewusstlosigkeit finden konnte.

Blinzelnd öffnete sie die Augen. Tuja legte ihr gerade einen kühlen Umschlag auf die Stirn.

»Was ist geschehen, wo ist meine Tochter?«

Tuja drückte sie in die Kissen zurück. »Es ist alles gut, deine Tochter ist bei ihrer Amme, du warst drei Tage bewusstlos. Ramses wechselt ständig zwischen deinem und Nefertaris Lager. Endlose Schuldgefühle plagen ihn deinetwegen.«

Bint-Anat setzte sich auf. »Ich fühle mich besser. Es wird schon wieder. Was ist mit Nefertari?«

Tuja drückte Bint-Anats Hand. »Die Götter gewährten ihr letztes Glück. Sie hat ihre ganze Kraft für diese Reise gegeben. Sie wird sich nicht mehr erholen.«

Bint-Anat schloss die Augen. Warum konnte sie nicht einmal etwas Gutes erfahren, wenn sie aufwachte?

Die Wochen vergingen, Ramses besuchte sie pflichtbewusst, doch er war abwesend, sobald er merkte, dass sie auf dem Wege der Besserung war. Ihn zog es zu Nefertari, und so bat Bint-Anat ihn immer öfter unter einem Vorwand, sie alleine zu lassen, damit er bei Nefertari sein konnte.

*Jahr 9 der Herrschaft Ramses' II.*

Ramses hielt wieder einmal siegreich in Pi-Ramses Einzug. In den letzten Jahren war er ständig unterwegs gewesen, um die Vasallenstaaten zu befrieden. Jetzt, vierunddreißigjährig, schien er erstmals wieder für längere Zeit in seine Hauptstadt zurückzukehren.

Bint-Anat hatte Nefertari dazu überredet, sie in den Garten zu begleiten. Gestützt von ihr, hatte Nefertari die paar Schritte mit größter Mühe bewältigt. Bint-Anat II., die Tochter von Ramses und Bint-Anat, war gerade zweieinhalb Jahre alt und spielte angestrengt mit ein paar Bausteinen. Schon jetzt versuchte sie kleine Tempel aus Holzklötzen zu errichten. Bint-Anat hatte ihr gute Eigenschaften vererbt. Sie hob ihre Tochter gerade hoch, da diese sich an einem groben Bauklotz einen Splitter in den Finger eingezogen hatte und herzzerreißend schrie, als Amunnemipet an ihre Seite trat. Er verbeugte sich vor Nefertari, dann erst vor Bint-Anat, offiziell war immer noch Nefertari die erste Königin.

»Eure Majestät, der Pharao verlangt nach Euch. Ihr möchtet Euch sofort in sein Arbeitszimmer begeben.«

Bint-Anat sah verzweifelt auf ihre immer noch schreiende Tochter.

»Gib sie mir, Bint-Anat. Ich passe solange auf sie auf.«

Erleichtert setzte Bint-Anat ihre Tochter auf Nefertaris Schoß und folgte Amunnemipet.

Ramses sah wie immer tadellos aus. Sein Schurz war sauber und die Mesdemet-Schminke akkurat aufgetragen. Er hasste es, wenn jemand ungepflegt war. Bint-Anat stellte fest, dass er alterslos zu sein schien. Seine Gesichtszüge waren markanter geworden, und dennoch hätte ein Fremder ihn für Ende zwanzig halten können.

Ramses zog sie an sich. »Wie sehr habe ich mir gewünscht, dich in meinen Armen halten zu können. In den letzten Monaten ging mir fast nichts anderes durch den Kopf.«

Sanft strichen seine Hände ihren Rücken entlang und blieben auf ihrem festen Gesäß liegen. Wohlige Schauer durchfuhren Bint-Anat. Ramses war lange fort gewesen. Sie war mindestens genauso ausgehungert wie er.

»Dann schenke mir diese Nacht und viele weitere, mein Gemahl. Auch große Königinnen leiden unter Einsamkeit, wenn sie zu oft ihre Nächte allein verbringen müssen.«

Ramses küsste Bint-Anat lange und leidenschaftlich. Dann legte er seinen Arm um ihre Schulter und führte sie auf seine Terrasse. Sie ließen sich unter einem Baldachin nieder und genossen die Nähe des anderen. Bint-Anat legte ihren Kopf an seine Schulter.

»Du warst lange fort, Ramses. Wie ich hörte, waren deine Feldzüge sehr erfolgreich.«

»Das waren sie, doch war es das mit Sicherheit nicht, was du wissen wolltest.«

Bint-Anat streichelte sanft seine Brust. »Amurru wird wieder abtrünnig werden, und auch viele andere befriedete Regionen.«

»Ich habe keine andere Entgegnung von meiner klugen Königin erwartet. Nun sage mir, wie soll ich weiter verfahren?«

Bint-Anat kniff Ramses spielerisch in den Bauch. »Du willst mich prüfen wie früher.«

»Musst du Angst vor einer Prüfung haben, bezaubernde Dame?«

Bint-Anat spürte ihr Herz springen. Bezaubernde Dame war ein Kosename, den er bis jetzt immer nur Nefertari vorbehalten hatte. »Verzichte auf Krieg. Schicke so bald wie möglich ägyptische Statthalter in die Gebiete, die noch nicht wieder abtrünnig geworden sind. Das sichert dir einen Teil des Erfolgs, den du auf deinen Feldzügen errungen hast.«

Ramses war zufrieden. »Genau das, meine Schöne, hatte ich vor.«

Bint-Anat neigte ihren Kopf und blickte Ramses tief in die Augen. »Da ist noch eine wichtige Veränderung eingetreten, mein Gemahl.«

Ramses grinste. Nichts konnte man vor dieser bewundernswerten Frau geheim halten. »Du hast die Depeschen sorgfältig gelesen?«

»Wie immer, Pharao, wie immer.«

»Welche Überlegungen hast du angestellt?«

»Muwatalli ist tot. Sein Neffe Uriteschup ist der Sohn einer Nebenfrau. Dementsprechend schwer dürfte es ihm fallen, das große kriegerische Chatti dauerhaft zu beherrschen. Ich denke, er wird für die nächsten Jahre damit beschäftigt sein, Ordnung in die eigenen Reihen zu bekommen. Welch glücklicher Umstand für den Sohn der Sonne, Usermaatre. Wie ungestört kannst du dich der Verwaltung deiner befriedeten Provinzen widmen.«

Ramses' Hand fuhr unter ihr hauchzartes Leinengewand. Wie erotisch Klugheit an einer Frau doch sein konnte. Wenn sie nur richtig dosiert war und mit Schönheit einherging, konnte sie unwiderstehlich sein. Ramses drückte Bint-Anat in die Kissen und zog die Träger ihres Kleides beiseite.

»Mit jedem Jahr, mit dem du älter wirst, wächst deine Schönheit. Mir ist, als könnte ich die Nacht nicht abwarten.«

Seine Lippen senkten sich langsam auf ihren Hals, und er roch den zarten Duft von Olibanum. Bint-Anat schob ihn sanft zurück.

»Mein Gemahl muss sich trotzdem bis zur Nacht gedulden, denn ich will nicht, dass unsere Tochter uns sieht.«

Ramses seufzte und schob enttäuscht die Träger ihres Kleides wieder zurecht. Für seine kleine Tochter würde er verzichten. Endlich hatte er die Reife, Vater zu sein. Bint-Anat stand auf und zog ihn hoch.

»Tani will ihren Vater sehen. Ich habe ihr so viel von deinen großen Heldentaten erzählt, dass sie bei deinem Anblick wahrscheinlich kein Wort herausbekommen wird. Aber es wird Zeit, dass ihr euch aneinander gewöhnt.«

Ramses ging hinter Bint-Anat her. Als er sie eingeholt hatte, legte er ihr lachend den Arm um die Taille. »Warum nennst du sie Tani?«

Bint-Anat grinste. »Weil jeder von uns sich angesprochen fühlt, wenn Nefertari den Namen Bint-Anat ruft. Als wir es irgendwann leid waren, beschlossen Nefertari und ich, ihr einen Kosenamen zu geben. Tani gefiel uns beiden.«

Ramses und Bint-Anat bogen um die Ecke, und Nefertari sah sie schon von weitem und winkte ihnen zu. Alles hätte so wunderbar sein können, wenn sie nur nicht krank gewesen wäre. Bint-Anat konnte mit Ramses zusammen sein, und doch verspürte sie keine Eifersucht. Da Bint-Anat nicht eifersüchtig zwischen ihr und Ramses stand, gab es auch für Ramses keinen Grund, sie auszuschließen. Sie hatten gelernt, eine Dreierehe zu führen. Nefertari wusste, dass Ramses seine Nächte meist mit Bint-Anat verbrachte, sie war von seinem Blut, hatte seinen Esprit. Die beiden nährten gegenseitig ihren Geist. Selten besuchte Ramses seinen Harem oder seine Nebenfrauen. Meist tat er das, wenn er auf Reisen war und seine Hauptgemahlinnen nicht anwesend waren. Ramses' Liebe zu Nefertari war ungebrochen, sie würde auf ewig den ersten Platz an seiner Seite einnehmen, doch gab es keinen Grund, Bint-Anat auszuschließen. Und außerdem – Nefertari war sich da seit langem sicher – begehrte Ramses Bint-Anat nicht nur körperlich, auch wenn es den Anschein hatte. Nefertari war überzeugt, dass er, wenn sie wieder gesund werden würde und verlangte, dass Ramses sich von Bint-Anat löste, dies zwar ohne mit der Wimper zu zucken für sie tun würde, doch nicht gerne. Oft bemerkte es Nefertari an ihren Konversationen. Ramses hatte den Gedanken noch nicht zu Ende gedacht, als Bint-Anat ihn schon weiterführte. Und doch ging Bint-Anat oft von alleine, wenn Ramses sich Nefertari zuwandte. Vielleicht aus Anstand, vielleicht aus Mitgefühl, aber ganz bestimmt auch, weil sie sich zurückgesetzt glaubte. Sie hatte es nicht leicht, denn wenn Ramses sich aus irgendeinem Grund für eine von ihnen entscheiden müsste, würde er Nefertari wählen. Bint-Anat wusste das, und wie es ihre Art war, hielt sie die Maat. Eine wahrhaft königliche Aufgabe.

Ramses nahm seine kleine Tochter auf den Arm. Mit großen Augen starrte sie ihn an. »Oh, meine kleine Prinzessin hat einen Tempel gebaut. Er ist so groß und prächtig, dass man sich gar nicht entscheiden kann, welchem Gott er geweiht werden soll.« Ramses setzte sich mit seiner Tochter auf den Boden vor die Bausteine. »Wirst du ihn einer Göttin oder einem Gott weihen? Überlege gut, Tani, es ist eine wichtige Aufgabe.«

Tani blickte angestrengt ihr Bauwerk an. »Baftet, Baftet!«

Ramses machte ein bewunderndes Gesicht. Aus dem kleinkindlichen Gebrabbel seiner Tochter erkannte er den Namen der Göttin Bastet und nickte ihr beipflichtend zu.

»Eine sehr gute Wahl, meine Tochter. Ich hätte nicht besser wählen können.«

Tani strahlte ihren Vater an. Ramses hatte das Eis zwischen ihnen gebrochen.

Er wandte sich Bint-Anat und Nefertari zu. »Sie ist ein süßes Ding, ich bin ganz verrückt nach ihr.« Dann bedachte er Nefertari mit einem langen, verzehrenden Blick, der besagte: Wärst du nur gesund, wäre mein Glück vollkommen.

Amu ging wütend auf und ab. Er war nicht dumm und bemerkte die Ausflüchte seines Vaters.

»Warum vertröstest du mich immer wieder, Vater? Es steht mir zu, Merit-Amun als meine große Gemahlin zu wählen. Ich brauche sie, unsere gemeinsamen Kinder werden später meinen Thronanspruch legitimieren.«

Ramses blickte stur an ihm vorbei. »Du weißt genau, Amu, dass es seit vielen Jahren nicht mehr nötig ist, sich von seiner Schwester legitimieren zu lassen. Nefertari ist nicht von meinem Blut, trotzdem schenkte sie mir den Thronfolger und nimmt an meiner Seite den ersten Platz ein.«

Amu schnaubte verächtlich. »Aber du hast Bint-Anat für dich beansprucht. Warum willst du mir nicht Merit-Amun geben?«

Ramses stand entschlossen auf. »Weil ich sie ebenfalls für mich beanspruche! Es tut mir Leid, Amu, aber wenn du auf einer Legitimation durch eine innerfamiliäre Hochzeit bestehst, musst du dir eine der Töchter meiner Nebenfrauen aussuchen.«

Amu war beleidigt. »Die Tochter einer Nebenfrau? Die müsste ich ja erst legitimieren!«

Ramses zuckte mit den Schultern. »Sie ist halb königlich. Ich habe viele schöne Frauen aus vielen verschiedenen Ländern. Aber ich habe auch bezaubernde Ägypterinnen aus den adligsten Familien des Landes. Sie haben wahrhaft schöne Töchter. Ich selbst habe schon daran gedacht, eine von ihnen in meinen Harem zu nehmen.«

Amu horchte auf. »Also gut, ich werde mir eine Gemahlin dort aussuchen!«

Ramses lachte innerlich. Sein Plan war aufgegangen. Für Amu war einzig und allein die Betttauglichkeit einer Frau wichtig. Völlig überflüssig, ihm Merit-Amun zu geben. Er würde mit Bint-Anat reden müssen.

Ramses ließ sich von Bint-Anat den Rücken massieren. Das Badehaus seiner Gemahlin war wirklich ein architektonisches Meisterwerk. Sie hatte es sich von ihm zur Geburt ihrer Tochter gewünscht, und Ramses hatte ihr diesen Wunsch gerne erfüllt. Es war eine Oase der Ruhe, völlig gefliest, und wie überall in Pi-Ramses überwog die Farbe Türkis.

»Amu hat mich heute schon wieder nach Merit-Amun gefragt.«

Bint-Anat zog die Stirn kraus. »Merit-Amun ist viel zu schade für ihn, er weiß eine Frau nicht zu schätzen. Sie würde sterben, wenn sie ihn heiraten müsste. Ihre Briefe aus Abu Simbel sind so voller Freude, Lebensmut und Liebe. Amu würde das alles zerstören.«

Ramses zog Bint-Anat vom Beckenrand, von wo aus sie ihn massiert hatte, zu sich. »Und, Tochter – wie lautet die Lösung?«

Bint-Anat sah ihn prüfend an. Dann biss sie sich unschlüssig auf die Lippe. Schließlich, nachdem Ramses gesehen hatte, wie ihr Geist gearbeitet hatte, antwortete sie: »Heirate sie. Mache sie ebenfalls zu deiner großen Königsgemahlin. Dann kann Amu sie nicht mehr verlangen.«

Ramses blickte Bint-Anat prüfend an. »Bist du nicht eifersüchtig?«

Bint-Anat neigte ihren Kopf, und Ramses dachte schon, ihr prüfender Blick würde ihm die Augen in die Höhlen drücken.

»Ich denke, ich habe keinen Grund dazu. Deine Gefühle zu Merit-Amun sind anderer Natur als die, die du für mich hegst. Du heiratest sie nicht aus Eigennutz, es geht dir lediglich darum, sie vor Amu zu schützen. Reine Vatergefühle! Wahrscheinlich hast du es Amu sowieso schon gesagt und wolltest meine Reaktion testen.«

Ramses zog Bint-Anat auf sich, sie stöhnte willig. Wie konnte sie nur immer wieder seine Gedanken lesen?

*Jahr 12 der Herrschaft Ramses' II.*

Bint-Anat war gerade einundzwanzig Jahre alt und stand an Ramses' Seite an Deck der großen Barke. Es war die erste Reise, die sie mit ihm gemeinsam unternahm – als seine große Königin. Daran, dass Nefertari ihn begleitete, war gar nicht zu denken. Die große Gottesgemahlin war im Alter von sechsunddreißig Jahren nicht mehr in der Lage, auch nur einen Schritt ohne fremde Hilfe zu tun. Langsam begann die Krankheit an ihrer Schönheit zu zehren – ihr Gesicht wurde zunehmend schmaler, und erste graue Haare durchzogen ihr schwarzes Haar, das Ramses über alle Maßen bewundert hatte. Ramses war nun sehr oft bei ihr, so als wüsste er, dass sie nicht mehr lange an seiner Seite weilen würde. Doch nun musste er den Palast wieder verlassen. Im Alter von siebenunddreißig machte er sich mit seiner Königin Bint-Anat auf, um seine Baustellen zu besichtigen. Außerdem lief die Amtszeit des Ersten Propheten des Amun in Karnak aus. Ein Mann, den Ramses sehr geschätzt hatte, da er treu zu ihm stand und nicht dem Tempelbezirk in die Taschen wirtschaftete. Er musste nun mit seiner Königin erscheinen, um einen neuen Ersten Propheten zu bestimmen. Ramses hatte seine Wahl schon getroffen. Wennefer, der Sohn eines engen Freundes, würde ebenso treu zu seinem König stehen wie sein Vorgänger. Doch gab es noch eine wichtige Aufgabe zu erfüllen. Ramses hatte beschlossen, in der Stadt Achmim große Kolossalstatuen zu erbauen. An seiner Seite würden seine beiden ältesten Töchter zu sehen sein, Bint-Anat und Merit-Amun, beide im Besitz der Königsinsignien. Es würde nun bald Zeit für Merit-Amun sein, zurückzukehren.

## Bint-Anat und Merenptah

*Ra – mein Vater! Dunkle Wolken verdecken Dein wohlwollendes Antlitz, Seth wendet sich mir zu, um seine Kräfte zu messen. Der Atem der Erde wandelt sich in Fäulnis, schwärende Dünste rauben mir den Atem – Ra – mein Vater! Siehst Du es nicht? Ich greife nach Deinem schützenden Arm, wende das Unheil ab, vertreibe das Böse aus unserer Mitte!*

# Kapitel 6

*Jahr 12 der Herrschaft Ramses' II. –*
*Achmim*

Ramses führte seine Tochter in die Unterkunft, die man in Achmim für sie bereithielt. Es war ein großes Anwesen und hatte Ähnlichkeit mit den Landsitzen, die Ramses gehörten. Bint-Anat ließ sich auf das Ruhebett sinken.

»Ich bin müde, mein Gemahl. Die Zeit in Karnak war furchtbar anstrengend, doch ich denke, dass du mit Wennefer einen würdigen Nachfolger für den Ersten Propheten gefunden hast.« Sie richtete sich wieder auf. »Wie lange werden wir hier bleiben?«

Ramses zog das Nemes-Tuch von seinem Kopf. Er hatte es heute bevorzugt, denn es war unerträglich heiß. Dann setzte er sich an den Senet-Spieltisch und richtete die Spielfiguren.

»Bint-Anat, komm und spiele mit mir eine Partie.«

»Oh, mein Gemahl, ich werde verlieren, ich bin viel zu müde, um mich zu konzentrieren.«

Ramses grinste sie an. »Eben deshalb bitte ich dich darum. Es gibt mir die Möglichkeit, endlich einmal gegen dich zu gewinnen.«

Bint-Anat stand auf und setzte sich Ramses gegenüber. Er machte den ersten Zug und blickte seine Tochter gespannt an. Bint-Anat zog ohne zu überlegen mit sicherer Hand. Ramses runzelte die Stirn.

»Zumindest werden wir so lange bleiben, bis ich eine Partie Senet gegen dich gewonnen habe.«

Die Königin beschloss zu verlieren. »Ich sehne mich nach Pi-

Ramses, und ich vermisse unsere Tochter. Sie ist erst fünf Jahre alt und sollte nicht in der Obhut von Ammen aufwachsen.«

»Nefertari ist bei ihr.«

»Ja, doch will ich sie aufwachsen sehen. Viel zu schnell wird sie das Kap besuchen.«

Ramses lehnte sich zurück. »So, du hast also schon Pläne für Tani geschmiedet.«

»Sie ist sehr klug. Du wünschtest dir damals eine Prinzessin, die mir gleichkommt. Das sagtest du, als du mit mir im Schilf warst.«

Ramses lächelte bei der Erinnerung an diesen schönen Tag. Zu selten waren diese Erinnerungen, als dass man sie nicht tausend Mal im Geiste durchlebte.

»Sie wird das Kap besuchen, das verspreche ich dir. Aber vorher, meine Gemahlin, gibt es noch einiges zu regeln, wobei ich deiner Unterstützung bedarf.«

Bint-Anat blickte ihn fragend an. »Ich hoffe, es ist etwas Aufregendes. Ich muss gestehen, dass die Einweihung von Tempeln nicht meine Stärke ist.«

»Das weiß ich doch, Tochter, mir ist nicht entgangen, dass du bei der Lobesrede auf Amun in Karnak fast eingeschlafen wärst. Dabei haben dir die Priester deine strenge Wirtschaftsüberwachung der Kornspeicher und Tempelgüter noch immer nicht verziehen.«

Bint-Anat lächelte. »Doch Amun hat es. Und das ist das Einzige, was zählt.«

Ramses wurde wieder ernst. »Die Arbeit hier wird bald erledigt sein. Ich werde ein paar schöne Stellen aussuchen, an denen ich Kolossalstatuen errichten werde. Es ist dringend erforderlich, dass ich damit beginne, dich und Merit-Amun auch vor den Augen des Volkes zu legitimieren. Hier in Achmim sollen meine beiden Töchter als große Königsgemahlinnen an meiner Seite dargestellt werden. Gerade für Merit-Amun ist es äußerst wichtig, ihre Stellung zu rechtfertigen. Ich wage zu bezweifeln, dass sie mir Kinder schenken wird.«

Bint-Anat zog erneut ihre Figur. »Wirst du ihr ebenfalls die Wahl lassen?«

Ramses dachte angestrengt über den letzten Zug seiner Tochter nach, dann antwortete er erst. »Ich denke, sie wird Priesterin bleiben und sich recht bald nach ihrer Inthronisierung wieder in ihre Welt zurückziehen. Das Hofleben schien ihr nie zu gefallen. Außerdem glaube ich nicht, dass ich noch eine große Königin für mein Bett brauche. Deine Mutter und Nefertari schenkten mir genügend Thronfolger, und als du mir Tani gabst, war mein Glück vollkommen. Merit-Amun wird mir eine wichtige Verbündete im theokratischen Bereich sein. So bekommen wir beide, was wir begehren. Sie ein Leben, wie sie es sich wünscht, und ich eine Priesterin, die darauf ein Auge haben wird, dass die Gesetze des Pharaos geachtet werden.«

Bint-Anat machte ihren letzten Zug und lächelte befriedigt. Sie hatte gewonnen – wie immer. Auch wenn sie es wollte, sie konnte beim Senet einfach nicht verlieren.

Ramses sah sie beleidigt an. »Sagtest du nicht, du seiest unkonzentriert?«

»Nicht so unkonzentriert wie du, mein Gemahl. Sagtest du nicht, da wäre noch etwas zu erledigen, wobei du meiner Unterstützung bedarfst?«

Ramses lehnte sich auf seinem Stuhl zurück. »Ja, ich habe heute schlechte Botschaften aus dem Lande Irem bekommen. Es sind Unruhen dort aufgetreten, und ich muss Truppen entsenden, damit sie den Frieden wiederherstellen.«

Bint-Anat blickte Ramses enttäuscht an. »Du versprachst mir etwas Aufregendes, doch dieser kleine Zwischenfall scheint mir nicht einmal deines persönlichen Eingreifens wert.«

»So ist es, und deshalb stehe ich vor der Frage, welchen meiner Söhne ich wohl entsenden soll.«

Bint-Anat sprang auf und klatschte in die Hände. »Welch leichte Entscheidung, großer Pharao. Amu genießt seit langem einen unangefochtenen Ruf bei den Soldaten und auch bei der Bevölkerung. Der Schatten Kadeschs ist so groß, dass er ein Leben lang unter ihm Schutz finden könnte. Entsende also Merenptah. Soweit ich weiß, hat er sich bislang noch nicht viel Ehre verdient. Wie alt ist er jetzt – vierzehn? Amu hatte in seinem Alter schon eine Menge Ehrentitel und einen ganzen Harem. Und Merenptah? Er versteckt sich im Kap und schlingt tonnenweise Süßgebäck in sich hinein.« Bint-Anat zog ein schadenfrohes Gesicht. »Soll er nur an dem Feldzug teilnehmen, dann wird er bestimmt an Gewicht verlieren. Ich habe gehört, er sei so fett, dass er noch nicht einmal die geringe Zahl seiner Nebenfrauen befriedigen kann.«

Ramses mochte es nicht, wenn Bint-Anat sich über Merenptah lustig machte. Schon als er noch am Hof gelebt hatte, war es Bint-Anats größtes Vergnügen gewesen, über ihren tollpatschigen Bruder herzuziehen. Außerdem ärgerte sich Ramses über Bint-Anats freimütige Gedanken, weil er selbst genauso dachte wie sie, doch derart beschämende Tatsachen stets für sich behalten hatte. Schon oft war ihm zu Ohren gekommen, dass Merenptah seinen dynastischen Verpflichtungen eher unzureichend nachkam. Sein Harem war zusehends kleiner geworden, weil viele der unbefriedigten Frauen sich heimlich Liebhaber genommen hatten, dieses jedoch recht bald aufgefallen war. Die Ehebrecherinnen wurden zwar bestraft und verbannt, doch hatte Ramses darauf verzichtet, sie durch neue Frauen zu ersetzen, da dies nur weitere beschämende Enthüllungen mit sich gebracht hätte. Und so war Merenptahs Harem mittlerweile lächerlich klein. Obwohl seine Tochter Recht hatte, beschloss er, ihr mit gleicher Münze heimzuzahlen.

»Ich denke, deine Gründe sind gerechtfertigt, doch wie du schon sagtest, ist Merenptah völlig unerfahren. Deshalb werde ich ihm Chaemwese zur Seite stellen. Chaemwese war ebenfalls in Kadesch, er verfügt über genug Erfahrung, um den Feldzug nach Irem zu leiten.«

Bint-Anat blickte Ramses fassungslos an. »Aber … Chaemwese ist Priester des Ptah. Seine ganze Liebe gilt den Apis-Stieren. Er hat dir in seiner Jugend genug bewiesen. Er hat seine feste Aufgabe.«

Ramses war innerlich amüsiert. Er wusste, dass Bint-Anat und Chaemwese seit ihrer Kindheit fest miteinander verbunden waren. Bint-Anat sorgte sich um Chaemwese wie eine Mutter. Hier erkannte er ein wenig Isisnofret wieder, als er ihr damals Chaemwese entzogen hatte und sie hysterisch geworden war. Natürlich hatte sich Bint-Anat viel besser im Griff, doch Ramses sah den panischen Gesichtsausdruck, und er musste sich beherrschen, nicht loszulachen. Mit Chaemwese konnte er seine schöne Bint-Anat immer wieder aus der Fassung bringen.

»Mein Entschluss steht fest. Schon bald reisen wir ab, um Merenptah und Chaemwese aufzusuchen. Ich werde sie von Memphis aus direkt in Richtung Irem schicken. Außerdem hast du Chaemwese seit Jahren nicht mehr gesehen. Es sollte dich freuen, da ihr doch so eng verbunden seid.«

Bint-Anat lächelte gequält. Eine Begegnung würde alte Wunden aufreißen. Ihre Liebe schlief tief und fest in ihrem Herzen, doch nur ein Funken konnte sie wieder erwecken.

*Memphis, Tempel des Ptah*

Chaemwese trat aus dem Heiligtum des Ptah, wo er gerade die Morgenriten zelebriert hatte. Sein kahl geschorener Kopf zeichnete ihn als Hohepriester des Ptah zu Memphis aus. Er wechselte ständig zwischen Memphis und Sakkara, wo er Ausgrabungen durchführte. Außerdem hatte er den heiligen Apis-Stier zu versorgen. In dem Tier hatte Chamewese seine Lebensaufgabe gefunden.

Einer seiner kleinen Zöglinge, die er in der Tempelschule unterrichtete, kam eilig herbeigelaufen und verbeugte sich ehrerbietig vor ihm. Chaemwese war bei seinen Schülern sehr beliebt, da er niemals zu hart strafte und ein ruhiges Gemüt hatte.

»Was hast du da für mich, Mena?«

Der Junge überreichte Chaemwese ehrerbietig den Papyrus und zog sich zurück. Chaemwese runzelte die Stirn. Der Brief trug das königliche Siegel seines Vaters. Neugierig entrollte er den Papyrus.

*»Pharao Usermaatre Setepemul sendet Grüße an seinen Sohn, den Prinzen Chaemwese, Hohepriester des Ptah zu Memphis. Tausend Grüße sendet Dir ebenfalls die große königliche Gemahlin Bint-Anat.*
*Wisse, dass ich mich mit der großen königlichen Gemahlin auf dem Weg zu Dir nach Memphis befinde. Mein Wunsch ist, dass Du ebenfalls den Prinzen Merenptah benachrichtigst, dass der König und seine Königin bald eintreffen. Möge Amun seine schützende Hand über Dein Haupt halten und Deinem Haus Wohlstand schenken.«*

Chaemwese ließ den Papyrus zusammenrollen. Sein Vater war auf dem Weg hierher, und er brachte Bint-Anat mit. Bint-Anat, die Frau, die er noch immer liebte und die so viele schmerzliche Erinnerungen für ihn bedeutete. Alles würde von vorne beginnen. »Oh, meine Königin, warum tust du mir das an?« Chaemwese ging gesenkten Hauptes in sein Quartier. Es gab noch viel vorzubereiten, ehe das Königspaar eintraf.

Chaemwese verbeugte sich tief und hätte seinen Blick am liebsten nicht mehr erhoben, da er dann *sie* ansehen musste, und alles würde wieder von vorne beginnen. Doch Ramses ließ ihm gar keine Wahl.

»Verbeuge dich nicht vor mir, mein Sohn, du, der du mir der liebste unter meinen Prinzen bist. Wenn du unbedingt das Bedürfnis verspürst, deine Ehrerbietung zu zeigen, so verbeuge dich vor der Schönheit deiner Schwester, meiner großen Königin, die mir lieb und teuer ist.« Ramses nahm Bint-Anats Hand und führte sie zu Chaemwese. »Wer hätte je gedacht, dass sie zu solcher Schönheit erblüht, als sie noch ein kleines Mädchen war.«

Chaemwese blickte fasziniert in Bint-Anats Gesicht. »Ich zweifelte nie daran.«

Ramses zog seinen Chepresh vom Kopf. »Ich hasse jegliche Förmlichkeiten innerhalb meiner engsten Familie. Wir sind unter uns, also lasst uns auch so miteinander umgehen.« Ramses legte seinem Sohn und seiner Gemahlin den Arm um die Schulter. »Wir haben uns eine ganze Weile nicht gesehen. Ich schätze, dies wird eine lange Nacht werden.«

Ramses hatte sich lange nicht mehr so amüsiert. Das Fest war genau nach seinem Geschmack ausgerichtet. Die jungen nubischen Tänzerinnen belebten die Fantasie des Pharaos, und er unterhielt sich angeregt mit einigen alten Freunden, die er seit dem Kap nicht mehr gesehen hatte. Chaemwese hatte eine kleine Gruppe ausgesucht, in der der Pharao privat bleiben konnte.

Bint-Anat fühlte sich an diesem Abend überflüssig. Ramses war mit sich selbst beschäftigt. Suchend glitt ihr Blick über die Gäste, bis sie Chaemwese gefunden hatte. Er unterhielt sich gerade mit einem Priester. Sie ließ seinen Anblick auf sich wirken. Chaemwese trug eine Kurzhaarperücke und sein langes Priestergewand. Trotz seiner Jugend wirkte er Respekt einflößend. Bint-Anat stand auf und schlenderte zu ihm hinüber. Sobald der Priester, der bei Chaemwese stand, Bint-Anat entdeckt hatte, verbeugte er sich ehrerbietig und verabschiedete sich. Chaemwese lächelte seine Schwester sanft an.

»Du hast ein so grandioses Auftreten, dass du ihn direkt in die Flucht geschlagen hast.«

»Er darf jeden Tag an deiner Seite sein, so kann er mir diesen einen Abend, an dem ich dich für mich beanspruche, gönnen.«

Chaemweses Lächeln verschwand. »Bint-Anat, ich bitte dich, lass uns nicht dort wieder anfangen, wo wir aufgehört haben.«

Sie blickte ihn verletzt an. »Sind deine Gefühle für mich im Laufe der Jahre erloschen, Bruder? War deine Liebe bloß ein kraftloses Feuer, das zwar heiß, jedoch nur kurz brennt?«

»Du weißt genau, es darf nicht sein. Du bist die große Königsgemahlin meines Vaters, ich nur ein Prinz. Jeden Tag war ich bemüht, das Feuer in meinem Herzen zu löschen. Als ich einsah, dass es mir nicht gelingen würde, versuchte ich es zu vergessen.«

»Ich, mein Bruder, habe die Flamme in meinem Herzen gehütet, und wenn ich einsam war, wärmte ich mich an ihr.«

Chaemwese blickte nervös um sich. Ramses war beschäftigt.

Plötzlich hatte er das Gefühl, dass alle sehen konnten, welch verbotene Liebe zwischen ihm und Bint-Anat war. Er nahm einen großen Schluck Oasenwein aus dem Becher, den er in der Hand hielt.

»Der König schätzt dich, du stehst gleich hinter Nefertari. Wie ich hörte, schenktest du ihm eine Tochter, die er sehr liebt. Dein Platz ist an seiner Seite.«

Bint-Anat war gekränkt. Sie bereute ihre Worte gleich, nachdem sie sie ausgesprochen hatte. »Meine Tochter entsprang dem Samen zweier Väter. Welcher von ihnen nun den Lebensfunken gab, vermag ich nicht zu sagen.«

Chaemwese glitt der Becher aus der Hand. Ramses schaute kurz in seine Richtung, wandte sich jedoch gleich wieder ab, um einer der nubischen Tänzerinnen den letzten Schleier abzunehmen. Ein Diener kam herbei und wischte den verschütteten Wein fort. Bint-Anat griff nach Chaemweses Hand.

»Bruder, verzeih, ich sprach unüberlegt. Vergiss die Worte deiner törichten Schwester.«

Chaemweses Gesicht verzog sich zu einer qualvollen Maske. »Wie kannst du dies jetzt noch von mir verlangen. Die Frau, die ich liebe, lebt an der Seite eines anderen, und vielleicht lebt dort auch mein Kind – unerreichbar für mich. Nie werde ich einen von euch in meinen Armen halten können. Die Götter müssen mir zürnen, warum sonst sollten sie mir ein solches Schicksal zugedacht haben.«

Er drehte sich um und verließ ohne ein Wort das Fest. Sie starrte ihm nach, wie er hinaus in den Garten ging, fassungslos und hilflos, gefangen in einem Traum, den er nie hätte träumen dürfen.

»Chaemwese«, flüsterte sie, »mögen die Götter mich bestrafen für das, was ich dir heute antat.«

Merenptah schwitzte stark. Es gelang ihm kaum, sich vor seinem Vater zu verbeugen, ohne dass er das Gefühl hatte, höchste Anstrengungen auf sich nehmen zu müssen. Ramses blickte seinen Sohn ausdruckslos an.

»Merenptah, deine Fettleibigkeit ist äußerst unansehnlich. Jeder einzelne meiner Söhne ist militärisch ausgebildet worden, ein jeder hat sich großen Ruhm erworben.«

Ramses stützte sein energisches Kinn auf seine Faust – eine Geste, die er sich nur in seinen Privaträumen erlaubte.

Merenptah hasste es, hier zu sein. Er konnte genau sehen, wie entsetzt sein Vater von ihm war, und Bint-Anat, seine verhasste Schwester, würde gleich anfangen loszulachen. Die maskuline Stärke ihres Geistes widerte ihn an. Wie oft hatte sie ihn geärgert, ihn gequält, als er noch bei Hofe war. Diese schlechten Kindheitserinnerungen ließen ihn sofort bei Frauen versagen, die physisch oder psychisch seiner Schwester ähnelten. Oft war er schon in peinliche Situationen geraten, in denen er die Frau unbefriedigt hatte fortschicken müssen. Ohnehin fand Ramses' Sohn eher Gefallen an Männern – unwiderstehlich fühlte er sich zu gleichaltrigen Knaben hingezogen. Hier konnte er sich in seiner Schwäche ergehen.

»Merenptah, ich erwarte, dass du mir zuhörst.« Erschrocken fuhr dieser zusammen. »Du wirst an diesem Feldzug teilnehmen, egal ob als Feigling oder als Held. Ich denke, es wird dir guttun. Vielleicht gelingt es dir danach wieder besser, deinen dynastischen Verpflichtungen nachzukommen.«

Bint-Anat konnte sich nicht mehr beherrschen. Sie prustete los. Ramses warf ihr einen tadelnden Blick zu. Merenptah war das alles zu viel.

»Wie kannst du es zulassen, dass sie mich beleidigt. Sie ist eine Frau, ich bin dein Sohn.«

Ramses wandte seinen Groll unverblümt gegen Merenptah.

»Zumindest hat sie ihre dynastischen Verpflichtungen ihrem Gemahl gegenüber erfüllt, und um ehrlich zu sein – würden die Götter alle meine Kinder von mir nehmen und bloß sie und dich zurücklassen, so könnte ich nur ihr mit ruhigem Gewissen die Krone geben.«

Merenptah war zu Tode gekränkt. »Sie ist eine Frau. Keine Frau kann auf dem Horus-Thron bestehen.«

Ramses fuhr seinen Sohn an. »Du vergisst die Königin Hatschepsut. Außerdem ist meine Gemahlin mehr Mann als du, Merenptah. Würde sie nicht das Lager mit mir teilen, würde ich mir ernsthafte Gedanken machen.«

Ramses und Bint-Anat blickten sich verschwörerisch an und lachten plötzlich beide gleichzeitig los. Merenptah hätte am liebsten losgeheult. Wie konnte sein Vater ihn so bloßstellen, auch wenn dies eine private Unterredung zwischen ihnen dreien war. Ramses stellte seine Schwester über ihn. Eine Frau! Unendlicher Hass auf seine Schwester ergriff von ihm Besitz.

Bint-Anat reckte sich ein letztes Mal, als die Barke um die Flussbiegung fuhr. Sie konnte Chaemwese nur noch ganz klein zwischen den anderen Priestern erkennen. Trauer durchfuhr ihr Herz. Wann würde sie ihn wiedersehen? Und was würde Chaemwese mit der Wahrheit anfangen, die sie ihm so gedankenlos verraten hatte. Sie hoffte, dass er heil von dem Feldzug zurückkehren würde, den er mit Merenptah durchzuführen hatte. Es war einzig und allein ihre Schuld, dass Chaemwese nach Irem musste. Wenn ihm etwas zustieß, würde sie auf ewig mit der Schuld leben müssen. Energisch verdrängte sie die Schwermut.

»Ich sehne mich zurück nach Pi-Ramses, nach meinen luftigen Gemächern und nach Tani und Nefertari. Tuja wird ebenfalls glücklich sein, dass sie das Zepter wieder in deine Hände legen kann, mein Gemahl!«

Ramses seufzte. »Wie schön ausgedrückt, meine Tochter. Amunnemipet wird sich wie ein Löwe mit Tausenden von Fragen auf mich stürzen.«

»Ich stehe immer an deiner Seite, Ramses.«

»Wie sonst würde ich die Maat halten können?«

### *Königspalast in Pi-Ramses*

Das Königspaar war vor ein paar Tagen eingetroffen, und schon überprüfte Bint-Anat wieder die Depeschen. Die ausländischen Spione hatten einmal mehr gute Arbeit geleistet. Bint-Anat war entzückt über den Konflikt, der zwischen Uriteschup, dem derzeitigen König der Hethiter, und seinem Onkel Hattusilis ausgebrochen war. Das Königreich Chatti war in den eigenen Reihen zerstritten. Bint-Anat sah gute Chancen auf einen neuen Feldzug, wenn es so weitergehen würde. Irgendwann wäre die Zeit reif. Entschlossen nahm sie die Papyri und verließ ihr Arbeitszimmer, um sich mit Ramses zu besprechen, wie sie es immer bei wichtigen Angelegenheiten zu tun pflegte. Doch schon von weitem wunderte sie sich über die verstärkten Wachen, die vor Ramses' Gemächern standen. Unbeeindruckt wollte sie passieren, doch die Wachen ließen sie nicht durch. Bint-Anat zeigte die wohl bekannte Zornesfalte. »Was soll das? Ich bin die Königin und habe unbeschränkten Zutritt zu den Gemächern des Pharaos.«

Der Wachtposten verneigte sich höflich, aber bestimmt. »Es tut mir Leid, Königin, doch meine Anweisungen sind eindeutig. Der große Pharao möchte nicht gestört werden.«

Bint-Anat drehte sich um und ging zielstrebig zur Schreibstube von Amunnemipet. Dieser würde das Missverständnis höchstpersönlich aufklären, und die Wachen würden ausgewechselt werden.

Amunnemipet saß über seiner Schreibtafel. Bint-Anat stellte fest, dass er langsam lichtes Haar bekam. Er war in Ramses' Alter, doch wirkte er im Gegensatz zu ihm viel älter als siebenunddreißig.

»Amunnemipet, was soll das alles? Die Wachen lassen mich nicht in die Gemächer des Pharaos.«

Amunnemipet zuckte entschuldigend mit den Schultern. »Es tut mir Leid, Euer Majestät, ich selbst habe ihnen die Anweisung gegeben, niemanden durchzulassen.«

Bint-Anat zog die Stirn kraus. »Was ja wohl nicht für mich gilt. Die Gemächer meines Gemahls standen mir immer offen.«

Amunnemipet wand sich wie ein Aal. »Ich erhielt meine Befehle direkt vom Pharao. Wörtlich sagte er mir, dass man auch für die große Königin Bint-Anat keine Ausnahme machen sollte.«

Bint-Anat war wie vor den Kopf gestoßen. Die ganze lange Reise über fühlten sie sich eng verbunden, ihre Beziehung schien nie eine größere Nähe gekannt zu haben. Und jetzt das.

»Warum will der König mich nicht sehen?«

Amunnemipet wich ihrem Blick aus. »Der König hat sich mit der Gottesgemahlin Nefertari zurückgezogen. Er bat mich, Euch an Eure Pflichten und Aufgaben zu erinnern.«

Bint-Anat kochte vor Wut. »Wie kommt der König dazu, mich wie ein Kind herumzukommandieren. Wer, wenn nicht ich, stützt die Krone auf seinem Haupt?«

Amunnemipet fühlte sich verpflichtet, Ramses zu rechtfertigen. »Euer Majestät, bitte bedenkt, dass der Pharao seine Gottesgemahlin sehr lange nicht gesehen hat. Was er wünscht, ist nur ein wenig Zeit mit ihr allein. Er weiß sehr wohl, dass Ihr die Stärke an seiner Seite seid.«

Bint-Anat straffte die Schultern und nahm Haltung an, um die Schmach besser zu ertragen. »Nun, Amunnemipet, wenn der Pharao sehr lange mit Nefertari von Pi-Ramses fortgewesen wäre und mich lange nicht mehr gesehen hätte – was glaubst du, würde er Nefertari ebenfalls den Zutritt zu seinen Gemächern verweigern?«

Bint-Anat wartete auf eine Antwort, Amunnemipet wich ihrem Blick aus. Gekränkt stürmte sie davon. Wenn Ramses es so wollte – sie konnte sich auch wehren.

Ramses hatte eine Zeit mit Nefertari verbracht, die ihm gutgetan hatte. Obwohl seine geliebte Gemahlin immer schwächer wurde, führten sie lange Unterhaltungen und genossen die Nähe des anderen. Ramses hatte niemanden zu sich gelassen, hatte die magische Stille genossen und seiner kranken Gemahlin etwas Lebensfreude zurückgegeben. Jetzt war es Zeit, sich erneut dem Alltag zuzuwenden. Er hatte Verpflichtungen, und er fühlte sich wieder stark genug, auf dem Horus-Thron Platz zu nehmen. Nachdem er sich um die Berichte des Tages gekümmert hatte, ließ er Amunnemipet kommen.

»Amunnemipet, mein Freund, so gut fühlte ich mich schon

lange nicht mehr. Hat meine große Königin die Aufgaben bewältigen können, die ich ihr aufgebürdet habe?«

Amunnemipet nickte. »Es ist nicht eine Sache liegen geblieben. Die Palastboten waren die ganzen Tage auf den Beinen.«

Ramses lächelte. Ja, das war seine schöne Bint-Anat. Kraftvoll und erhaben. Niemand konnte ihr widerstehen. »Schicke nach der Königin, ich will sie sehen.«

Amunnemipet hob entschuldigend die Hände. »Es tut mir Leid, Majestät, aber die große Königsgemahlin hat es sich angewöhnt, in ihren freien Tagesstunden den Tempel des Seth zu besuchen.«

Ramses runzelte die Stirn. »Seit wann interessiert sie ein anderer Gott neben ihrer geliebten Katzenköpfigen?« Amunnemipet schüttelte den Kopf zum Zeichen seiner Unwissenheit. »Nun gut, dann soll sie mir beim Abendessen Gesellschaft leisten, wenn sie aus dem Heiligtum zurück ist.«

Amunnemipet verbeugte sich.

Ramses wartete nun schon seit einer geraumen Zeit auf Bint-Anat. Wütend griff er nach einem Fladenbrot, der Magen knurrte ihm. Unpünktlichkeit hatte noch nie zu Bint-Anats Eigenschaften gehört. Endlich ging die Tür auf.

»Amunnemipet, wo ist meine große Königin? Hat sie meine Nachricht nicht erhalten?«

Amunnemipet war alles sichtlich unangenehm. »Sie lässt sich entschuldigen, großer Pharao. Sie fühlt sich unpässlich, und sie sagt, ihre monatlichen Leibschmerzen würden sie quälen.«

Ramses' Gesicht verdunkelte sich. Seit wann fühlte sich seine vor Kraft strotzende Tochter unpässlich? Doch er verstand die Andeutung auf ihre Regelblutung und winkte Amunnemipet zerknirscht, dass er gehen könne. Unwillig verschlang er sein Abendmahl allein.

Seit drei Tagen ließ er nach Bint-Anat schicken, und jedes Mal hatte sie eine andere Ausrede. Sie fühlte sich unpässlich, sie hatte Leibschmerzen, oder ihr Kopf schien ihr zu zerspringen. Doch was sie sich heute erlaubt hatte, war die Höhe. Dieses kleine Ding hatte auf einmal in seiner Tür gestanden, schüchtern, unterwürfig und zitternd. Zuerst hatte er gedacht, sie wäre eine neue Sklavin, doch dann hatte sie einfach ihr Kleid fallen lassen und ihm gesagt, die Herrin Bint-Anat schicke sie, um ihm die Zeit zu vertreiben, bis sie selbst wieder das Bett mit ihm teilen könne. Eine solche Beleidigung ging einfach zu weit. Ramses hatte einen Wutanfall bekommen, das verschüchterte Mädchen war weinend davongelaufen. Jetzt befand Ramses sich auf dem Weg zu Bint-Anats Gemächern. Seine Schritte hallten wie Donner in den Gängen des Palastes.

Ohne anzuklopfen trat er ein. Bint-Anat saß frisch wie eh und je vor ihrem Frisiertisch und ließ sich von einer Perückensklavin die neuesten Modelle vorführen. Lächelnd drehte sie sich zu ihm um.

»Oh, mein Gemahl. Ich habe dich heute gar nicht mehr erwartet, aber wenn du schon einmal da bist, sage mir doch, welche der Perücken ich wählen soll – diese kurze hier oder jene bezaubernde dort mit den kleinen Zöpfchen. Ich habe gehört, beide seien groß in Mode.« Unschuldig lächelnd hielt sie Ramses die Perücken hin.

Er kochte innerlich. »Raus!«, fuhr er das Mädchen mit den Perücken an, und jeder erkannte sofort, wann der egozentrische Pharao es ernst meinte. Das Mädchen packte noch nicht einmal mehr ihre Perücken zusammen, sondern verließ im Laufschritt Bint-Anats Gemächer. Diese erhob sich anmutig und blickte Ramses unschuldig an.

»Aber mein Gemahl, so kenne ich dich ja überhaupt nicht. Wie kommst du dazu, das arme Ding einfach so anzuherrschen? Ich kenne deine Gründe nicht, doch wirst du sie mir sicherlich gleich verraten.« Ramses' Zornesfalte belustigte Bint-Anat innerlich.

»Wie kannst du es wagen, mir deine Sklavin zu schicken, wenn ich nach dir verlange?«

Bint-Anat machte ein bestürztes Gesicht. »Traf sie deinen Geschmack nicht, mein Gemahl? Das tut mir fürchterlich Leid, aber ich dachte, ich sollte dich für meine Unpässlichkeit entschädigen.«

Ramses nahm einen Schminktiegel vom Tisch seiner Tochter und schleuderte ihn zu Boden. Bint-Anat blickte unbeeindruckt auf die Scherben.

»Wie schade, diese Farbe war gerade in Mode.«

Ramses herrschte sie an: »Ich habe einen Harem mit vielen Schönheiten, jede Nacht kann ich eine andere Frau in mein Bett holen. Mit Sicherheit sind sie williger und bereiten mir mehr Freude als du. Langsam wirst du wie deine Mutter. Ich sollte dich zu ihr schicken – in den Harem Faijum.«

Bint-Anat ließ sofort sämtliche Freundlichkeit fallen. »Du wagst es, mich mit meiner Mutter zu vergleichen? So höre denn, großer Pharao. Wer hat dir die Krone bewahrt, während du dich vier Wochen zurückzogst und nicht fragtest, wo deine große Königin ist. Und jetzt, nachdem du mich verschmäht, beleidigt und bloßgestellt hast, verlangst du nach deiner schönen Bint-Anat, die dir des Nachts dein Lager wärmt. Aber weißt du was, Pharao? Ich habe keine Lust dazu. Geh in deinen Harem und hole dir ein paar hirnlose Gänse für dein Bett.«

Ramses trat drohend auf sie zu. Er ergriff ihr Handgelenk und drückte fest zu. »Ich kann dich zwingen, Tochter. Ich kann mir jede Nacht von dir nehmen, was ich will. Niemand wird danach fragen.«

Bint-Anat blickte ihn herausfordernd an. »Du kannst meinen Körper nehmen, Pharao, doch wirst du niemals mehr Bint-Anat in den Armen halten. Du könntest genauso gut in deinen Harem gehen. Die Gänse dort würden dir sogar noch freiwillig die Sandalen küssen.«

Ramses ließ den Arm seiner Tochter los. »Du bist wirklich wie deine Mutter – Sachmet.«

Bint-Anat verschränkte die Arme. »Nein, Pharao! Isisnofret hat niemals ihr Herz geopfert, um deine Krone zu bewahren, niemals lag sie nachts wach, weil die Sorge um Ägypten sie plagte. Und niemals konntest du sie derart kränken, da sie ihr Herz niemals freigab. Ich wünschte, ich wäre wie sie.«

Ramses drehte sich wortlos um und verließ die Gemächer seiner Tochter. Bint-Anat griff nach einem Tonkrug und warf ihn an die Tür, als Ramses diese hinter sich geschlossen hatte.

Sie gingen sich aus dem Weg. Bint-Anat zog sich immer weiter aus der Öffentlichkeit zurück. Tuja vertrat Bint-Anat bei allen öffentlichen Auftritten. Zuerst war Ramses zerknirscht, Bint-Anats Worte, übermittelt durch Nefertari, waren an ihm abgeperlt wie Wasser. Doch nun musste er immer wieder darüber nachdenken. Hatte sie Recht? Das Arbeiten ohne seine kluge Tochter war einfach nicht dasselbe. Tuja war auch älter geworden, die Last der Krone war zu schwer für sie. Und selbst aus ihren Worten sprachen leise Vorwürfe heraus, Ramses habe sich Bint-Anats Verhalten selbst zuzuschreiben und es sei an ihm, die Sache ins Reine zu bringen. Stolz entgegnete Ramses jedes Mal, dass er der Pharao sei und sich nicht vor seiner Königin zu rechtfertigen habe.

Nun hielt er Nefertaris Hand und blickte geistesabwesend aus dem Fenster.

»Ramses, warum bist du bei mir, wenn dein Ka doch eigentlich bei einer anderen weilt.«

Ramses horchte irritiert auf. War das wahr? Konnte es sein, dass er bei Nefertari saß und an Bint-Anat dachte? Bisher hatte er immer das Gefühl gehabt, dass er, wenn er bei Bint-Anat war, an Nefertari dachte, doch jetzt merkte er, dass sie Recht hatte. Er war mit seinen Gedanken bei Bint-Anat, ja – mehr noch – er war unglücklich. Ihm fehlte seine zweite große Gemahlin – seine Geliebte Bint-Anat. Sein Körper und sein Geist begehrten sie gleichermaßen. Nefertari streichelte seine Hand.

»Geh zu ihr, zeige ihr, dass sie dir nicht egal ist. Sie wird nicht den ersten Schritt tun. Sie erwartet, dass du ihr entgegenkommst. Sie will ein Zeichen deiner Achtung.«

Ramses stand auf. »Ich werde zu ihr gehen. Amun weiß, nur für dich, dachte ich, würde ich so etwas tun.«

Bint-Anat betrat ihr Gemach und sah Ramses auf der Terrasse. Er hörte sie und drehte sich um. Sie blieb in der Mitte des Raumes stehen.

»Ich wundere mich über deinen Besuch, Pharao.«

Ramses kam zu ihr und nahm ihre Hände. »Nenne mich nicht Pharao, ich bin nicht als dein Herr zu dir gekommen. Es ist eine schöne Nacht, unsere Ahnen stehen als Sterne am Himmel. Ich will, dass du dereinst neben mir und Nefertari dort strahlst – nicht hinter uns.« Bint-Anat wandte ihren Kopf zur Seite. »Ich war mir nicht bewusst, dass ich dich kränkte, habe nicht bemerkt, wie viel du mir wirklich bedeutest. Die Krone wiegt schwer ohne dich, ich kann nicht mehr arbeiten. Meine Gedanken sind bei dir. Ich konnte keine Mädchen aus meinem Harem kommen lassen, mein Körper verlangte nach dir. Ich will, dass du wieder meine Gemahlin bist.«

Bint-Anat lief eine kleine Träne über die Wange. »Kränke mich nie mehr, Ramses. Ich könnte es nicht ertragen. Du hast mich früh an deine Seite berufen. Es war niemals leicht. Ich musste lernen, den König, den Vater und den Gott zu lieben.«

»Komm zurück an meine Seite, Bint-Anat. Ich bitte dich, als dein Gemahl.«

Bint-Anat konnte nicht mehr anders, sie fiel ihm um den Hals. Hastig streifte er ihr Kleid ab, und sie sanken zu Boden. Es war alles egal, es gab nichts um sie herum. Genau hier wollte er sie nehmen. Er schloss seine Augen nicht, während er sie liebte. Er wollte sich der Präsenz in ihr bewusst sein, wie er sie nie zuvor gespürt hatte. Jetzt wusste er endlich – er würde niemals auf sie verzichten können.

Ramses führte seine Tochter und große königliche Gemahlin in das Amun-Heiligtum, um dort gereinigt zu werden – Merit-Amun, die nun ebenfalls an die Seite ihres Vaters berufen werden würde. Merit-Amun war anmutig schön. Nicht kraftvoll, strahlend, pulsierend, wie es Bint-Anat war. Merit-Amun war von sphärischer Schönheit, transparenter Eleganz, unwirklicher, rauchiger, vernebelter Traumschönheit. Schon als er sie im Palast in Empfang genommen hatte, hatte er gewusst, dass er sie nicht anrühren würde. Bis jetzt hatte er sich gefragt, ob er sich das Recht vorbehalten sollte, sie wenigstens in der Hochzeitsnacht zu rufen, doch als er sie sah, war ihm klar, dass er damit alles Geheimnisvolle, Mystische von ihr nehmen würde. Merit-Amun selbst hatte sich für einen anderen Weg entschieden. Ihren Körper hatte sie Hathor geweiht, der Göttin alles Schönen, der Liebe, der Jugend. Deshalb hatte er ihr gleich nach ihrer Ankunft in seinem Arbeitszimmer gesagt, dass ihre Verbindung rein psychischer Natur sei und dass er verlange, dass sie seine Stimme und sein Ohr bei der Priesterschaft sei. Merit-Amun hatte sofort verstanden und ihren Platz an Ramses' Seite eingenommen.

Jetzt wurde Merit-Amun zur Reinigung gebracht, so wie es auch einst mit Bint-Anat geschehen war. Doch sie würde die Nacht alleine auf ihrem Lager verbringen, und nach ein paar Tagen des Pflichtbesuchs in Pi-Ramses würde sie nach Abu Simbel zurückkehren, wo sie der Fertigstellung der beiden Felsentempel ihres Vaters und ihrer Mutter beiwohnte.

Bint-Anat saß mit Merit-Amun neben dem schönen Teich, der einsam in einem der hintersten Winkel des Palastgartens lag. Hier ging sie oft schwimmen, und jetzt, da ihre Schwester und Freundin wieder bei ihr war, genossen sie gemeinsam die Zeit, in der Nut Re verschlang, um ihn am nächsten Morgen wieder zu gebären. Merit-Amun liefen kleine perlende Wassertropfen über ihren Rücken. Bint-Anat nahm ein Leinentuch und trocknete sie ab.

»Es ist schön, dich nach so langer Zeit wieder an meiner Seite zu haben, Schwester. Mein Herz weint bei dem Gedanken, dass du schon bald wieder fortgehst.«

Merit-Amun nahm Bint-Anat das Leinentuch aus der Hand und trocknete nun ihrerseits ihrer Schwester den Rücken. »Mein Schicksal liegt nicht wie das deine in Pi-Ramses. Ich habe meine Aufgabe gefunden und bin froh, dass Ramses mich nicht von ihr abhält. Doch wir werden uns wiedersehen, denn wenn die Tempel in ein paar Jahren fertig gestellt sind, wird die ganze Familie sich dort zusammenfinden, und unsere eigentliche Inthronisierung wird dort zelebriert.« Merit-Amun blickte sie sanft an. »Du wirst dann zu deiner Doppelfederkrone das Sothis-Gestirn tragen. Tani ist wirklich bezaubernd. Sie hat deine Klugheit geerbt, Ramses' Stärke, und sie beseelt eine Kraft, durch die mir in ihrer Gegenwart schwindlig wird. Ich habe das Orakel für sie befragt, als du mir von ihrer Geburt berichtetest und mir die erste Locke von ihr sandtest. Bint-Anat, deine Tochter wird eine große Königsgemahlin sein. Erhaben über allen anderen Frauen.«

Bint-Anat verschränkte störrisch die Arme. »Niemals gebe ich sie Amu oder einem der anderen Tölpel. Der Prinz, der sie erwählen darf, muss erst noch geboren werden.«

Merit-Amun wich Bint-Anats Blick aus. Die ganze Wahrheit war nicht für ihre Ohren bestimmt.

»Lass uns an einem schönen Abend nicht über die Zukunft sprechen. Die Zeit, die wir miteinander haben, ist viel zu kurz.«

Lachend umarmten sich die beiden großen Königinnen des Königs Usermaatre.

Bald darauf verabschiedete sich Merit-Amun und begab sich zurück nach Abu Simbel, von wo aus sie Ramses versprochen hatte, Auge und Ohr zu sein. Bint-Anat war sich klar, dass sie ihre Schwester erst wiedersehen würde, wenn der Tempelbau abgeschlossen war. Einer Zeit der Einsamkeit folgte eine Zeit der harten Arbeit, und so strichen Jahre dahin. Ramses und seine schöne Tochter behielten das Reich Chatti im Auge, und es dauerte nicht lange, und Ramses sah die Gelegenheit gekommen, dem Reich Chatti einen herben Schlag zu erteilen. Hattusilis, der Onkel des um seine Legitimation kämpfenden Uriteschup, gewann die Oberhand und riss die Krone an sich. Uriteschup wurde verbannt. Daraufhin gewährte Ramses dem flüchtigen Neffen des neuen Königs Asyl. So erfuhr er mehr, als er jemals zu hoffen gewagt hatte, über die politische Situation, die Stärke des Heeres und die strategischen Geheimnisse des Feindes. Hattusilis kochte vor Zorn, doch wusste er, dass Ramses mit Drohungen nicht beizukommen war. Also verhielt er sich still, und Ramses entlockte Uriteschup immer mehr Staatsgeheimnisse.

Kurz nach Merit-Amuns Aufbruch gab Bint-Anat ihre Tochter ins Kap, wo sie ebenso wie einst ihre Mutter sich ein immenses Wissen aneignen sollte. Nur kurz hörte Bint-Anat von Chaemwese, der den Feldzug im Irem mit seinem Bruder Merenptah erfolgreich durchgeführt hatte. Wessen Verdienst das nun war – ob Chaemweses oder Merenptahs –, stand für Bint-Anat und Ramses außer Frage. Doch half dieser Feldzug, Merenptahs Ansehen zu bessern. Für das Volk zählte letztendlich nur der Bericht der Herolde, die Merenptah als großen Helden anpriesen. Bint-Anat widerte es an, dass einem Versager Ruhm zugesprochen wurde, der ihrem geliebten Chaemwese zugestanden hätte. Doch Chaemwese, so wusste sie, war dies alles egal. Er zog sich zurück, einsamer denn je, zurück zu seinen Stieren und zurück zu Ptah. In seinem Brief an den Pharao war nicht einmal eine Formel des Grußes an seine Schwester. So kehrte Bint-Anat an ihren Schreibtisch zurück, um mit Ramses die Einhaltung der Maat im Lande Kemet zu gewährleisten.

*Jahr 18 der Herrschaft Ramses' II. – Abu Simbel*

Bint-Anat stöhnte unter den kundigen Händen der Sklavin, die ihre verspannten Muskeln massierte. Zwar brannte ihre Haut nach der Massage immer wie Feuer, doch das war es wert, sie fühlte sich stets wieder erfrischt und kraftvoll. Sie hatte sich regelmäßige Massagen angewöhnt, denn erstens hielten sie ihren Körper straff und jung, und zweitens verliehen sie ihr neue Kraft, die sie mittlerweile brauchte, denn mit achtundzwanzig fühlte sie langsam, dass die Leichtigkeit der Jugend von ihr abfiel und sie nun mehr für ihr körperliches Wohlbefinden tun musste. Ramses seinerseits hatte mit vierundvierzig ein paar silberne Strähnen in seinem kastanienbraunen Haar, doch seine

Leidenschaft konnte noch immer heiß und innig sein, wenn er in ihr Gemach kam. Zwar waren ihre Liebesnächte seltener geworden, doch wenn sie zusammenkamen, liebten sie sich wie eh und je.

Bint-Anat stand auf und ging in ihr Badehaus. Nachdem sie sich gründlich mit Natron eingerieben hatte und dann ihr Körper mit klarem Wasser von der Badesklavin abgespült worden war, kehrte sie zurück in ihre Gemächer, um die Gewänder für den heutigen Tag auszusuchen. In Abu Simbel war es heiß. Re schien hier präsenter zu sein als in Pi-Ramses. Bint-Anat entschied sich für ein leichtes Leinengewand, und auch bei der Wahl ihres Schmuckes und ihrer Perücke suchte sie die bequemsten und leichtesten Stücke aus. Anschließend überließ sie sich den geübten Händen ihrer Schminksklavin. Sie erhob sich, musterte sich kritisch im Bronzespiegel und entschied dann, dass sie zufrieden war. Leicht nervös machte sie sich auf den Weg zu Nefertaris Gemach, wo sie auch Tuja anzutreffen hoffte.

Nefertari saß auf einem Stuhl und wurde ebenfalls geschminkt. Sie war bereits angekleidet. Heute war ein großer Tag. Obgleich sie bisher jeglichen Auftritt in der Öffentlichkeit vermieden hatte, würde sie auf einem Stuhl sitzend an den Zeremonien teilnehmen. Tuja blickte Bint-Anat erleichtert an.

»Das wurde auch Zeit, Kind. Ramses hat den öffentlichen Auftritt bereits verkündet. Merit-Amun ist bereit, die Prinzen Amu, Chaemwese und Merenptah sind auch eingetroffen und warten auf einen Befehl des Pharaos. Du solltest nicht so gleichgültig dreinschauen, Bint-Anat. Eine Inthronisierung ist eine ernste Angelegenheit, und das Sothis-Gestirn erhebt dich weit über Merit-Amun.«

Bint-Anat nickte beifällig. Sie war nicht halb so aufgeregt wie alle anderen. Schließlich war sie seit Jahren an Ramses' Seite und hatte weitaus Aufregenderes mit ihm erlebt als die Verleihung des Sothis-Gestirns, das sie dazu auserwählte, den göttlichen Samen zu empfangen.

Sie verließen das Heiligtum, und Bint-Anat atmete auf, denn als Atums Strahlen das Sothis-Gestirn auf ihrem Haupt aufblitzen ließen, fühlte sie sich wieder als Sterbliche, was für sie einherging mit der Tatsache, dass sie am Leben war – sie hatte Ramses' theologischen Ausführungen oft gelauscht, und insgeheim teilte sie seine religiöse Überzeugung. Nur wer sterben musste, konnte behaupten, gelebt zu haben. Und insgeheim fragte sie sich, ob sie nicht in der Stunde ihres Todes erst in der Lage sein würde, das Leben als solches zu erkennen.

Immer noch gedankenverloren nahm sie neben Ramses auf einem Thronsessel Platz und Merit-Amun auf einem, der etwas abgesetzt hinter Ramses und ihrem stand. Sie war die Höhergestellte, hatte sie doch Ramses eine Prinzessin aus seinem Fleisch geboren. Sein Fleisch! Das Echo ihrer Gedanken hallte wie ein Schrei in ihrem Inneren. War Tani sein Fleisch? Zwölf Jahre war ihre Tochter nun, und neben Stärke ließ sie die Vorzeichen femininer Schönheit erkennen. Ramses hatte sie aus dem Kap zurückkehren lassen. Sie wurde jetzt wieder in Pi-Ramses im Palast unterrichtet. Und schon konnte sie sehen, wie die Prinzen sich ihr näherten, konnte ihre lüsternen, unehrlichen Gedanken lesen. In ein, zwei Jahren würden sie sich wie Schakale um sie streiten, denn Tani besaß mehr königliches Blut als alle anderen. Gezeugt von Ramses mit seiner Tochter, die ebenfalls sein göttliches Blut in sich trug. Es schien klar, dass derjenige, der Tani für sich beanspruchen konnte, auch in den Augen des Pharaos die höchste Legitimation auf den Horus-Thron hatte. Tani würde die väterliche und die mütterliche Linie mit ihrem Blut rein und göttlich vererben.

Bint-Anat krampfte sich der Magen zusammen. Amu stand ganz klar als Erbprinz hinter dem Thron. Sie konnte sich schon ausmalen, wie er mit einem gefälligen Lächeln Tani in sein Bett holte, ganz als wollte er sagen: Siehst du, Bint-Anat, hohe Schwester, so habe ich dich letztendlich doch noch besiegt. Amu war gut aussehend. Er nahm sich Frauen, wie sie kamen. Doch für Bint-Anat war der Gedanke unerträglich, dass ihre kostbare Tochter nur als Werkzeug der höchsten Legitimation dienen sollte. Sie würde sich mit aller Kraft dagegenstellen.

Jetzt erhoben sie sich wieder und folgten Ramses zu dem Platz, an dem die königliche Familie die Götter im Mysterienspiel personifizieren sollte. All diese Vorbereitungen standen für eine reiche Nilflut und die Erneuerung am Neujahrstag. Es war Pflicht des Pharaos, für das Wohlergehen Ägyptens zu sorgen. Merit-Amun stand hier dem Pharao als Hathor zur Seite, und niemand, der sie nicht kannte, hätte daran zweifeln können, dass sie nicht die Fleisch gewordene Göttin war.

Sie waren alle hier – Ramses, Nefertari, Tuja, Amu, Chaemwese, Merit-Amun, Merenptah und sie selbst. Ein Abendessen, an dem die ganze Familie versammelt war, hatte es lange nicht gegeben. Bint-Anat musterte jedes einzelne ihrer engen Familienmitglieder.

Ramses hatte sich Nefertari und Tuja zugewandt. Sie führten eine leise, rücksichtsvolle Unterhaltung.

Amu blickte lüstern den jungen Dienerinnen und Sklavinnen nach. Es geschah nicht selten, dass er bei Festen kurz verschwand, um sich eine von ihnen in einer abgeschiedenen Ecke des Hauses gefügig zu machen. Meistens taten es die jungen Frauen ohnehin freiwillig, eine jede erhoffte sich ein kleines bisschen Abglanz von Macht und Göttlichkeit. Doch konnte sich Bint-Anat auch an einen Vorfall erinnern, der einige Jahre zurücklag. Amu hatte ein junges Mädchen schon den ganzen Abend angestarrt. Als sie jedoch auf seine Avancen nicht reagierte, war er ihr heimlich gefolgt und hatte sie einfach genommen. Es hatte sich herausgestellt, dass das Mädchen verheiratet war. Ramses war wütend gewesen, hatte den Gemahl des Mädchens aber mit einer großzügigen Abfindung zum Schweigen verpflichtet. Jetzt bemerkte Amu, dass seine Schwester ihn beobachtete, und warf ihr einen verächtlichen Blick zu. Bint-Anat schickte tödliche Blitze mit ihren Augen in seine Richtung, ehe sie sich abwandte.

Chaemwese saß mit Merenptah zusammen und unterhielt sich. Ehe sie sich den Luxus gönnte, ihren geliebten Bruder mit den Augen zu streicheln, sah sie Merenptah verächtlich an. Wenn er damals beim Feldzug nach Irem abgenommen hatte, war davon jetzt nichts mehr zu merken. Mit einundzwanzig Jahren glänzte er wie eine Speckschwarte, und Bint-Anat sah das wabbelige, schlaffe Fleisch unter seinem dünnen Leinengewand. Wie sehr taten ihr seine Frauen Leid, die entweder ganz und gar unbefriedigt in ihrem Bett lagen oder seinen widerlichen Körper ertragen mussten. Als Ramses sie mit einunddreißig in sein Bett geholt hatte, war er jung und schön gewesen. Er hatte sie mit einer Leidenschaft zur Frau gemacht, die sie atemlos werden ließ. Was Merenptahs Harem zu erdulden hatte, mochte sie sich um nichts in der Welt ausmalen.

Angewidert wandte sie den Blick von ihm ab, und ihre Augen liebkosten Chaemweses erhabenen Körper. Wie alt war er jetzt? Sechsundzwanzig? Sie sehnte sich einmal mehr nach ihm, gerade jetzt, da sie ihn das erste Mal als Mann sah. Damals hatte sie den Knaben geliebt, leidenschaftlich, verzweifelt. Jetzt, so war sie sich sicher, hätten sie sich sinnlicher, bewusster lieben können. Bint-Anat fragte sich, ob es jemals wieder eine Gelegenheit geben würde, ihn wie eine Geliebte zu berühren. Sie wünschte es sich sehnsüchtig.

»Bint-Anat, verdecke die Züge deines Gesichtes, wenn du schon in die Seelen anderer starren willst.«

Jäh wurde sie von Merit-Amun aus ihren Gedanken gerissen. Ihre Schwester hatte sich neben ihr niedergelassen und reichte ihr einen Weinkelch. Zügig trank sie ihn aus, um ihren erhitzten Verstand zu beruhigen.

»Chaemwese hätte Thronfolger sein sollen. Er hat als Einziger den Verstand dazu.«

Merit-Amun blickte ihre Schwester stirnrunzelnd an. »Mir sind deine tiefen Gefühle für ihn nie entgangen. Hätte Ramses dich nicht zu seiner Gemahlin gemacht, hätte er um dich bei Ramses gebeten.«

Bint-Anat schüttelte den tiefen Schmerz ab und antwortete: »Es ist aber nun mal, wie es ist, und Ramses selbst hat es verstanden, mein Herz an seines zu fesseln.«

»Er vermag es, seine Frauen an sich zu fesseln. Ramses verschlingt ihren Körper, trinkt ihren Geist, bis sie irgendwann nichts mehr geben können. Chaemwese nagt an deiner Seele, quält dein Gewissen. Das ist der Grund, warum ich mich von körperlicher Liebe und von Männern distanzieren will. Die Liebe meiner Göttin ist klar und rein, nicht verworren, aufbegehrend und schmerzhaft.«

Bint-Anat warf Merit-Amun einen bewundernden Blick zu. »Ich denke, es war eine gute Entscheidung, dass du dich von mir getrennt hast. Jetzt bist du mir ebenbürtig. Du liest meine Gedanken wie eine Schriftrolle.«

Merit-Amun lächelte. »Sieh dir nur Nefertari an. Ramses liebt sie so inbrünstig, dass er ein erbarmungswürdiges Geschöpf aus ihr machte. Sie hat alles für ihn gegeben. Und du, meine schöne Schwester, dein Weg war von Anfang an geschrieben. Ramses verlangt so viel. Kaum jemand ist in der Lage, mit ihm Schritt zu halten. Auf lange Sicht hinterlässt er gebrochene Herzen, marode Träume, verkrüppelte Körper und irregeleitete Seelen, Isisnofret wusste das. Sie war ihm körperlich gewachsen, seiner großen Leidenschaft konnte sie standhalten. Doch als er sie irgendwann vom Zentrum der Macht ausschloss, kapitulierte sie, verlor ihre innere Stärke im Wahnsinn. Aber da warst ja noch du. Schönheit und Stärke von Isisnofret, dein Geist jedoch viel gebildeter, sensibler als der ihre. Du hast Ramses angezogen, wie Nut Re jeden Abend wieder in ihren Rachen ruft. Wenn dereinst einer von euch geht, wird der andere nur noch Schatten kennen.«

Bint-Anat erhob ihre Hand, um ihrer Schwester Einhalt zu gebieten. »Mein Weg wird der seine sein. Wenn er dereinst geht, wird auch die große Königin Bint-Anat verschwinden. Ohne ihn wird Ägypten nicht mehr so atmen, wie es das jetzt tut. Mein Platz ist an seiner Seite. Er hat mir meinen Platz früh zugewiesen, einen anderen gibt es für mich nicht mehr.«

Merit-Amun nickte und schob sich langsam eine Dattel in den sinnlichen Mund. Mit der Undurchschaubarkeit der Priesterin nahm Merit-Amun das Schicksal als den Willen der Götter hin, den sie niemals in Frage stellte.

Bint-Anat stand auf. Die betäubenden Worte von Merit-Amun hatten ihr Gemüt bedrückt. Die angestauten Gefühle verlangten wieder einmal nach einem Ausgleich, und so schlenderte sie auf Chaemwese und Merenptah zu. Chaemwese sah sie zuerst und lächelte sie bewundernd an. Er ergriff ihre Hand und zog sie neben sich auf die vielen bequemen Kissen.

»Schwester, wie strahlend du noch immer anmutest. Die Götter meinen es gut mir dir.«

Bint-Anat lächelte honigsüß. »Nicht die Götter, Chaemwese, meine Badesklavin und der Diener, der mich massiert. Verfall ist für eine Frau schlimmer als für einen Mann – nicht wahr, Merenptah?«

Merenptah hatte genau so etwas erwartet. Diese Natter, genährt durch die wohlwollende Hand seines Vaters, was konnte er bloß an ihr finden? Sie war nicht weich und rund und still, wie Frauen es sein sollten. Sie war voller spitzer Dornen, voller widersprüchlicher Versprechungen. Er ertappte sich dabei, wie ihn eine abartige Erregung überkam bei der Vorstellung, dass er sie züchtigen und dann mit dem ganzen Hass, den er auf sie empfand, nehmen würde, sie bezwingen, schänden, wie er es sich wünschte. Danach würde er seine Diener holen und sie ihnen ebenfalls überlassen. Er beherrschte sich, denn man sollte ihm seine Erregung nicht ansehen. Er würde wie schon so oft ein junges unschuldiges Ding aus seinem Harem holen lassen und sich vorstellen, sie wäre seine Schwester. Dann würde er sich abreagieren, seinen ganzen Zorn würde sie zu spüren bekommen. Seit er diese Art Lust für sich entdeckt hatte, fiel es ihm nicht mehr schwer, seine dynastischen Verpflichtungen zu erfüllen. Er zeugte Nachkommen ohne Probleme, und seine Frauen hatten nicht mehr gewagt, ihn zu verspotten. Im Gegenteil, jetzt zitterten sie vor seiner Manneskraft. Manchmal rief er sie sogar zu sich, wenn sie hochschwanger waren, und stellte sich vor, dass er damit auch Bint-Anats Tochter schänden konnte. Ein herrliches Vergnügen!

»Merenptah, dort drüben gilt es ein Abendmahl zu bezwingen. Warum gehst du nicht und verschlingst ein paar gebratene Nilgänse.«

Merenptah erhob sich lächelnd. Heute Nacht würde eine dumme Nilgans unter ihm für sie leiden müssen.

Chaemwese blickte seine Schwester tadelnd an. »Warum tust du das? Schon als wir Kinder waren, hast du ihn gequält und verachtet.«

Bint-Anat zuckte gleichgültig mit den Schultern. »Ich weiß nicht. Vielleicht, weil er schwach ist, vielleicht, weil ich von Anfang an stark sein musste und weil ich auf dich verzichten musste, während ihm alle seine Fehler verziehen werden. Da will ich ihm nicht auch noch sein unbedeutendes Leben verschönern.«

»Schwester, du bist hart geworden. Hart und zornig. Früher hast du Liebe für alle verspürt. Was ist nur los mit dir? Lässt Ramses dir nicht mehr genug Liebe zuteilwerden?«

Bint-Anat zuckte zusammen. Dann rückte sie näher an ihren Bruder und roch den Duft von Weihrauch. »Ramses' Liebe wird mir sehr oft zuteil. Doch ich sehne mich nach dir, Chaemwese. Lass uns noch einmal zusammen sein, wie damals in Pi-Ramses.«

Chaemwese wurde ihres leidenschaftlichen Blickes gewahr. Sein ganzer Körper sowie sein Geist wehrten sich. »Nein, wir haben uns geschworen, dass es nie mehr sein darf.«

Unbehagen stieg in ihm hoch. Er spürte, dass er ihr diesmal nicht widerstehen konnte. Wenn sie das bemerkte, würde sie es schamlos ausnutzen. Der Wein hatte ihre Sinne geschärft.

»Ramses ist beschäftigt. Das Fest wird noch Stunden weitergehen. Ich werde mich offiziell zurückziehen, doch ich warte im Garten des Anwesens auf dich – ganz weit hinten am See. Wenn du mir in einer Stunde folgst, wird niemand was bemerken.«

Ehe Chaemwese etwas entgegnen konnte, stand sie auf und ging zu Ramses. Dieser entließ sie mit einer liebevollen Handbewegung, und Chaemwese sah ihr nach, konnte ihr Gesäß durch das hauchdünne Leinen erkennen. Schmerzhaft regte sich sein Gemächt.

Nachdem er eine Stunde mit sich gekämpft hatte, verabschiedete er sich ebenfalls und verließ das Fest mit einer Ausrede. Sie hatte gewonnen!

Sie badete in dem kleinen See, weit weg von dem Haus, aus dem nur sehr dumpf die Geräusche des Festes zu hören waren. Chaemwese war völlig überhitzt. Er sah ihre Brüste, rund und weich wie die der Hathor, die den Pharao einst gestillt hatten. Ohne zu überlegen, streifte er sein Priestergewand ab und ging zu ihr ins Wasser. Sie lachte verführerisch, und er griff nach ihr, zog sie an sich, damit sein Mund ihre harten Brustwarzen umschließen konnte. Sie stöhnte auf und schlang ihre Schenkel um seine Hüften. Ihre nassen langen Haare fielen ihm wirr ins Gesicht. Einen Moment lang wurde er sich gewahr, was er hier tat, dass er eine göttliche Königin nahm, die nur den Samen des Pharaos empfangen durfte. Doch es war egal. Sie hatte ihm gehört, bevor sie Ramses gehört hatte. Mit grimmiger Entschlossenheit, die mit einer verzweifelten Wut auf seinen Vater einherging, hob er sie aus dem See, nur um sich gleich wieder auf sie gleiten zu lassen und ihre Schenkel zu öffnen. Er stellte sich vor, dass er der Gott war, der sie berühren durfte, und dass er sich nur sein Recht nahm. Selbstgerecht drang er in sie. Sie begehrte kurz auf, um sich dann unter den rhythmischen Stößen seines Beckens endgültig hinzugeben. Sie zog ihn zu sich herab und küsste ihn, küsste ihn so leidenschaftlich, wie sie es sich gewünscht hatte.

Merenptah hatte frustriert das Fest verlassen. Er konnte all diese Menschen einfach nicht mehr ertragen. Es war nicht nur seine Schwester, die ihn abfällig musterte. Ramses bemühte sich, ihn so gut es ging zu übersehen, und alle anderen fanden ihn ebenfalls nicht attraktiv genug, als dass sie eine anregende Unterhaltung mit ihm hätten führen können. Merenptah beschloss, eine Runde durch den Garten zu gehen. Die frische Nachtluft würde seinen vernebelten Geist neu erwecken.

Er war schon eine ganze Weile gegangen, als er das leidenschaftliche Stöhnen hörte. Merenptah grinste. Neben seinen abartigen Trieben hatte er auch voyeuristische Ambitionen. Er schlich näher, darauf bedacht, keinen Lärm zu verursachen. Hinter einem Busch kniete er sich hin und schob die Zweige beiseite.

Was er sah, ließ ihn vor Schreck zusammenfahren. Er hatte irgendeine Dienerin oder Sklavin erwartet, die sich von einem der adligen Gäste besteigen ließ, um vielleicht etwas Geld oder einfach nur Kleider und Schmuck geschenkt zu bekommen. Doch das hier hatte seine kühnsten Erwartungen übertroffen. Was er sah, war so unglaublich, dass er zweifelte, was zu tun sei. Zuerst wollte er aufstehen und sofort zum Haus zurücklaufen. Er würde Ramses hierher führen, und dann konnte dieser mit eigenen Augen sehen, wie seine große Königin wie eine Hure unter ihrem Bruder lag und sich besteigen ließ. Das wäre das Ende für sie. Er wollte aufstehen und zum Haus schleichen, doch dann besann er sich. Die beiden könnten schon fort sein, wenn er zurückkam. Der Weg zum Haus war ziemlich weit, und sie mussten ja schließlich vom Haus wieder zum See. Wenn Ramses dann weder Bint-Anat noch Chaemwese hier vorfinden würde, vielleicht würde er ihm dann so zürnen, dass er ein für alle Mal bei seinem Vater in Ungnade fiel. Nein, das Risiko war zu hoch. Aber es gab einen anderen Weg, einen Weg, der ihm viel mehr Freude bereiten würde. Hatte er seine Schwester nicht in der Hand? Fast wäre ihm ein irres Lachen herausgerutscht, doch er beherrschte sich und wartete.

Chaemwese küsste Bint-Anat ein letztes Mal, bevor er begann sich anzukleiden.

»Wir hätten das nicht tun dürfen, Schwester. Die Götter werden uns dereinst hart bestrafen.«

Bint-Anat richtete sich auf und umarmte ihn. »Was kann ich für meine Liebe zu dir? Die Götter hätten mich an deine Seite berufen sollen.«

»Und doch begehrst du auch den Pharao. Bint-Anat – du und ich, wir werden vor Osiris keine Gnade finden. Du, weil du deine Liebe zwei Männern schenkst, und ich, weil ich mich dir trotz des göttlichen Verbotes genähert habe.«

»Was macht das schon aus, Chaemwese? Seit Tanis Geburt kann ich keine Kinder mehr haben. Tani ist ein Geheimnis zwischen uns! Sie ist deine, Ramses' und meine Tochter.«

Chaemweses Blick wurde wieder schmerzvoll. »Ich habe sie kein einziges Mal gesehen.«

»Das wirst du, Chaemwese, ich verspreche es dir.«

Bint-Anat zog sich ihr Kleid über, und mit einem letzten Kuss verabschiedeten sie sich. Chaemwese ging in seine Unterkunft, Bint-Anat sah ihm sehnsüchtig nach.

Nach einer Weile drehte sie sich um und wollte gehen. Doch sie erstarrte vor Schreck.

»Merenptah, was in aller Götter Namen tust du hier?«

Nur ein kurzer Augenblick, und sie konnte aus Merenptahs hinterhältigem Grinsen erkennen, dass er alles wusste. Das war das Ende.

»Schwester, ich hätte dir keine so große Leidenschaft beim Liebesspiel zugetraut, doch bin ich angenehm überrascht.« Merenptah legte nachdenklich sein Doppelkinn auf die Handoberfläche. »Was soll ich nur mit euch tun, Schwester? Du und Chaemwese! Wer hätte das gedacht.«

Bint-Anat bemühte sich gar nicht erst um Erklärungen, alles zu leugnen wäre zwecklos gewesen, betteln sinnlos. Merenptah hatte sie da, wo er sie haben wollte.

»Was willst du, Merenptah?«

»Nun dies oder das! Ehrlich gesagt, bin ich mir noch nicht so sicher. Doch die Zeit, Schwester, wird bestimmt einiges bringen, bei dem ich mir deiner Unterstützung sicher sein will.«

Bint-Anat reckte das Kinn. »Ramses würde dir nicht glauben, wenn du zu ihm gingest. Du weißt doch, er liebt mich.«

Merenptah machte ein bestürztes Gesicht. »Sicher, sicher, das weiß ich. Doch würde er nicht Zweifel hegen, wenn ich ihm von Tanis ungeklärter Abstammung berichte. Und, o ja, du und Ramses, ihr habt es ja gut geheim gehalten, dass du keine Kinder mehr haben kannst. Das ist natürlich auch von äußerster Wichtigkeit. Die Amun-Priester würden sich die Hände reiben, wenn sie dir das Sothis-Gestirn wieder nehmen könnten. Wie ich hörte, missfallen ihnen deine Verwaltungsstrategien für Karnak. Du würdest recht schnell in den Hintergrund gestellt werden. Wie furchtbar für meine schöne, erhabene, machtverwöhnte Schwester. Aber keine Angst, ich werde Ramses nichts von deinen gewissenlosen Umtrieben erzählen. Und auch das Geheimnis deiner Unfruchtbarkeit werde ich nicht lüften, doch wirst du mir viele kleine Gefallen erweisen. Ramses' Ohr gehört dir.«

Bint-Anat stieg ein Kloß in den Hals. »Und was genau wären das für Gefallen?«

»Oh, im Moment noch gar nichts, doch werden wir selbstverständlich in Verbindung bleiben. Wenn die Zeit reif ist, wirst du von mir hören.«

»Die Zeit reif für was?«, flüsterte sie.

»Warte es ab.«

»Ich wende mich nicht gegen Ramses!« Bint-Anat hatte beschlossen, lieber ihr Leben zu verwirken, als sich gegen den Thron zu stellen.

Merenptah fuhr sie wütend an: »So? Ich meine, das brauchst du auch überhaupt nicht. Doch selbst wenn es so wäre, denke doch einmal nach. Du ziehst nicht nur dich in den Abgrund, sondern auch Chaemwese und Tani. Willst du das? Aber, nun gut, tu es ruhig. Wir können gleich zu Ramses gehen und ihm alles erzählen.«

Bint-Anat wurde schlecht bei dem Gedanken an das eben Gesagte. »Also gut, Merenptah, du hast mich in der Hand.«

Merenptah nickte zufrieden.

*Königspalast in Pi-Ramses*

Bint-Anat hatte ganz bewusst größte Sorgfalt bei ihrer Garderobenwahl walten lassen und auch auf typisch weibliche Festaufmachung verzichtet. Ramses hatte verlauten lassen, dass der Wesir Paser ebenfalls zu Gast sei und er, Ramses, gedachte, an einem Tisch mit ihm und seiner Gemahlin zu speisen. Bint-Anat kannte Ramses. Es gab etwas zu besprechen, bei dem er ihre Anwesenheit wünschte. Doch sollte sie nicht als Gemahlin an seiner Seite sein. Wahrscheinlicher war es, dass Ramses Staatsgeschäfte zu besprechen beabsichtigte und sie als stumme Zuhörerin anwesend sein sollte, da Ramses vorhatte, später das Besprochene mit ihr zu diskutieren. Natürlich ging das nicht auf dem Fest, man hätte geredet. Die Königinnen hatten immer noch eine große symbolische Rolle an der Seite des Pharaos und sollten zum Erhalt der Dynastie beitragen. Inwiefern Bint-Anat an der Staatsführung beteiligt war, wussten nur einige wenige Auserwählte und die Amun-Priesterschaft natürlich, die zähneknirschend die Hand der Königin an ihren Hälsen spürte, dieses jedoch niemals zugegeben hätte.

Ramses hatte ebenfalls ein langes Gewand angelegt. Obwohl er noch immer den Pharaonenschurz bevorzugte, hatte er mit zunehmenden Alter angefangen auch lange plissierte Gewänder zu tragen. Es war wohl mehr aus einem Standesdünkel heraus erfolgt als aus Eitelkeit, denn Ramses' Körper war immer noch muskulös und stark, und er hätte ihn ohne weiteres der Öffentlichkeit präsentieren können. Ramses trug das Nemes-Tuch, was ihm bei Banketten am bequemsten erschien. Bint-Anat stellte missmutig fest, dass auch Amu heute Abend an ihrem Tisch saß. Ramses bezog den Thronerben natürlich in seine Regierungsangelegenheiten mit ein. Wie sonst sollte er später Ägypten mit starker Hand verwalten können. Paser begrüßte Bint-Anat höflich mit einer Verbeugung, Ramses nickte ihr zu, Amu schenkte ihr ein falsches Lächeln, das Bint-Anat sofort mit einem ebenso falschen Lächeln erwiderte. Sie wusste, dass keine ernsten Angelegenheiten besprochen werden würden, bevor nicht das Festessen beendet war, also griff sie nach den appetitlichen Häppchen und entspannte sich. Die anderen taten es ihr gleich. Nach einer Weile stieß Amunnemipet zu ihnen, und Bint-Anat war sich klar, dass etwas äußerst Wichtiges anlag.

Endlich wurde das Geschirr abgetragen, und Ramses begann zu sprechen.

»Paser, die Neuigkeiten, die du mir über deinen Boten hast zukommen lassen, sind mit äußerster Vorsicht zu genießen.« Paser nickte bedächtig, und Ramses fuhr fort: »Doch bin ich geneigt, Hattusilis zu glauben, er ist kein Krieger wie sein Neffe Uriteschup.«

Bint-Anat dachte nach. Sie hatte Uriteschup nur einmal gesehen, damals, als er vor dem Thron um Asyl gebeten hatte. Er war groß und in ihren Augen furchtbar barbarisch. Er trug einen Bart, und sein Körper war sehr stark behaart. Dies war ein ungewohnter Anblick für eine ägyptische Frau, denn sowohl Frauen als auch Männer rasierten sich hier Gesicht und Körper.

»Ich vermag Hattusilis nicht einzuschätzen, Paser. Ich kann keinem der Hethiter trauen.«

»Zumindest weiß Hattusilis, dass du seinem Neffen Asyl gewährst. Er ist nicht dumm. Er wird sich denken können, dass Uriteschup dir alles gesagt hat, was er weiß.«

Ramses nickte. Bint-Anat blickte scheinbar gelangweilt im Kreis umher, doch sie hörte jedes einzelne der Worte. Amu mischte sich ein.

»Nach Kadesch ist mir unbegreiflich, warum Hattusilis Frieden mit Ägypten schließen will.«

Das also war der Punkt, um den sich die Unterhaltung drehte. Bint-Anat zog die Stirn in Falten. Ein Friedensangebot von Hattusilis. Augenblicklich begriff sie Ramses. Auch sie war unschlüssig, ob man dem Hethiterkönig wirklich trauen konnte.

»Angenommen, Hattusilis meint es ernst, und der Friedensvertrag kommt zu Stande, dann ist Amurru für Ägypten verloren.« Paser griff nach seinem Weinbecher und nahm einen großen Schluck. »Doch die Handelswege wären wieder frei, und die Karawanen könnten ungehindert ziehen. Kanaan muss nicht mehr mit Waffengewalt verteidigt werden. Im Großen und Ganzen würde Ägypten profitieren.«

Amu verzog verächtlich den Mund. »Nach der ganzen Zeit, die du in Kadeschs Rückeroberung investiert hast, willst du doch wohl nicht dein Ziel aus den Augen verlieren und mit diesem elenden Feigling Frieden schließen.«

Ramses blickte seinen Sohn zornig an. »Was ich tue, mein teurer Prinz, liegt noch immer in meinem Ermessen. Wenn die Krone dereinst dein Haupt ziert, wirst du früh genug erkennen, dass man nicht nur egoistisch handeln kann. Ich muss tun, was für Ägypten das Richtige ist.«

Amu schmollte. »Und du meinst tatsächlich, Ägypten braucht einen Friedensvertrag mit dem elenden Herrn von Chatti?«

Ramses erhob sich und bot Bint-Anat seine Hand. »Das weiß ich noch nicht, Amu. Doch ich werde es in Erwägung ziehen.«

Bint-Anat wusste, dass jetzt ihre Zeit gekommen war. Ramses wollte ihre Meinung hören. Die Herolde riefen Ramses' und Bint-Anats Namen aus, und jeder Einzelne im Bankettsaal erhob sich, um sich vor dem Königspaar zu verbeugen. Dann führte Ramses seine Gemahlin hinaus.

In seinen Privatgemächern zog Ramses sich das Nemes-Tuch vom Kopf. Bint-Anat stellte sich hinter ihn, als er sich auf einem Stuhl niedergelassen hatte, und begann seine Schultern zu massieren. Ramses schloss die Augen und genoss ihre weichen, doch kräftigen Hände.

»Nun, meine Gemahlin? Du hast alles gehört. Sage mir also deine Meinung.«

Bint-Anat massierte weiter, während sie zu sprechen begann. »Ich verstehe deine Sorge um Hattusilis' Ehrlichkeit. Auch ich vermag zum derzeitigen Zeitpunkt kein Urteil darüber abzugeben. Doch muss ich mich Pasers Argumenten anschließen, wenn er sagt, dass ein Friedensvertrag Ägypten viele Vorteile bringen kann.«

Ramses nickte mit geschlossenen Augen. »Wobei das eigentliche Problem noch immer nicht gelöst wäre. Wie soll ich herausfinden, ob Hattusilis es ehrlich meint?«

Bint-Anat dachte kurz nach. »Es gibt keinen konkreten Weg, doch solltest du durch einen Boten dein Interesse an Hattusilis' Vorschlag kundtun. Du könntest Verhandlungen beginnen, die sicherlich eine längere Zeit in Anspruch nehmen würden. Schicke verschiedene Untertanen, denen du vertraust. Auf deren Urteil wirst du dich letztendlich verlassen müssen.«

Ramses öffnete die Augen und griff nach Bint-Anats Hand, um sie zärtlich zu küssen. »Es gibt wohl keinen anderen Weg.«

Bint-Anat nickte. »Ich denke, nein.«

»Also gut, meine Gemahlin. Ich hatte deinen Vorschlag auch selbst schon in Erwägung gezogen, doch ohne deine Bestätigung hätte ich mich von seiner Durchführung distanziert. Morgen werde ich Paser verständigen. Bis dahin jedoch ...«, er nahm ihr den Stirnreif von den gelösten Haaren, »... will ich mir die Zeit mit ein wenig Müßiggang vertreiben.«

Amu blickte missmutig von einem zum anderen. Ramses, Paser und Amunnemipet waren sich einig, er wurde nicht mehr nach seiner Meinung gefragt. Immer an der Seite seines Vaters stand Bint-Anat, die mit Sicherheit auch ihre Finger im Spiel hatte. Wie konnte Ramses einer Frau nur so viel Macht zugestehen! Zuerst war es Amu egal gewesen. Bint-Anat hatte seinen Vater im Bett erfreut und seine kranke Mutter Nefertari vertreten. Doch jetzt ... Bint-Anat konnte zu einem Problem für ihn werden. Was wäre, wenn sie noch einmal ein Kind haben würde, diesmal einen Jungen? Inwieweit hatte seine Schwester Macht über Ramses? Würde er ihn um den Titel des Kronprinzen betrügen und seinen Sohn, den er mit Bint-Anat hatte, zum Erbprinzen ernennen? Amu nahm sich zusammen. Nefertari stand immer noch am höchsten in Ramses' Gunst, doch siechte sie dahin, und bald schon würde seine Mutter in der Sonnenbarke segeln, und dann gäbe es nur noch Bint-Anat. Amu musste auf lange Sicht etwas unternehmen, doch er hatte keine Ahnung was.

Merenptah hatte sich entschlossen, ein kleines Familienfest zu geben. Er hatte etwas zu feiern. Seinen Sieg über seine hochnäsige Schwester. Natürlich würde er sie auch einladen, und sie würde es nicht wagen, abzusagen.

Jetzt ging er die Gästeliste für den heutigen Abend durch und stellte fest, dass es keine Überraschungen gab. Natürlich hatte Ramses sich höflich entschuldigen lassen, doch wusste Merenptah, dass er bei einem Fest seines Lieblingssohnes Chaemwese sofort zugesagt hätte. Aber Bint-Anat hatte sich nicht getraut, die Einladung nicht anzunehmen. Merenptah freute sich. Er hatte sie in der Hand. Amu hatte ebenfalls zugesagt, nicht weil er seinen Bruder liebte, sondern weil er seit der Entscheidung seines Vaters, die Friedensverhandlungen mit Chatti aufzunehmen, dermaßen enttäuscht war, dass er übermäßig Flucht im Wein suchte. Merenptahs Fest war ihm da eine willkommene Abwechslung. Merenptah hatte auch Tani eingeladen. Diese war gerade dreizehn geworden, und Merenptah hatte das Bedürfnis verspürt, sie mit ihrer Mutter zu vergleichen. Auch Tani hatte zugesagt. Die anderen Gäste waren hohe Adlige, die außerhalb des Palastes in ihren geräumigen Anwesen lebten, und hohe Staatsbeamte. Solche Feste, bei denen Mitglieder der Königsfamilie anwesend waren, waren immer hochbegehrt.

Das Fest war berauschend, und Merenptah hatte sich noch nie so wohl gefühlt. Endlich konnte er sich frei bewegen, ohne dass Bint-Anat wieder versuchen würde, ihn lächerlich zu machen. Mit Genugtuung stellte er fest, dass seine Schwester ruhig bei einer Gruppe Frauen saß und sich bemühte, ihren Groll nicht zu zeigen. An ihrer Seite war Tani, und Merenptah musterte sie eingehend. Sie versprach eine Schönheit zu werden wie ihre Mutter. Vor allem aber versprach sie, so dachte Merenptah, demjenigen, der sie in sein Bett führte, den Thron. Unwillkürlich schweifte Merenptahs Blick hinüber zu Amu, dem Thronerben. Dieser starrte ebenfalls mit vom Wein geröteten Augen auf Tani. In Merenptah wuchs ganz plötzlich ein Plan. Er ging zu Amu und setzte sich schwerfällig neben ihn. Amu bedachte ihn mit keinem Blick.

»Amu, mein Bruder! Wie ich sehe, hält auch dich Tanis langsam erblühende Schönheit gefangen.«

Amu schnaubte verächtlich. »Seit wann, lieber Bruder, interessiert dich eine Frau?«

Merenptah tat gekränkt. »O, Bruder! Du tust mir Unrecht. Doch war es in diesem Fall nicht ich, von dem ich sprach, als ich Tani erwähnte.« Merenptah schob sich genüsslich eine glasierte Feige in den femininen weichen Mund.

Amu wandte sich ihm wütend zu. Er war genau das Gegenteil

seines verweichlichten Bruders. Er besaß eine männliche, harte Schönheit.

»Hat etwa einer meiner illegitimen Halbbrüder, die von Ramses' zahlreichen Nebenfrauen geboren wurden, um Tani gebeten, und hat sie ihn dazu ermutigt?« Ein wildes Funkeln lag in Amus Augen.

»O Bruder, nein, beruhige dich bitte. Natürlich hat keiner dieser Emporkömmlinge das gewagt. Doch sehe ich des Öfteren ihre Blicke auf ihr ruhen. Und auch Tani scheint zu entdecken, dass sie langsam eine Frau wird. Ramses liebt sie zu sehr. Wenn sie irgendwann einmal einen Wunsch in Richtung eines bestimmten Ehemannes äußert, wer weiß? Vielleicht würde er ihn ihr zugestehen. Doch glaube ich nicht, dass einer von uns dies je sein könnte. In ein paar Jahren hast selbst du für ein junges Mädchen nicht mehr genug Schönheit zu bieten.«

Amu sah seinen Bruder zornig an. »Bisher war noch jede Frau zufrieden.«

Merenptah winkte ab. »Jede gewöhnliche Frau! Doch vergiss nicht, sie ist die Tochter ihrer Mutter, und Bint-Anat hat für uns beide nicht viel übrig.« Bei Bint-Anats Erwähnung verzerrte sich Amus Gesicht zu einer wütenden Maske, und Merenptah sah sich in seinem Vorhaben bestätigt und fuhr fort: »Man stelle sich nur einmal vor, unsere Schwester wird noch mal schwanger und schenkt einem Prinzen das Leben. Ich an deiner Stelle sähe meinen Thronanspruch gefährdet. Bint-Anat ist eine hinterhältige kleine Schlange. Sie wird dafür sorgen, dass ihr eigener Sohn zum Erbprinzen ernannt wird, und dieser wird dann Tani heiraten. Da sie bis dahin erwachsen ist, wird sie mit ihrer Mutter die Regentschaft übernehmen, falls Ramses zu früh das Zeitliche segnet. Sie weiß, was sie tun muss. Sie hat die Rollen der Hatschepsut sehr gut studiert.«

Amu wurde bleich. »Ramses hat mich zum Erbprinzen ernannt. Ich bin legitim. Meine Mutter trägt den Titel der Gottesgemahlin.«

»Ja, natürlich, doch scheint mir ihr Gesundheitszustand kritisch. Denke nur einmal nach. Bint-Anat hat es fertig gebracht, ihre eigene Mutter durch Verrat aus dem Weg zu räumen. Was bedeutet ihr da schon Nefertari?« Merenptah spürte, dass seine Worte Gehör fanden, und stichelte deshalb weiter. »Doch auch wenn Bint-Anat keinen Sohn mehr zur Welt bringt, was glaubst du, wird sie dir ihre Tochter geben?«

»Das liegt nicht in ihrer Entscheidung, sondern bei Ramses.«

Merenptah kicherte, und Amu hätte ihm am liebsten die Faust in sein aufgeweichtes, schwammiges Gesicht geschlagen, doch er hörte weiter zu. »Hat Ramses dir Merit-Amun gegeben? Nein! Und was glaubst du, weshalb?«

Merenptah näherte sich Amus Gesicht. Dieser war zwar angewidert, doch konnte er nicht umhin, den süßlichen Atem seines Bruders auf seinem Hals zu spüren und an seinen wulstigen hennaroten Lippen zu hängen, um die ganze Wahrheit zu hören.

»Bint-Anat war ihre Schwester zu gut für dich. Sie hat Ramses gebeten, sie der Form halber zur großen Königsgemahlin zu machen. Wenn sie das schon für ihre Schwester tun konnte, dann wohl erst recht für ihre Tochter. Und irgendwann wird sie einen Mann ihrer Wahl finden und so lange auf Ramses einreden, während sie ihm willig ihre Schenkel öffnet, dass er tut, was sie will.«

Amu blickte seinen Bruder entsetzt an. »Aber es gibt keinen legitimen männlichen Thronerben mehr.«

Merenptah lächelte nachsichtig. »Nein? Und was ist mit Chaemwese? Bint-Anat vergöttert ihn. Und selbst wenn nicht er, Tani hat genug königliches Blut, um einen der illegitimen Söhne des Pharaos zu legitimieren.«

Amu war verzweifelt. »Was soll ich tun?«

Merenptah legte mitfühlend den durchgeschwitzen Arm um seinen Bruder. »Nun, für dich gilt es, Tani zu gewinnen.«

Amus Stimme klang verzweifelt. »Aber wenn Bint-Anat sie mir doch verweigert.« Merenptah rieb sich das Doppelkinn. »Dann musst du eben erst Bint-Anat aus dem Weg räumen. Tani ist noch jung. Sie wird sich sehr gut manipulieren lassen. Es dürfte dir nicht schwerfallen, sie zu verführen. Ramses wird sie dir, nachdem Bint-Anat kein Gift mehr verspritzen kann, nicht länger verweigern.«

Amu nickte, während er über die Worte seines Bruders nachdachte. »Wie könnte ich Bint-Anat aus dem Weg räumen? Ich komme nicht einmal bis an ihre Gemächer heran.«

»Lass das nur meine Sorge sein. Ich kenne da jemanden, der früher schon meiner Mutter gute Dienste und mancherlei Gefälligkeiten erwies.« Merenptah stand auf. »Gräme dich nicht weiter, Bruder, und genieße das Fest in vollen Zügen. Dieser Abend ist der Beginn einer großen Partnerschaft.«

Merenptah rauschte davon. Der erste Schritt seines Planes war soeben erfolgreich abgeschlossen worden.

*Das Anwesen der Herrin Ti in Pi-Ramses*

Die Herrin Ti blickte erbost in Richtung Tür, während sie nicht aufhörte, den schönen jungen Mann, der gerade unter ihr lag und stöhnte, weiter zu reiten. Ti war zwar über vierzig, und man sah ihr ihren lasterhaften Lebensstil sowohl am Körper als auch am Gesicht an, doch hatte sie genug Geld, um sich auch den schönsten Jüngling leisten zu können. Meistens waren es junge Soldaten wie dieser hier, die sie in zwielichtigen Weinschenken auflas und mit nach Hause nahm. Ti hatte sich an diese Ausschweifungen gewöhnt, ja, schon als ihr Gemahl noch gelebt hatte, hatte sie auf solche Freuden nicht verzichten können. Als er irgendwann jedoch misstrauisch wurde, sah Ti ihren Titel und die Reichtümer gefährdet und räumte den unbequemen Gatten einfach aus dem Weg, wie sie es im Palast gelernt hatte und gelegentlich immer noch für hochgestellte Freundinnen tat, die zwar das Geld ihres Gatten begehrten, sich jedoch an ihm selbst übersättigt hatten. Natürlich erfüllte Ti höchstens einen Auftrag pro Jahr in Pi-Ramses, denn sie wollte auf keinen Fall riskieren, dass man hinter ihr kleines Geheimnis kam. Doch ein Auftrag im Jahr von einer hochgestellten Kundin gewährleistete ihren unverschämten Reichtum. Und die Dankbarkeit dieser Damen hielt an. Man empfahl sie diskret weiter oder ließ ihr, um sich ihres Schweigens sicher zu sein, großzügige Geschenke zukommen.

Beim zweiten Klopfen erhob sich Ti und ging zur Tür, ohne auf das unbefriedigte Seufzen des jungen Mannes zu achten, dem sie sich gerade entzogen hatte. Sie warf sich ein dünnes Leinengewand über.

»Pari, ich hoffe, du hast einen sehr guten Grund, mich jetzt zu stören, denn sonst werde ich dich auspeitschen lassen.«

Pari war Tis Haushofmeister, und wie die andere Dienerschaft zitterte er vor der Herrin Ti, die hart und grausam strafen konnte.

»Vergebung, Herrin, doch ich habe eine wichtige Botschaft für Euch, die nicht warten kann.«

Ti öffnete die Tür einen Spalt und riss dem verängstigten Pari die Schriftrolle aus der Hand. »Sollte ich die Schriftrolle nicht für wichtig erachten, flehe bei den Göttern um Gnade.«

Ti schmiss die Tür zu ihrem Schlafgemach wieder zu. Der junge Mann saß auf dem Bett und wartete darauf, dass er die Sache beenden konnte, für die er eigentlich gekommen war. Ti blickte auf das Siegel, mit dem die Schriftrolle gesichert war. Es war das Siegel des Königspalastes. Sie wunderte sich. Isisnofret weilte schon lange nicht mehr in Pi-Ramses, und sonst hatte sie dort eigentlich keine Kontakte gepflegt. Sie drehte sich zu dem wartenden jungen Mann um.

»Verschwinde und hole dir von Pari ein paar Münzen. Ich kann dich jetzt nicht mehr gebrauchen.«

Beleidigt zog der Soldat seine Uniform an und verließ Tis Schlafgemach. Als sie endlich allein war, erbrach sie das Siegel und begann zu lesen.

Eigentlich hätte Ti nichts riskieren dürfen. Schon der Ort, an dem sie sich mit dem unbekannten Verfasser des Schreibens treffen sollte, war ihr nicht geheuer. Jetzt stieg sie aus ihrer Sänfte und betrachtete das Anwesen, vor dem sie stand. Ti musterte es mit Kenneraugen. Ja, es war sündhaft teuer gewesen, auch wenn es nicht bewohnt war. Und es stand in einem Teil der Stadt, der nur dem hohen Adel oder Mitgliedern der Königsfamilie vorbehalten war. Bei dem Gedanken daran überfiel sie Wut. Sie hatte sich mit Isisnofrets Hilfe zwar einen Titel anheiraten können, und ihr Vermögen hatte sich durch rücksichtslose Geschäftemacherei vervielfacht, sodass sie sich ein solches Anwesen leicht hätte leisten können. Sie erinnerte sich, dass sie vor Jahren schon einmal versucht hatte, ein Haus in diesem Stadtteil zu erwerben. Die Antwort aus dem Palast hatte ihr einmal mehr gezeigt, dass sie immer noch nicht zufrieden sein konnte. »… kann der Palast leider dem Anliegen der Herrin Ti keine Zustimmung geben, da dieser Teil der Stadt nur dem Hochadel und den zahlreichen Abkömmlingen der königlichen Familie vorbehalten ist.«

Ti ballte die Fäuste. Deshalb war sie heute gekommen. Seit Isisnofret wahnsinnig geworden und im Harem Faijum unbedeutend war, hatte sie keinen Wohltäter mehr in Palastkreisen. Das konnte sich heute ändern.

Ti stieß die Gartentür auf. Es waren keine Diener anwesend. Langsam schritt sie auf die Tür des eigentlichen Hauses zu. Plötzlich öffnete jemand, und Ti erkannte, dass es wohl doch Diener geben musste. Sie betrat das Haus und stellte fest, dass es innen überhaupt nicht unbewohnt aussah. Die feinsten, teuersten Möbel standen überall herum, Lampen, wunderschön aus Alabaster gearbeitet, durchfluteten die Empfangshalle mit warmem Licht. Ti blickte auf die Kleider des Dieners. Unverwechselbar die Palasttracht. Tis Herz begann höher zu schlagen. Jetzt betrat sie einen Raum, den man wohl schlichtweg als Arbeitszimmer bezeichnen konnte. Hinter einem großen Zedernholzschreibtisch waren Hunderte von Schriftrollen gestapelt. Und hinter dem Schreibtisch entdeckte sie nun endlich den Verfasser des ominösen Schreibens. Er schien sie nicht wahrzunehmen. Ti bemühte sich, beim Auftreten Geräusche zu machen, auch wenn man ihr das im Palast bei ihrer Ausbildung zur Kammerfrau abgewöhnt hatte und sie diese lang antrainierte Eigenschaft nie hatte abstreifen können. Endlich blickte der Mann hinter dem Schreibtisch sie an. Ti stellte fest, dass er fett und sein Gesicht viel zu stark geschminkt war. Trotzdem ließ sie sich nichts anmerken.

»Die Herrin Ti! Wie seltsam es doch ist, dich nach all den Jahren wiederzusehen.«

Ti blickte diesen seltsamen Mann fragend an. Woher kannte er sie? Sie meinte ihn nicht wiederzuerkennen. Ti schritt näher an den Schreibtisch heran und blickte ihrem Gegenüber prüfend ins Gesicht. Nein, sie kannte ihn mit Sicherheit nicht. Außerdem fragte sie sich, wieso ein Mann von ihren Machenschaften wusste. Sie hatte bisher nur für Frauen Aufträge erfüllt. Hatte sie eine der Frauen verraten? War dieser hier ein Beamter, der sich als neuer Auftraggeber ausgab? Ti beschloss, Vorsicht walten zu lassen. Lächelnd bot ihr der feiste Mann an, Platz zu nehmen. Ti ließ sich auf einen Stuhl vor dem Schreibtisch sinken.

»Du erkennst mich gewiss nicht wieder, Herrin Ti. Ich war noch ein Knabe, als du den Palast verlassen hast. Das muss so etwa zwei Jahre vor der Verbannung meiner hoch geschätzten Mutter gewesen sein. Ich war damals ungefähr vier Jahre alt.«

Ti klappte die Kinnlade herunter, als sie endlich begriff. »Prinz Merenptah!« Sie stand sofort auf und verbeugte sich.

»Lass das, Herrin Ti. Wir sind nicht hier, um über alte Zeiten zu plaudern oder über meine Mutter. Ich habe Wichtigeres zu tun.«

Ti setzte sich gehorsam wieder auf ihren Stuhl. »Und dabei, Prinz, bedarf es meiner Hilfe?«

Merenptah lehnte sich schwerfällig zurück. »So ist es, Herrin Ti, so ist es.« Er walzte seine Massen wieder vor, sodass er sein Gegenüber genau fixieren konnte. »Doch vorher muss ich mir sicher sein, dass du mir treu ergeben sein wirst. Deshalb nenne mir sofort deinen Preis. Wenn dein Bemühen zum gewünschten Erfolg führt, soll es dein Schaden nicht sein.«

Ti dachte nach. Dies war die Möglichkeit, ihre Träume wahr werden zu lassen. »Ich will eine Erhebung in den Hochadel, ein schönes Anwesen in diesem Stadtteil und unbegrenzten Zutritt zum Palast. Ich will auf allen Gästelisten stehen, zu allen Festen der Königsfamilie eingeladen werden und mir deines Wohlwollens auch in der Öffentlichkeit gewiss sein.«

Merenptah lächelte. Dann faltete er die Hände und sah Ti an. »Eine ziemlich unverschämte, hohe Forderung, Herrin Ti. Doch habe ich natürlich damit gerechnet, denn ich weiß wohl, dass ich dich mit einem schönen Landsitz oder einem Vermögen nicht mehr zufrieden stellen kann. Dies alles hast du dir in den Jahren selbst erwirtschaftet.«

»Wirst du mir also meine Forderungen erfüllen?«

»Natürlich, Herrin Ti! Doch dein Plan muss zum Erfolg führen.«

Ti nickte. »Was habe ich zu tun?«

»Wie ich hörte, verstehst du dich auf Gifte?« Ti runzelte die Stirn. »Du warst meiner Mutter eine treue Dienerin, nicht wahr?« Ti nickte gefällig. »Sie wusste das zu schätzen, denn sie hat dich bei ihrer Verbannung nicht verraten, Herrin Ti.«

Ti zuckte zusammen. Woher wusste er das? Hatte Isisnofret ein solch inniges Verhältnis zu ihm gehabt? War er nicht erst sechs Jahre alt gewesen, als sie verbannt wurde? Merenptah beachtete ihre Verwirrung nicht.

»Es hätte klappen können, wenn nicht diese kleine Schlange Bint-Anat so unberechenbar gewesen wäre.«

Tis Gesicht verfinsterte sich. Allein durch das Scheitern ihres Planes war Bint-Anat für sie zur Gegnerin geworden. Dieses kleine Miststück hätte sie bald den Kopf gekostet. Schon wegen der Angst, die sie damals ausgestanden hatte, war Bint-Anat für Ti ein verhasstes Geschöpf.

»Es geht also wieder mal um sie.«

Merenptah tat gleichgültig. »Ist das für dich so verwunderlich? Sie ist der Stachel im Fleisch Ägyptens. Sie hat ihre eigene Mutter verraten, und jetzt will sie den rechtmäßigen Thronerben durch ihre Brut ersetzen.«

Ti dachte angestrengt nach. »Doch sie hat nur eine Tochter.«

Merenptah wurde spitzzüngig. »Und ihren Bruder Prinz Chaemwese, den sie verehrt wie einen Gott. Wenn sie nun den derzeitigen Thronerben aus dem Weg schafft, kann sie ihre Tochter mit ihrem Bruder vermählen, und niemand wird mehr ein Gegengewicht zu ihren Intrigen bilden können. Ramses hört nur noch auf sie. Königin Nefertari wird bald in ihrer Himmelsbarke segeln. Dann gibt es bloß noch eine Königin, die in der Lage ist, Macht auf den Pharao auszuüben.«

Ti verscheuchte den Gedanken, der unwillkürlich in ihr aufstieg. Wusste der Prinz von ihrem Mordversuch an Nefertari? Wahrscheinlich nicht, er war zu dieser Zeit noch nicht geboren gewesen. Isisnofret war nicht dumm. Vermutlich hatte sie den Vierjährigen damals in das Komplott gegen Bint-Anat eingeweiht, da er ebenfalls unter ihr zu leiden hatte. Sie selbst hatte Bint-Anats Sticheleien gegenüber ihrem Bruder des Öfteren mitbekommen. Außerdem konnte sich Isisnofret nicht sicher sein, ob ein Vierjähriger nicht vielleicht doch etwas mitgekriegt hätte. Aber Nefertari ... Ihm das zu erzählen wäre unnütz gewesen.

»Und jetzt gilt es, Bint-Anat endgültig aus dem Weg zu schaffen!«

Merenptah nickte. »Du weißt, wie schlau sie ist. Äußerste Vorsicht ist geboten.«

»Und deshalb, Prinz, scheint mir die Idee mit dem Gift nicht sonderlich klug zu sein. Jedes Kind weiß, dass Gift seit Jahrhunderten eine bevorzugte Waffe ist, sich ungeliebte Familienmitglieder aus dem Weg zu räumen. Der Pharao würde sofort Ermittlungen einleiten.«

Merenptah wurde nachdenklich. »Du hast also eine bessere Idee?«

»Noch nichts Konkretes, doch müsste es wie ein Unfall aussehen. Treibt die Königin Sport?«

Merenptah überlegte. »Nichts Weltbewegendes. Auf dem Weg dürfte es schwierig sein.«

Ti stand auf. »Es muss aber etwas in der Art geben, womit man ihr beikommen könnte. Die Königin ist zu klug, wir dürfen uns keinen Fehler erlauben.«

Merenptah erhob sich ebenfalls. »Ich werde Erkundigungen einholen. Bis dahin – halte dich bereit, Herrin Ti. Es kann sein, dass wir schnell handeln müssen. Du hast alle nötigen Verbindungen?«

Ti lächelte. »Darüber mach dir keine Sorgen, Prinz. Ich kenne eine Menge Soldaten, die sich auf ihr Handwerk verstehen.«

»Sind sie dir treu ergeben?«

»Wenn nicht, gibt es da immer noch das Gift, das ich ihnen mit ihrer Belohnung überreiche. Niemand ermittelt wegen des Verschwindens eines Soldaten.«

»Sei bedankt für deine Hilfe, Herrin Ti.«

*Jahr 20 der Herrschaft Ramses' II. –*
*Königspalast in Pi-Ramses*

Amu war zornig. Er blickte seinen Bruder herausfordernd an.

»Ich habe dir vertraut, Merenptah. Doch es ist über ein Jahr vergangen, und noch immer erfreut sich Bint-Anat allerbester Gesundheit, während meine Mutter Nefertari von Tag zu Tag hinfälliger wird. Wie lange willst du noch warten?«

Merenptah hob beschwichtigend die Hände. »Der Zeitpunkt muss sorgfältig ausgewählt werden, ein Scheitern kostet uns alle den Kopf.«

Amu ließ sich unbeeindruckt in seinen Sessel gleiten. »Beeile dich nur, Bruder, denn bald wird sich hier in Pi-Ramses keine Gelegenheit mehr bieten. Dann wird Bint-Anat die königlichen Frauen in den Harem Faijum begleiten, wo sie die gesamte Sommerzeit verbringen werden.«

Merenptah seufzte. »Es ist ja wohl kaum zu erwarten, dass die Königin auf dem Weg dorthin aus ihrer Sänfte fällt.«

Amu schnaufte verächtlich. »Wieso aus ihrer Sänfte fallen! Meine maskuline Schwester bevorzugt es, die meiste Zeit neben Amunnemipet auf dem Streitwagen zu stehen. Wie sehr ich sie doch verachte.«

Merenptah horchte auf. Unbewusst hatte sein Bruder ihm die lang ersehnte Gelegenheit geliefert. Doch er würde ihn nicht einweihen, noch nicht. Wenn alles reibungslos geklappt hatte, war es dafür noch früh genug. Ohne sich etwas anmerken zu lassen, verabschiedete er sich. Es war Zeit, Kontakt mit der Herrin Ti aufzunehmen.

Tani stand bettelnd vor ihrer Mutter. »Oh, warum sollen wir heute nicht auf dem Streitwagen mitfahren? Das haben wir doch die ganze Zeit gemacht. Ich kann Sänften nicht ausstehen.«

Innerlich lächelte Bint-Anat. Sie mochte Sänften auch nicht, doch musste sie erfrischt und sauber im Faijum ankommen. Tani ließ nicht locker. »Erlaube doch wenigstens mir, mit Amunnemipet mitzufahren. Er ist ein sicherer Fahrer. Mir wird schon nichts passieren.«

Bint-Anat sah Amunnemipet gequält an. Als sie dann aus seinem Blick Zustimmung las, gab sie schließlich dem Drängen ihrer Tochter nach.

»Also gut, aber du musst mir versprechen, dich festzuhalten, damit du nicht hinausfällst.«

Tani umarmte ihre Mutter glücklich und sprang zu Amunnemipet auf den Wagen. Bint-Anat wies die Diener an, die Vorhänge ihrer Sänfte herunterzulassen. Heute würde sie sich den Luxus gönnen und noch etwas schlafen.

Ein Schrei, das aufgeregte Wiehern zweier Pferde und das Geräusch von berstendem Holz rissen Bint-Anat jäh aus ihren Träumen. Schlaftrunken hob sie einen Vorhang ihrer Sänfte, konnte jedoch nichts erkennen als wildes Durcheinander. Sie zupfte einen der Sänftenträger am Arm. »Was ist passiert, warum herrscht eine solche Aufregung?«

»Majestät, ein schrecklicher Unfall!! Die Prinzessin Bint-Anat II. und der Sandalenträger Amunnemipet ließen ihr Gespann gerade den Hügel hinuntertraben, als die Achse brach …«

Weiter kam er nicht. Bint-Anat sprang sofort aus ihrer Sänfte und rannte ohne Sandalen zu dem Ort, wo sich alle versammelten. Ihr bot sich ein Bild des Schreckens. Amunnemipet hatte eine große Platzwunde am Kopf, schien jedoch sonst unverletzt, aber ihre Tochter lag mit dem Gesicht im Sand und rührte sich nicht. Noch ehe einer der Ärzte herbeieilen konnte, war Bint-Anat schon an ihrer Seite. »Taniiii!« Ihr Schrei durchfuhr die Stille des Entsetzens.

*Der Harem Faijum*

Bint-Anat saß am Bett ihrer Tochter. Diese hatte zwar endlich das Bewusstsein wiedererlangt, fieberte jedoch schon seit zwei Tagen. Die Ärzte schätzten ihren Zustand als kritisch ein, und wenn Bint-Anat auch selbst nicht an die Gebete der Priester glaubte, so sandte sie ihnen jetzt doch ihre eigenen hinterher. Tani hatte einen gebrochenen Arm, der jedoch schnell geschient und nicht die schlimmste Verletzung war. Aber dieses schreckliche Fieber nagte an ihr, und sie kämpfte verzweifelt gegen Osiris' Atem, der sie zu streifen schien.

Nefertari und Tuja machten sich ihrerseits große Sorgen um die Prinzessin, und Amunnemipet hatte weinend vor Bint-Anat gekniet und um Entlassung aus seinem Amt gebeten. Doch Bint-Anat war klug genug, um zu erkennen, dass es nicht sein Fehler gewesen war, ja, mehr noch, dass Tani vielleicht, wäre sie bei jemand anderem auf dem Streitwagen mitgefahren, überhaupt keine Chance gehabt hätte. So hatte sie Amunnemipet gebeten, sich zu erheben, und ihn für die getreue Ausübung seines Amtes gelobt. Jetzt galt es nur noch zu warten.

*Königspalast in Pi-Ramses*

*»Gegrüßt seist Du, mächtiger Stier, geliebt von Maat, Beschützer Ägyptens, der die fremden Länder unterwirft, Goldhorus, reich an Jahren, groß an Siegen, den die Götter lieben, von Deiner Gemahlin, der großen Königin Bint-Anat.*

*Mein Herz ist schwer, da ich heute diese Zeilen an Dich senden muss.*
*Wisse, mein Gemahl, dass die Prinzessin Bint-Anat II. Verletzungen erlitt, als sie vom Streitwagen stürzte. Die Tochter Ägyptens kämpft gegen Osiris' Atem an, der sie zu streifen scheint. Jeden Tag beten die Priester für sie, und jeden Tag verweile ich an ihrem Lager. Wenn die Götter es wollen, wird sie genesen, doch wenn die Prinzessin die Barke besteigen sollte, dann siehe, dass es der Wille der Götter war und niemand die Schuld an ihrem Schicksal trägt.*
*Jeden Tag bete ich zu den Göttern, dass mein nächstes Sendschreiben an Dich, großer König, Dein Herz wieder erfreuen kann.*
*Dies schrieb im Jahr 20 der Herrschaft des großen Ramses Usermaatre Setepemul die große königliche Gemahlin Bint-Anat, Königstochter, Gemahlin des Königs, große königliche Gemahlin, Herrin der beiden Länder, Herrscherin über Ober- und Unterägypten.«*

Ramses ließ die Schriftrolle zusammenfahren. Ein großer Schmerz überkam ihn. Bint-Anat hatte ein höchst offizielles Sendschreiben an ihn verfasst, was mit Sicherheit aussagte, dass die Lage ernst war. Ihr war nicht daran gelegen gewesen, Tanis Zustand geheim zu halten, denn wenn sie starb, was anscheinend nicht abwegig war, wollte sie pflichtgemäß die Königin, den Pharao, die Priester und das Volk unterrichten. Ramses blickte seinen Thronfolger an. Amu legte besorgt die Hand auf die Schulter seines Vaters.

»Was ist passiert, Vater? Schlimme Nachrichten?«

Ramses gab Amu die Schriftrolle zu lesen. Dieser wurde blass und ließ seinerseits Bint-Anats Sendschreiben sinken. »Die Prinzessin wird nicht sterben, Vater. Die Götter beschützen ihr königliches Blut.«

Ramses nickte abwesend.

Merenptah ließ die Beschimpfungen seines Bruders unwillig über sich ergehen. Langsam machte ihm dieser Schwierigkeiten.

»Das war dein Werk, nicht wahr, Merenptah? Ist es nicht meinem Munde entrutscht, dass Bint-Anat es bevorzugt, auf dem Streitwagen zu stehen statt in der Sänfte zu verweilen?«

Amu war außer sich vor Zorn. Merenptah schob sich eine Dattel zwischen die fettglänzenden Lippen.

»Beruhige dich, Bruder. Niemand konnte wissen, dass Bint-Anat an diesem Tage nicht auf dem Streitwagen stehen würde.«

Amu schrie seinen Bruder nun regelrecht an. »Aber du hättest wissen müssen, dass Tani, auch wenn Bint-Anat auf dem Streitwagen steht, an ihrer Seite sein würde.«

Merenptah zog entschuldigend die Schultern hoch. »Das hast du nicht erwähnt.«

»Du hast mich auch nicht gefragt. Warum eigentlich nicht, Bruder? Warum hast du mich nicht von deinem Plan unterrichtet?«

Merenptah merkte, wie ihm sein Bruder immer lästiger wurde. »Weil du, mein lieber Bruder, viel zu jähzornig bist und außerdem meinen Plan eben aus dem Grund vereitelt hättest, dass Tani an Bint-Anats Seite ist.«

Amu verengte die Augen zu Schlitzen. »Aber ging es nicht eigentlich darum, Tani für mich zu gewinnen? Warum sollte ich ihr schaden wollen? Oder ging es vielleicht bei der ganzen Sache gar nicht um mich, lieber Bruder, sondern vielmehr um deine eigenen Belange?«

Merenptah horchte auf. Sein Bruder konnte ihm gefährlich werden. Beschwichtigend hob er die Hände. »Bruder, du machst es mir nicht leicht. Zuerst lagst du mir in den Ohren, dass die Ausführung meines Planes nicht schnell genug vorankommt. Dann missfiel dir die Art meines Handelns. Dabei dachte ich die ganze Zeit nur an dein Wohl. Natürlich, das wirst du wissen, Amu, hängt mein Wohl auch von dem deinen ab.« Amu nickte verbittert. Merenptah lächelte zuckersüß. »Mein nächster Plan wird Tani außen vor lassen.«

Amu hob herrisch die Hand, »Nein, Bruder!«

»Der nächste Plan wird von mir stammen, wenn es überhaupt noch einmal einen geben wird. Du wirst untätig bleiben, sonst sehe ich mich gezwungen, alle Schuld auf dich zu schieben. Vielleicht würde mir das sogar einige Pluspunkte bei meiner Schwester einbringen, und sie würde mir dankend ihre Tochter überlassen.«

Merenptah krampfte sich der Magen zusammen. Amu verabschiedete sich kühl und verließ Merenptahs Gemächer. Dieser sah ihm abschätzend hinterher.

»Sei dir nur nicht zu sicher, Bruder!«

*Jahr 21 der Herrschaft Ramses' II. –*
*Königspalast in Pi-Ramses*

Ein Jahr der dunklen Schatten lag hinter Bint-Anat, als sie ihren Fuß wieder in den Palast setzte. Ramses empfing sie und umarmte Tani, die es geschafft hatte, vollständig zu genesen. Immer noch sah sie ein wenig dünn aus, doch wirkte sie nicht krank. Ramses dankte den Göttern für den Erhalt seiner Familie.

Nachdem Ramses seine Gottesgemahlin Nefertari und seine verehrte Mutter Mut-Tuja besucht hatte, ließ er Bint-Anat in sein Arbeitszimmer rufen. Freudig reichte er ihr seine Hände.

»Bint-Anat, wie froh bin ich, dass wir das schreckliche Jahr hinter uns lassen können. Tani sieht aus wie eine gesunde junge Frau, und nach einer weiteren Periode der Ruhe wird es Zeit, dass sie heiratet. Doch vorher gibt es noch so viel, worum ich mich kümmern muss.« Ramses zog Bint-Anat an einen kleinen Tisch, an dem er Süßgebäck und Wein für sie beide hatte auftragen lassen. Schließlich fuhr er fort: »Dein Rat, den du mir bezüglich Chatti und einem Friedensvertrag damals gabst, hat sich als gut erwiesen. Ich habe viele Vertraute mit der Korrespondenz zwischen dem König und mir beauftragt. Der Vertrag steht. Ich erwarte in den nächsten Wochen Gesandte aus Chatti, die mir die fertige Tafel zum Unterzeichnen vorlegen.«

Bint-Anat ergriff Ramses' Hand. »Ich wusste, dass ihr euch einigen würdet.«

Ramses' Blick wurde nachdenklich. »Doch es gibt eine Klausel, die nach wie vor streitig ist.«

»Welche, mein Gemahl?«

»Hattusilis verlangt die Auslieferung des Landesverräters Uriteschup, doch ich habe mich durch die Gesetze des Gastrechts dazu verpflichtet, ihm so lange Asyl zu gewähren, wie er es wünscht. Dies sind die Gesetze Ägyptens, gegen die ein Pharao nicht verstoßen darf.«

Bint-Anat nickte. »Es fällt mir schwer zu glauben, dass Hattusilis den Abschluss des Vertrages an einer solchen Kleinigkeit scheitern lässt. Er ist ungemein klug. Er weiß, dass eine Verbrüderung unserer Länder auch für ihn Vorteile mit sich bringt. Unterzeichne also mit gutem Gewissen, mein Gemahl, wenn ihr in allen anderen Punkten übereinstimmt.«

Ramses legte seine Hand auf seine Faust und blickte in die strahlenden Augen seiner Tochtergemahlin. »Deine Scharfsinnigkeit erstaunt mich immer wieder aufs Neue, Tochter. Gibt es noch etwas, das wir tun sollten?«

Bint-Anat stand auf, und belustigt sah Ramses ihr zu, wie sie, genau wie er, um besser nachdenken zu können, mit verschränkten Armen auf und ab schritt.

»Ja, ich denke, dass neben der höflichen Korrespondenz zwischen dir und Hattusilis auch ein Briefwechsel zwischen den Königinnen stattfinden sollte.«

Ramses blickte Bint-Anat überrascht an. »Ja, dies könnte hilfreich für die Beziehungen unserer Länder sein. Du wirst also einen Briefwechsel beginnen.«

Bint-Anat wandte Ramses lächelnd ihr Gesicht zu. »Nicht ich, mein Gemahl! Natürlich werden die Worte von mir gewählt werden, doch offiziell wird sie deine Gottesgemahlin Nefertari unterzeichnen. Die große Königin Puducheba wird nur sie anerkennen, ihr Ruf eilt ihr überall voraus.«

Ramses nickte. »Noch nie habe ich eine Frau ihre eigene Eitelkeit überwinden sehen, damit sie dem Wohl Ägyptens dienen kann. Ich bewundere dich, Bint-Anat. Die Götter schenkten mir einen Edelstein erlesenster Güte mit dir.«

Bint-Anat ließ sich vor Ramses nieder, legte ihren Kopf in seinen Schoß, und er begann zärtlich ihr Haar zu streicheln.

»Ägypten und du, großer König, seid mein Lebensinhalt. Wenn Ägypten mich nicht mehr braucht und mein Gemahl sich von mir abwendet, dann ist es auch für mich Zeit zu gehen.« Bint-Anat schloss die Augen und genoss die Nähe zu Ramses.

Nefertari unterschrieb mit schwacher Hand. Sie blickte Bint-Anat entschuldigend an.

»Besser wird es wohl nicht gehen.«

Bint-Anat nahm Nefertaris Hand und half ihr, diese über den Papyrus gleiten zu lassen, damit ihre Namenskartusche Festigkeit bekam. Sie lächelte Nefertari sanft an. »So ist es besser.«

»Vielleicht werde ich den glücklichen Abschluss des Vertrages noch miterleben dürfen, aber viel Zeit bleibt mir nicht mehr. Die Götter rufen schon meinen Namen.«

Bint-Anat legte Nefertari sanft die Hand auf die kühle Stirn. Sie wusste, dass es ihr nicht half, sie zu beschwichtigen und ihr Lügen von ihrer wundersamen Genesung zu erzählen. Deshalb sprach sie ruhig und bestimmt.

»Die Götter werden dich verjüngen, und du wirst wieder die strahlende Königin sein, die du einst warst. Alle Leiden werden vergessen sein, und du brauchst nur noch auf Ramses zu warten, bis die Götter ihn dereinst ebenfalls zu sich rufen werden.«

Nefertari lief eine Träne über das aschfahle, von jahrelangem Leiden gezeichnete Gesicht. »Warum fällt es mir nur so schwer zu gehen?«

»Niemandem fällt es leicht, Nefertari. Auch ich werde dereinst an dem letzten Rest Leben festhalten, das meinen Körper erfüllt. Dies ist die Prüfung der Götter, das böse Vermächtnis des Seth. Dass wir leiden müssen, bevor wir uns erfreuen können, dass wir Schwere ertragen, bevor wir Leichtigkeit erfahren, dass wir leben, bevor wir sterben. Das Unbarmherzige daran ist, dass wir nicht verstehen können, dass unser eigentliches Dasein erst mit unserem Tode beginnt. Wir wissen es, die Priester lehren es uns seit Jahrhunderten, doch können wir den wahren Glauben nicht zulassen.« Bint-Anat blickte Nefertari sanft an, die an ihren Lippen hing. »Das ist Maat, Nefertari! Gut kann nur durch

Böse existieren, Licht nur durch Schatten, Einheit nur durch Gegensätze. Das ist Maat!«

Nefertari drückte Bint-Anats Hand. »Wirst du mir Kraft geben, wenn es so weit ist?«

»Alle Kraft, die ich in der Lage bin zu geben, werde ich auf dich übertragen.«

»Ich danke dir, meine Schwester.«

Mit einem Lächeln auf den Lippen schloss Nefertari die Augen, um etwas beruhigter einzuschlafen.

Die folgenden Monate wurden eine atemlose Zeit für den Hof. Die Boten trafen ein, und die Verträge wurden gelesen, überprüft und kopiert. Die letzten Verhandlungen wurden mit Chattis Abgesandten geführt, und Feste wurden zu Ehren der Gäste gegeben. Fast ein halbes Jahr nahmen die Abschlussverhandlungen in Anspruch, bis die Gäste aus Chatti Ägypten verließen und Hattusilis den unterzeichneten Vertrag zurückbrachten.

# Mut-Tuja und Nefertari

*Kälte breitet sich aus, wenn Deine Strahlen mich nicht wärmen. Ra – Du gewährst die Gunst der Stunde, Du bestimmst den Zeitpunkt des Vergessens. Gierig trinke ich Dein Licht, ohne das ich nicht bin, nicht werde, nicht war. Ist die Quelle versiegt, bleibt nur Staub.*

# Kapitel 7

*Jahr 23 der Herrschaft Ramses' II. –*
*Königspalast in Pi-Ramses*

Das erste Mal seit Monaten gönnte Ramses sich wieder ein wenig freie Zeit. Die Gesandten waren vor etwa zehn Monaten abgereist, doch noch immer hatte es keine Ruhe im Palast gegeben. Ramses hatte das Land bereisen, den Göttern in ihren verschiedenen Heiligtümern opfern und neue Tempel errichten müssen. Auch hatte er dabei auf die Begleitung seiner Königin Bint-Anat verzichten müssen, denn diese hatte er in Pi-Ramses zurückgelassen, damit sie von dort aus über Ägypten herrschte. Seinen Kronprinz hatte er ihr zur Seite gestellt, doch wusste er, dass die beiden einander nicht mochten und nur das Wohl Ägyptens sie dazu veranlasste, Frieden zu halten. Seine Mutter hatte nach der Abreise der Gesandten einen Schwächeanfall erlitten und sich den Göttern sei Dank wieder erholt, doch wollte er ihr die Last des Regierens nicht aufbürden. Nefertari siechte dahin, und so blieb ihm nur Bint-Anat als zuverlässige Stütze, der er noch mehr vertraute als seinem Sohn Amu.

Jetzt war er wieder nach Pi-Ramses zurückgekehrt. Bint-Anat betrat Ramses' Privatgemächer und ließ sich neben ihm nieder. Liebevoll strich er ihr durchs Haar.

»Du hast nicht vergessen, was ich dir vor so unendlich lang erscheinender Zeit einmal über deine Haare sagte, dass ich sie offen am liebsten sehe, und dass deine natürliche Schönheit auf übermäßige Schminke und protzigen Schmuck verzichten kann. Wie alt bist du jetzt, Tochter? Zweiunddreißig Sommer? Die Zeit vermag dir nicht das Geringste anzuhaben.«

Ramses war die Lust am Essen vergangen. Ihn verlangte es nach einer anderen Muse.

Manchmal dachte er über sein unstillbares Verlangen zu ihr nach. War es Narzissmus, der ihn zu ihr hinzog? Der Drang, sein eigenes Fleisch, sein eigenes Geschöpf zu lieben? Und wie war es bei ihr? Ebenfalls eine Art der Eigenliebe, die sie nach ihm verlangen ließ? Was wäre, wenn einer von ihnen irgendwann einmal alleine zurückblieb? Mit eben diesen Gedanken im Kopf, die seine Lust noch mehr anstachelten, schob er das feine Leinenkleid seiner Tochter über ihre Hüften und spreizte ihr die Schenkel. Sie ließ sich willig unter ihn gleiten, und er öffnete hastig seinen Schurz. Als er endlich in sie eindrang, durchfuhr ihn der Gedanke, wie gerne er noch mal seinen Samen in sie gepflanzt hätte, damit das Wunder der Gotteszeugung und Gottesgeburt noch einmal mit ihr vollzogen wurde. Welch edles Blut war aus ihrer Vereinigung hervorgegangen. Doch, so wusste er, gewährten die Götter nicht unbegrenzt Nachkommen von solcher Reinheit, wie Tani und Bint-Anat es waren. Sie hatten ihm mit Bint-Anats Unfruchtbarkeit Einhalt geboten. Doch was machte es schon, wenn er sie nur weiter in seinem Bett behalten durfte – diese köstliche Frucht seines Leibes.

Ramses und Bint-Anat waren nach mehreren heftigen Liebesspielen eingeschlafen. Sie hatten das Essen nicht angerührt, zu stark war das Verlangen zwischen ihnen gewesen. Die Polster waren zu ihrem Ruhebett geworden, und Bint-Anat hatte sich an ihren mächtigen Gemahl geschmiegt, um befriedigt einzuschlafen.

Jetzt holte sie ein lautes Klopfen an der Tür aus ihrem Schlaf. Bevor sie wütend aufbrausen konnte, erkannte sie Amunnemipets Stimme, und ihr war klar, dass dieser sie nur stören würde, wenn es wirklich wichtig war. Sie blickte zu Ramses. Er schlief immer noch ungestört. So beschloss sie, selbst zur Tür zu gehen und nachzusehen, bevor sie ihn weckte. Vielleicht konnte sie die Angelegenheit ja auch alleine regeln. Schlaftrunken öffnete sie die Tür einen Spalt. Amunnemipet stand kreidebleich vor ihr.

»Amunnemipet, was ist denn geschehen? Du siehst ganz durcheinander aus. Ist es wirklich nötig, den König zu wecken? Kann die Sache nicht von mir aus der Welt geschafft werden?«

Amunnemipet schluckte den riesigen Kloß in seinem Hals hinunter.

»Ich bedauere, Majestät, Ihr müsst den König wecken. Die große Gottesgemahlin und Königsmutter Mut-Tuja liegt im Sterben. Sie wird die Nacht mit aller Wahrscheinlichkeit nicht überstehen.«

Bint-Anat entfuhr ein ersticktes Schluchzen. »Warte hier, Amunnemipet. Ich wecke sofort den König.«

Tränen verschleierten schon Bint-Anats Augen, als sie die Schulter ihres Gemahls unsanft zu rütteln begann. Sie selbst hatte gar nicht gewusst, wie sehr sie Tuja in ihr Herz geschlossen hatte. Aus der einstigen Verachtung und dem gegenseitigen Misstrauen war zuerst großer Respekt erwachsen und schließlich eine tiefe Zuneigung. Tuja hatte ihr in den ersten schweren Jahren, als sie die Krone von Ramses empfangen hatte, sehr geholfen. Ramses brummte etwas Unverständliches, bevor er sich aufsetzte. Es blieb ihm keine Zeit mehr, sich bei seiner Gemahlin über die nächtliche Störung zu beschweren, er bemerkte die verzweifelten Tränen in ihren Augen. Spontan schloss er sie in die Arme.

»Was ist denn, Bint-Anat? Ist Tani urplötzlich krank geworden? So sprich doch.«

»Tuja liegt im Sterben. Amunnemipet wartet vor der Tür, um dich sofort zu ihr zu geleiten. Sie wird diese Nacht nicht überleben.«

Ramses' Finger lösten sich von den Schultern seiner Tochter, er war keiner Berührung mehr fähig. Er hielt sich die Hände vor das schmerzverzerrte Gesicht. Schließlich richtete er sich auf und warf sich einen Umhang über. Hastig rannte er aus seinem Gemach, um Amunnemipet zu den Gemächern seiner hochverehrten Mutter zu folgen. »Warte hier!« Ramses' Worte waren ein einziger verzweifelter Aufschrei gewesen. Als Bint-Anat allein war, ließ sie endlich ihren Tränen freien Lauf.

Mut-Tuja lag röchelnd auf ihrer Lagerstatt. Der Hauch des Todes umwehte sie, und ihr Blick hatte schon einen entrückten Ausdruck. Ramses ließ die Priester sich in die hintersten Ecken des Gemachs zurückziehen und ergriff die kalte Hand seiner Mutter. Sein Gesicht zeigte großen Schmerz. »Meine Mutter, der Amun seinen Samen einpflanzte und sie so über alle Frauen erhob, du darfst mich nicht verlassen.«

Tujas Augen blickten noch einmal zurück in die Welt der Lebenden. »Ramses, mein von den Göttern geliebter, schöner Sohn! Wie stolz durfte ich auf dich sein. Welche Wunder, erschaffen durch deine Hand, durfte ich erblicken. Jetzt werde ich meinen Platz unter unseren Ahnen einnehmen, und alle Schwere wird mich verlassen. Ich werde wieder jung, kraftvoll und an der Seite meines Gemahls sein. Es gibt keinen Grund mehr zu bleiben. Die Götter schenkten dir eine Königin, deren Kraft mich ersetzen wird. Lass mich gehen, mein Sohn. Das Leben ist mir zu schwer geworden.«

Mit einem letzten Aufflackern brachen die Augen der Königsmutter. Ramses hielt ihre Hand bis in den Morgen.

Ramses stolperte benommen zurück zu seinen Gemächern. Übermüdung und seine starken Kopfschmerzen nahm er nur ganz am Rande wahr. Er ging in sein Badehaus und stürzte sich kopfüber in das parfümierte Wasser, auf dem frische Lilien schwammen. Erst als seine Lungen schmerzten und er spürte, dass er Atem holen musste, tauchte er wieder auf. Ein Blick zum Eingang des Badehauses ließ ihn innehalten. Er hatte ihr gesagt, dass sie hier auf ihn warten solle, aber – warum? Sein Schmerz war unermesslich, selbst sie konnte ihn nicht von ihm nehmen. Ohne dass er darüber nachdachte, stieg er aus dem Becken und ging auf sie zu. Sie war ebenso müde wie er, hatte wahrscheinlich ebenfalls nicht mehr geschlafen seit dieser schrecklichen Nachricht. Unversehens hob er sie hoch und trug sie zu seiner Lagerstatt. Er wusste nicht, warum, er musste sie jetzt lieben. Grob riss er ihr das zarte Leinen vom Körper und drängte sich zwischen ihre Schenkel. Sie wehrte sich nicht. Schmerzen, Schmerzen! hämmerte es in seinem Kopf. Er wartete nicht länger, drängte sich in sie und nahm sie, ohne ihr ein einziges Mal ins Gesicht zu sehen. Es dauerte nicht lange, bis er einen qualvollen Orgasmus hatte. Schmerzen, Schmerzen! hämmerte es immer noch in seinem Kopf, bis er sich endlich wieder besann und in das tränenüberströmte Gesicht seiner Geliebten blickte. Jetzt brach auch er zusammen und weinte hemmungslos, bis ihre Tränen sich vermischten und dem Totengott Osiris einen See schenkten.

Ramses hatte sich nach seinem Zusammenbruch ganz von Bint-Anat zurückgezogen. Eines Tages – es waren Wochen vergangen – hatte er unangemeldet in Bint-Anats Privaträumen gestanden und ihr wortlos einen wunderschönen Wesech, besetzt mit den schönsten Türkisen, um den Hals gelegt. Es war seine Art, sich zu entschuldigen. Doch Bint-Anat hatte diesmal überhaupt keine Entschuldigung erwartet. Wie ein Tier hatte sie darunter gelitten, seiner Nähe beraubt zu sein. Wie ein Hund hatte sie gelitten, den die Hand seines Gebieters zu selten streichelt. Deshalb sprach sie auch nicht, sondern ließ sich erleichtert in seine Arme sinken. Wärme umschloss sie, wohltuende Wärme, wie Re sie spendete. Und mochte sie auch trügerisch sein, Bint-Anat genoss sie, als gäbe es kein morgen.

Amu hatte den Kontakt zu Merenptah weitestgehend abgebrochen. Er hatte sich als Versager erwiesen. Doch war es ihm bisher nicht vergönnt gewesen, für sich selbst zu handeln. Tani war nun schon achtzehn Jahre alt und noch nicht verheiratet. Er selbst stand in seinem zweiunddreißigsten Lebensjahr, und noch immer erfreute er sich einer unverschämten Attraktivität. Doch Tani schien sich für überhaupt keinen Mann zu interessieren. In gewisser Weise war das auch gut so, denn Amu hatte sich einfach nicht getraut, Ramses um sie zu fragen. Zuerst waren da die Verhandlungen mit Chatti gewesen, dann der Tod von Tuja. Jetzt lag auch seine Mutter Nefertari offenbar in den letzten Zügen, und es schien nicht der richtige Zeitpunkt, Ramses um Tani zu bitten. Aber danach, das schwor er sich, würde er fragen. Und wenn Ramses ablehnte, gab es ja immer noch die Möglichkeit,

Merenptah des Komplottes bei Bint-Anat zu beschuldigen und sich so vielleicht bei ihr einzuschmeicheln.

Das Land Kemet erblühte, und großer Reichtum herrschte. Niemand musste Hunger leiden, nicht einmal die Ärmsten der Armen. Es war eine ruhige Zeit, auch für Ramses und Bint-Anat, die erstmalig etwas Muße hatten. Doch für Ramses gab es trotz allem noch Schatten in der sonnenüberfluteten Idylle. Er konnte Nefertaris langsames Sterben sehen, fühlen – ja, sogar riechen. Osiris streckte einmal mehr seinen Arm nach seiner Familie aus, und diesmal nach seiner Gottesgemahlin Nefertari, die er abgöttisch liebte. Da Ramses um die letzten Tage seiner Gemahlin wusste, verbrachte er die meiste Zeit mit ihr. Ihm war nicht daran gelegen, sich um andere unwichtige Angelegenheiten zu kümmern. Die überließ er Bint-Anat. Er war zu ihr gegangen und hatte ihr mitgeteilt, dass er sich so weit wie möglich aus den Staatsgeschäften zurückzog, so lange, bis er seine Gottesgemahlin sicher zu ihrer Barke geführt und sie alle irdischen Schmerzen überwunden hatte. Einmal mehr griff Bint-Anat voller Stärke nach dem Zepter und hielt die Maat, während ihr Gemahl um seine große Liebe trauerte, bevor diese ihn wirklich verließ.

*Jahr 26 der Herrschaft Ramses' II. –*
*Königspalast in Pi-Ramses*

Bint-Anat lehnte sich hinter ihrem Schreibtisch zurück. Lustlosigkeit hatte sie überkommen. Die tägliche Arbeit war eintönig ohne ihren Gemahl. Seit Tujas Tod lag Ägypten nun schon in ihrer Hand. Sie wollte gerade aufstehen und ein wenig im Garten spazieren gehen, als sich ihr ein fast schon ungewohnter Anblick bot. Ramses! Ihr königlicher Gemahl sah abgezehrt aus. Langsam begannen Alter und Gram an ihm zu nagen.

»Nefertari stirbt. Sie bat mich, nach dir zu schicken. Nachdem ich dich fast drei Jahre die Bürde allein tragen ließ, ist es nur gerecht, wenn ich nun selbst komme und dir sage, dass das alles bald ein Ende haben wird.«

Bint-Anat sprang auf und ging auf Ramses zu. »Ich trug die Bürde gerne für dich, mein Gemahl, und wenn es nötig ist, trage ich sie noch eine Weile ohne dich.«

Ramses sah Bint-Anat lächelnd an. »Das wird nicht nötig sein, Tochter. Geh nun, und löse das Versprechen ein, von dem Nefertari mir berichtete.«

Das Zimmer war dunkel. Bint-Anat erschrak über den Geruch des Todes, der hier überall herrschte. Sie setzte sich neben Nefertari auf deren Ruhebett. Das Gesicht der Gottesgemahlin war ausgezehrt, nur noch ein Abglanz ihrer früheren Schönheit, der einst alabasterfarbene Teint wirkte grau, das einstmals transparente, doch gleichzeitig äußerst plastische Grün ihrer Augen war nun matt und sumpfig. Ihr Haar, von Ramses geliebt und als wunderschönes Vlies besungen, war von silbernen Strähnen durchzogen, der restliche schwarze Teil wirkte stumpf und tot. Bint-Anat ließ sich ihr Entsetzen nicht anmerken, sondern griff nach Nefertaris Hand. Diese wandte den Kopf, doch fiel ihr Blick ins Leere.

»Bint-Anat, endlich!«, flüsterte sie. »Entschuldige, dass ich dich nicht ansehe, denn ich bin blind. Ein Zeichen meines nahenden Todes.«

Bint-Anat bemühte sich, ihren Atem regelmäßig gehen zu lassen. »Ich bin gekommen, wie ich es dir versprach, doch willst du nicht Ramses in der dir verbleibenden Zeit an deiner Seite haben?«

Nefertari schüttelte müde den Kopf. »Nein! Er hat mir schon viel zu viel Zeit geschenkt, in der ich ihn meinem erbarmungswürdigen Anblick aussetzte. Er darf nicht sehen, wie meine Augen brechen, Bint-Anat. Er würde es nicht ertragen.« Sie drückte Bint-Anats Hand mit aller Festigkeit, die ihr schwacher Körper noch zuließ. »Aber ich habe Angst, in der Stunde meines Todes alleine zu sein. Du bist stark, Bint-Anat. Bitte bleibe du bis zum Ende.«

Bint-Anat biss sich so kräftig auf die Lippe, dass sie Blut schmeckte. Wieder diese verfluchte Stärke. Sie hatte sich niemals mehr als jetzt gewünscht, schwach zu sein. Dennoch sagte sie: »Ich bleibe, Nefertari, ich habe es versprochen.«

Etwas entspannter lockerte Nefertari den Griff ihrer Hand. »Ich kann dich nicht mehr sehen, also erzähle mir bitte etwas, damit ich spüre, dass du da bist.«

Bint-Anat stiegen unwillkürlich Tränen in die Augen. »Was soll ich dir erzählen, Schwester, was willst du hören?«

Nefertari lächelte. »Erzähle mir von den Gefilden des Westens, wie glücklich ich dort sein werde, wie ich dort leben werde.«

Bint-Anat bemühte sich um eine sanfte, jedoch feste Stimme. Nefertari sollte von Bint-Anats Ausführungen überzeugt sein. Stockend begann sie, doch dann wurde ihre Stimme immer fließender. »Im Land des Westens blühen prächtige Blumen, es herrscht eine angenehme Wärme, und die Luft ist erfüllt von den betörendsten Düften. Zimt, Myhrre, Blüten und der Duft des Olibanums sind nur wenige davon. Alle sind glücklich vereint, vergessen sind die Schmerzen des Lebens, denn nun weiß ein jeder, dass das eigentliche Dasein – das beglückende Leben – erst jetzt beginnt. Osiris, Sethos und Tuja werden dich dort erwarten, und es wird ein Fest der Wiedersehensfreude geben. Du wirst lachen über die Ängste und die Schmerzen, die du in deinem irdischen Dasein ausgestanden hast, denn du wirst wissen, dass es unvollkommen und nur ein böser Traum war. Mit freudiger Erwartung wirst du mit unseren Ahnen dem Moment entgegensehen, in dem wir alle wieder vereint sein werden zu einer großen Familie. Und dann, Nefertari, ja, dann werden wir endlich richtig leben.«

Bint-Anat hatte bei ihren Ausführungen die Wand angestarrt, hatte das Land des Westens vor ihrem inneren Auge deutlich gesehen, und eine seltsame Ruhe hatte sie überkommen. Doch dann zog sie etwas jäh in die Wirklichkeit zurück. Nefertaris Hand bot keinerlei Widerstand mehr. Ein kurzer Blick in die Augen der Gottesgemahlin ließ sie erkennen, dass diese durch sie hindurchstarrten, mitten hinein in die Gefilde des Westens. Ein entspanntes Lächeln lag auf ihrem Gesicht. Also hatte auch sie gesehen, was ihre Schwester sah. Bint-Anat hatte es mit all ihrer Stärke heraufbeschworen und Nefertari so den Übergang erleichtert. Die Gottesgemahlin war tot.

Mit einem Entsetzensschrei warf sich Bint-Anat vor das Ruhebett der Toten und rief immer wieder ihren Namen. Mit einer tief wurzelnden Verzweiflung riss sie sich Haarbüschel aus und schlug ihre Stirn auf den Fliesen des Gemachs blutig. Für einen Moment fühlte sie den erlösenden Wahnsinn in sich aufsteigen, doch etwas in ihr gebot ihr Einhalt. Sie durfte ihrem Körper die Seele nicht entziehen, für sie gab es keine Flucht in den Wahnsinn. Mit einem letzten Wutschrei ergriff ihr Verstand wieder von ihr Besitz. Als die Priester herbeigeeilt kamen, hatte Bint-Anat sich schon gefasst und wischte sich mit einem Tuch das Blut vom Kopf.

Sie stand auf und sprach ruhig zu den Priestern: »Die Gottesgemahlin ist gestorben, um zu leben. Bringt sie in das Haus des Todes, damit sie in siebzig Tagen wieder leben kann. Man fülle ihr Haus im Tal der Königinnen mit allem, was sie für ihr ewiges Dasein benötigt. Dies soll dem Volk verkündet werden.«

Abermals schloss Ramses ein Haus im Sat-Neferu. Wieder verschloss ein Siegel eines der vielen Häuser. Bint-Anat sah ohne es zu wollen Richtung Norden, wo sich der Eingang ihres eigenen Hauses für die Ewigkeit abzeichnete. Würde Ramses auch ihr Grab schließen oder, noch viel schlimmer, würde sie bei der Schließung seines Grabes im Tal der Könige anwesend sein müssen? Schwindel überkam sie. Ihr Blick fiel auf Merit-Amun und Chaemwese, die in ihrer Eigenschaft als Priester die Grablegung vollzogen hatten. Schon bei Tujas Grablegung war ihr Chaemweses schmerzhafter Blick aufgefallen, wie er Tani gemustert hatte, nach einem Zeichen suchend, das sie als seine Tochter identifizierte. Doch Chaemwese und Ramses ähnelten sich zu sehr, als dass man es hätte herausfinden können. Tani ihrerseits mochte Chaemwese sehr. Sie sah in ihm den großen Bruder oder vielleicht sogar den Onkel. Sie wusste nicht, wie sehr sie Chaemwese mit ihrer Anwesenheit quälte.

Bint-Anat ließ sich von Chaemweses einfühlsamen Worten, die den Abschluss der Totenzeremonie bildeten, hinforttragen. »Osiris ist gestern, Re ist morgen.«

Insgeheim sandte sie ein paar stumme Worte an Nefertari. »Siehst du, Nefertari? Ich habe es dir doch gesagt. Wenn die Sonne morgen aufgeht, ist der Tod vergessen. Re wird dir neues Leben schenken.«

Merenptah schob sich ein Stück gebratene Ente in den Mund, die er vorher in eine Knoblauchtunke getaucht hatte. Ramses hatte Nefertaris Tod überraschend schnell verkraftet. Bald würde Amu sich vorwagen und ihn um Tani bitten. Ein kleines Ablenkungsmanöver würde Merenptah noch eine gewisse Atempause zum Überlegen gönnen. Er hatte mit der Herrin Ti schon alles haargenau geplant. Ramses und Bint-Anat würden gar nicht erfreut sein.

Bint-Anat und Ramses traten seit langem wieder den Weg zum Audienzsaal aus seinen Privatgemächern an. Amu hatte dringend nach seinem Vater schicken lassen, und Ramses hatte für das Treffen seinen privaten Audienzsaal gewählt.

Amu legte seinem Vater bekümmert eine Papyrusrolle in die Hände. Ramses entrollte sie und hielt stirnrunzelnd inne, bevor er sie nach genauem Betrachten an seine Tochter weitergab. Bint-Anat staunte über die Kunstfertigkeit der Karikatur, die sich ihr darbot, ohne jedoch darüber zu lachen, denn sie erkannte sofort die Bedrohung des Motives, die nicht von einem ungebildeten Tölpel hatte erdacht werden können. Sie sah einen Löwen im Käfig, der sich immer um die eigene Achse drehte, um seinen Schwanz zu fangen. Zur besseren Deutung trug der Löwe die Königinnenkrone. Über dem Käfig war Re, der den Löwen mit seinen Strahlen langsam zu verbrennen drohte. Es fiel Bint-Anat nicht schwer, das Bild zu deuten. Der Löwe mit der Krone war ihre Mutter Isisnofret, einst als Löwengöttin Sachmet bezeichnet, die sich in ihrem Wahnsinn im Käfig, der für ihr Exil im Harem Faijum stand, voller Verzweiflung um die eigene Achse drehte. Ramses strahlte als Sonne Re über ihr, beharrlich darauf wartend, dass seine Strahlen sie vernichten würden.

Amu schnaufte verächtlich. »Wir alle wissen, was hier angedeutet ist! Das Volk denkt immer noch, dass Isisnofret sich freiwillig in den Harem zurückgezogen hat. Sie wissen nichts von ihrem Wahnsinn. Wenn die einfachen Menschen nun erfahren, dass sie angelogen wurden, beginnen sie, an deiner Göttlichkeit zu zweifeln. Ja, mehr noch! Das Volk glaubt, dass die Wahnsinnigen von den Göttern geliebt und bevorzugt werden. Empörung würde sich ausbreiten und deine Göttlichkeit in Frage gestellt werden.«

Ramses seufzte nach Amus Ausführungen. »Was soll ich also tun? Eine wahnsinnige Beinahemörderin in den Palast zurückholen? Sie müsste ständig bewacht werden.«

Amu zuckte mit den Schultern. »Wenn du sie jetzt, nach so vielen Jahren, ihrer Königsinsignien beraubst und dem Volk die wahre Geschichte preisgibst, wird es zweifeln. Es wird fragen, warum du so lange geschwiegen hast.« Ramses seufzte wieder. Amu legte ihm den Arm um die Schulter. »Ein paar Jahre nur, ein paar öffentliche Auftritte, und das Ganze wird wieder vergessen sein. Die Gemüter der Leute werden sich beruhigen. Aber zur Zeit ist dieses nur eines von vielen Bildern, das in der Stadt die Runde macht.«

Ramses nickte zustimmend. »Also gut, holen wir die Königin für eine Weile zurück an den Hof.«

Jetzt mischte Bint-Anat sich ein. »Vor allem scheint ihr beide jedoch ein wichtiges Faktum zu übersehen.«

Ramses und Amu wandten sich ihr zu. Amu fragte in seiner herablassenden Art: »Und das wäre?«

Bint-Anat lächelte ihren Bruder eisig an. »Nun, hoch geschätzter Bruder, die Frage, wer diese Bilder in Umlauf gebracht hat!«

Amu entgegnete giftig: »Irgendein kleiner Schmierer, der, wenn er igendwann gefasst wird, seine Hände dafür verlieren wird.«

»So einfach ist das nicht, Bruder! Sowohl Papyrus als auch Pinselführung sind von erlesener Qualität. Und außerdem – war Isisnofrets Verbannung nicht geheim? Nur unsere engsten Vertrauten und die Mädchen im Harem, die zum Schweigen verpflichtet wurden und strengstens überwacht werden, kennen die Wahrheit. Doch die Haremsbewohnerinnen haben bestimmt nicht Verrat geübt. Sie könnten keinen Nutzen daraus ziehen, eher im Gegenteil. Wenn man sie entdeckte, hätten sie die letzten Chancen auf eine gute Hochzeit oder die Gunst des Palastes verwirkt. Nein, lieber Bruder, der Verrat entstand hier im Palast. Und er wird nicht so einfach zu beseitigen sein, wie du es dir denkst.«

Stille herrschte im Raum. Bint-Anat hatte einmal mehr ihre Scharfsinnigkeit bewiesen.

Merenptah rieb sich die Hände. Sein kleines Komplott hatte Früchte getragen. Wieder einmal rannte Amu in der Stadt umher und suchte nach einem armen Schreiberling, der sich gegen das Königshaus gewandt hatte. Sollte er nur. Dann konnte er wenigstens nicht zu Ramses laufen und seinen schlauen Bruder verraten. Ein herrliches Vergnügen. Merenptah musste sich selbst loben.

Plötzlich stob die Tür auf. Bint-Anat stand mit einem siegesreichen Lächeln und der Karikatur in der Hand vor ihrem Bruder. »Nun, Merenptah, glaubtest du, ich würde nicht hinter dein kleines Spiel kommen? Jetzt sind wir quitt. Du kannst mich nicht mehr erpressen. Ich kann dich ebenso verraten, wie du mich.«

Merenptah lächelte nachsichtig. »Bint-Anat, hochverehrte Schwester! Sage mir, wie du es herausgefunden hast.«

Bint-Anat ließ sich zufrieden auf einen Stuhl vor ihren Bruder sinken. »Oh, das war leichter, als du glaubst. Erst einmal konnte ich den Papyrus recht schnell als einen Bogen aus Palastbeständen identifizieren. Auch die Ausführungen des Schreibers ließen auf eine hohe Bildung schließen, die einzig hier im Palast vermittelt wird. Der Rest war leicht. Ich habe die Linienführung mit ein paar Schreiben deiner Hand verglichen. Du bist der Einzige, der Nutzen aus dieser kleinen Intrige ziehen könnte. Schließlich standest du hoch in Isisnofrets Gunst.«

Merenptah kicherte entzückt. »Oh, Bint-Anat, wärst du nicht so zickig, ich hätte meine Freude an dir haben können. Natürlich habe ich damit gerechnet, dass du hinter mein kleines Geheimnis kommst.«

Bint-Anat verzog angewidert das Gesicht. »Wir sind quitt, Bruder. Ich verrate dich nicht, und du verrätst mich nicht. Damit schuldet keiner dem anderen etwas.«

Merenptah nippte an seinem Wein. »Aber Schwester, so leicht ist das nicht. Ich habe viel weniger zu verlieren als du, und außerdem – solltest du froh sein, dass ich dir diese kleine Ratte von einem Thronfolger vom Hals halte, indem ich ihn beschäftige.«

Bint-Anat lächelte abschätzig. »Glaubst du nicht, dass ich dazu selbst fähig bin?«

Merenptah tat bestürzt. »Nun ja, damals auf dem Weg in den Harem Faijum warst du nicht in der Lage, deine Tochter zu schützen und den Anschlag auf ihr und dein Leben zu vereiteln.«

Bint-Anats Muskeln spannten sich augenblicklich an. »Was sagst du da?«

»Ja, Schwester, es war Amu, der darauf hoffte, euch beide gleichzeitig aus dem Weg räumen zu können, da er seinen Thron gefährdet sieht. Es ist nur eine Frage der Zeit, bis er wieder zuschlägt, denn diese Bedrohung besteht für ihn immer noch.«

Bint-Anat dachte scharf nach.

»Und woher weißt du, dass er es war? Vielleicht war es dein Plan?«

Merenptah winkte ab. »Schwester, ich habe dich in der Hand. Lebend nutzt du mir doch viel mehr als tot. Amu verachtet mich. Was hätte ich von ihm schon zu erwarten. Und Ramses kann mich ebenso wenig leiden wie Amu. Nein, Schwester, meine Zukunft bist du.«

Bint-Anat dachte über Merenptahs Worte nach. Dann fragte sie: »Und warum hast du mir damals nichts gesagt?«

»Oh, dafür gab es mehrere Gründe. Erstens, weil ich genau wusste, dass du mich sofort verdächtigen würdest, wie du es ja jetzt auch tust. Zweitens habe ich Amu nicht ernst genommen, als er an mich herantrat und mir von dem Attentat erzählte. Er war trunken vom Wein und lallte stark, als er mir seinen Plan unterbreitete und mich zum Mitwirken bewegen wollte. Ich habe nur lächelnd abgewunken und ihm gesagt, er solle seinen Rausch ausschlafen. Als ich von dem Unfall im Faijum hörte, hatte ich

Angst, dich einzuweihen. Du warst so um Tanis Wohl besorgt und dein Gemüt war so aufgewühlt, dass ich befürchten musste, du würdest mich, der ich ehrlich zu dir war, in deiner Wut beim Pharao zu Fall bringen. Und später«, Merenptah zuckte entschuldigend mit den fetten Schultern, »habe ich es selbst in die Hand genommen, Amu anderweitig zu beschäftigen, was mir ja auch gelungen ist.«

Bint-Anat fuhr zornig hoch und bellte los. »Du hättest es mir sagen müssen, beinahe wäre Amu der Mörder meiner Tochter geworden. Tani und ich sind nicht sicher, solange er lebt.«

Merenptah setzte eine traurige Miene auf. »Wenn du wüsstest, wie oft mir schon der gleiche Gedanke durch den Kopf ging. Bint-Anat, wir sind uns in dieser Sache doch einig. Amu ist eine Bedrohung – für dich, für Tani und auch für mich. Wenn Ramses nicht mehr ist, sind wir alle drei ihm schutzlos ausgeliefert.«

Bint-Anat blickte nachdenklich drein. »Was schlägst du also vor?«

Merenptah lächelte gewinnend. »Beseitigen wir ihn!«

# Bint-Anat und Amunherunemef

*Ra – ich fehlte gegen Dich, Angst und Zorn verschleierten meine Augen, den Du liebtest, der ist tot – durch meine Hand, geführt von Seth. Oh, niemals finde ich Vergebung für den Frevel an Deinem Sohn, Ammit wird kein Erbarmen zeigen.*

# Kapitel 8

*Jahr 26 der Herrschaft Ramses' II. –*
*Königspalast in Pi-Ramses*

Ramses blickte seine Tochter müde an. »Es ist nicht gut, dass die Königin wieder in den Palast zurückkehrt. Trotz ihres Wahnsinns könnte sie immer noch in der Lage sein, Unruhe zu stiften.«

Bint-Anat sah verstohlen aus dem Fenster. Sie hätte es verhindern können. Ein Wort zu Ramses, dass Merenptah der Übeltäter war, und die Schmierereien würden sofort aufhören. Dann musste sie auch nicht Isisnofrets Anwesenheit im Palast ertragen. Selbst wenn ihre Mutter eine Gefangene hier sein würde – sie in ihrer Nähe zu wissen, war für Bint-Anat ein qualvoller Gedanke. Doch sie würde, das war ihr natürlich völlig klar, Ramses kein einziges Wort verraten. Merenptah hatte sie in der Hand. Und auch wenn sie ihm in keiner Weise traute, musste sie doch zwangsläufig mit ihm zusammenarbeiten.

Bint-Anat musste ihre Tochter schützen. Amu sollte unschädlich gemacht werden.

»Wir werden wohl ihre Anwesenheit für eine Weile in Kauf nehmen müssen. Je eher wir uns an den Gedanken gewöhnen, desto besser!« Sie stand auf und legte Ramses den Papyrus auf den Schreibtisch. »Wir müssen das hier so schnell wie möglich aus der Welt schaffen.«

»Ich werde Amu schicken, er soll die Königin aus dem Harem in den Palast begleiten.«

Bint-Anat nickte. Das würde Amu eine Zeit lang von Tani fern halten. Eine Zeit, die sie zum Nachdenken brauchte.

Bint-Anat konnte Amu kaum in die Augen sehen, ohne ihren großen Hass gegen ihn zu offenbaren. Ramses blickte seinen Sohn besorgt an.

»Wie ist der Zustand der großen königlichen Gemahlin Isisnofret?«

Amu zuckte verächtlich mit den Mundwinkeln. »Sie ist komplett wahnsinnig. Sie redet überhaupt nicht mehr – seit ein paar Jahren schon –, sagt Hormin. Wenigstens ist es gelungen, ihr Antlitz wiederherzustellen. Von weitem wirkt sie für das Volk völlig normal.«

Bint-Anat spielte mit dem Pektoral, das sie heute als Brustschmuck gewählt hatte. »Aber was ist, wenn sie plötzlich in der Öffentlichkeit hysterisch wird oder in irgendeiner anderen Form auffällt?«

Ramses griff nach einem kleinen Skarabäus, der ihm als Dokumentenbeschwerer diente. »Mit dem Hofarzt wurde schon gesprochen. Isisnofret wird ständig mit Mohnsaft ruhig gestellt. Die Dosis ist so hoch, dass sie überhaupt nicht in der Lage ist, ihre Umwelt wahrzunehmen. Sie wird sich führen lassen wie eine Puppe.« Bint-Anat nickte. Ramses wandte sich an sie. »Wirst du sie besuchen?«

»Nein, es wäre Heuchelei. Merenptah wird sich sicherlich um sie kümmern.«

Ramses nickte seinerseits. Amu legte seinem Vater ein Sendschreiben vor. »Das hier schickt dir der Vizekönig von Kusch. Unter seinen Arbeitern hat es einige kleine Aufstände gegeben. Er bittet um Intervention.«

Ramses verdrehte die Augen. »Dieser Mann erscheint mir unfähig, Amu, du wirst das für mich erledigen. Nimm die Division des Amun und sorge für Frieden. Du kannst in ein paar Wochen aufbrechen.«

Bint-Anat fiel ein Stein vom Herzen, Isisnofret wurde mit Mitteln vollgestopft, die sie völlig außer Gefecht setzten, und das Problem, das Amu darstellte, war wieder einmal aufgeschoben. Das gab ihr die nötige Zeit, um über Merenptahs Vorschlag nachzudenken.

*Jahr 27 der Herrschaft Ramses' II. –*
*Königspalast in Pi-Ramses*

Tani begehrte auf. Die Zwanzigjährige zog einen Schmollmund und verschränkte die Arme vor der Brust.

»Warum soll ich jetzt nach Memphis, wenn hier doch das Fest des Tals bevorsteht. Memphis ist langweilig. Ich bin zwanzig, ich kann für mich selbst entscheiden.«

Bint-Anat blieb hart. »Es ist nur für eine kurze Zeit, Tani. Chaemwese wird sich über ein wenig Gesellschaft freuen. Außerdem hat dein Vater dir keine öffentliche Verpflichtung bei dem Fest zugedacht.«

Tani verzog ihre Mundwinkel zu einem verächtlichen Lächeln. »Und wem habe ich das zu verdanken? Dir vielleicht, Mutter?«

Bint-Anat spürte den Vorwurf in den Worten ihrer Tochter, und sie hätte ihr gerne ihr Handeln erklärt, doch durfte sie Tani nicht in den Sog von Intrigen mit hineinziehen, in den sie sich bereits hoffnungslos verstrickt hatte. Amu würde an dem Fest teilnehmen, und sie selbst musste an Ramses' Seite sein und hatte somit keine Kontrolle über Amu. Was, wenn er ein erneutes Attentat geplant hatte? Es war Zeit verstrichen, und Amu hatte bestimmt darüber nachgedacht. Entschuldigend küsste sie ihre Tochter auf die Stirn.

»Bitte glaube mir, Tani, es gibt Gründe für mein Handeln.«

Tani entzog sich ihr. »Und welche, Mutter? Ich bin zwanzig. Findest du nicht, dass es langsam an der Zeit wäre, mich auch so zu behandeln? Ramses nahm dich mit vierzehn Jahren zur Frau. Ich werde bis heute gänzlich vom Leben ausgeschlossen.«

Bint-Anat fühlte den stechenden Schmerz in ihrem Innern. Wie hätte ihre Tochter das auch verstehen sollen. »Tani, ich ...«

Weiter kam sie nicht, denn Tani drehte sich wortlos um und verließ die Gemächer ihrer Mutter.

Schweren Herzens ließ sich Bint-Anat bei Merenptah anmelden. Wenn sie ihre Tochter nicht verlieren wollte, musste sie handeln.

Sie hatte es vor sich hergeschoben, wie einen Karren Steine, der immer schwerer und schwerer wurde, den sie aber nicht wagte loszulassen. Wenn es nun keinen anderen Ausweg mehr gab, dann sollte es wohl so sein.

»Schwester, ich bin ausnahmsweise erfreut, dich zu sehen.« Merenptah wirkte glatt und rund wie immer. »Ich hoffe, du erfreust dich bester Gesundheit.«

Bint-Anat hob die Hand Einhalt gebietend, ein Zeichen, dass sie gleich zur Sache kommen wollte. Merenptah ließ sie Platz nehmen und blickte sie erwartungsvoll an.

»Ich habe über das nachgedacht, Merenptah, worüber wir einst gesprochen haben. Es muss etwas geschehen. Amu wird langsam zu einer drückenden Last.«

Merenptah lächelte. »Dass du so lange gewartet hast, versetzte mich schon in Verwunderung.«

Bint-Anat mochte sein glatte Art nicht. Trotzdem fuhr sie fort: »Hast du also einen Plan?«

»Noch nicht, Schwester, aber ich habe Verbindungen. Du brauchst dich um nichts zu kümmern. Kein Blut wird an deinen Händen kleben.«

Bint-Anat stand auf. »Du wirst mir sagen, wann es so weit ist?«

Merenptah schob sich zufrieden den Fingernagel zwischen die Zähne. »Natürlich, Schwester, natürlich. Mache dir keine Sorgen, die Sache wird bald vergessen sein.«

Bint-Anat verließ schweigend das Gemach ihres Bruders. Es würde Blut an ihren Händen kleben, egal, was Merenptah sagte. Ein wilder Zorn erfasste sie. War es Amu nicht egal gewesen, das Blut von ihr und Tani an seinen Händen zu haben? Er verdiente es nicht, für sein Schicksal bemitleidet zu werden.

*Das Anwesen des Prinzen Merenptah*
*in Pi-Ramses*

Die Herrin Ti hatte sich nach langer Zeit wieder bei Merenptah eingefunden. Wie damals saß sie vor seinem Schreibtisch und blickte in sein ihrer Meinung nach immer feister werdendes Gesicht.

»Herrin Ti, wie sehr freut es mich, Euch wiederzusehen.«

Ti lehnte sich auf dem Stuhl zurück. »Das kann ich nicht behaupten, Prinz. Der versprochene Lohn für deinen letzten Auftrag steht noch aus.«

Merenptah hob entschuldigend die Hände. »Oh, aber unsere Vereinbarung war klar. Nur bei Gelingen des Auftrages hätte dir die überaus reichliche Belohnung zugestanden. So aber schien mir der Lohn, den ich an dich zahlen ließ, gerecht.«

Tis Augen funkelten zornig. »Ich kann mir Edelsteine, Gold und Silber in Unmengen leisten. Es bedeutet mir nichts. Außerdem hat mich dieser Auftrag einen guten Liebhaber gekostet, da ich dem Soldaten, der den Streitwagen der Königin manipulierte, den Giftbecher reichen musste.«

»Ein unwichtiger kleiner Verlust, den ich dir heute zehnfach ausgleichen kann.«

»Ich denke, ich bin nicht mehr geneigt, in deine Dienste zu treten, Prinz Merenptah.«

»Ich glaube schon, Herrin Ti. Denn mit Gelingen dieses Auftrages werde ich dir mehr zahlen können, als du dir je zu erträumen gewagt hättest. Vielleicht kann ich dir sogar eine Königinnenkrone anbieten.«

Ti horchte auf. »Das vermag nur der Pharao und später sein Thronfolger.«

Merenptah nickte. »Genau darum geht es, Ti. Bint-Anat ist nicht mehr das größte Problem. Das habe ich jetzt endlich erkannt. Der Prinz Amunherunemef macht mir viel größere Schwierigkeiten. Wenn er nun einen Unfall hätte und seine Barke besteigen würde, wäre der Weg so gut wie frei.«

Ti schüttelte heftig den Kopf. »Da gibt es immer noch den Prinzen Chaemwese.«

»Ein unbedeutender kleiner Priester. Um ihn mache ich mir die wenigsten Sorgen.«

Ti dachte kurz nach, dann fasste sie einen Entschluss. »Ein interessanter Plan, Prinz, doch dieses Mal will ich sichergehen, dass du auch zahlst. Du wirst mir die Krone der Königin schriftlich zusichern müssen.«

»Natürlich, Herrin Ti! Ich werde mit eigener Hand den Vertrag zwischen uns aufsetzen. Sorge du nur für ein recht baldiges Ableben des Kronprinzen.«

*Jahr 30 der Herrschaft Ramses' II. –*
*Königspalast in Pi-Ramses*

Amu stieg von seinem Streitwagen und kontrollierte das Geschirr seines Gespannes. Mit einem flüchtigen Blick musterte er die Soldaten seiner Division, mit denen er am gesamten Sed-Fest für Ordnung zu sorgen hatte. Dies war ein schwieriges Unterfangen, wie Amu schnell herausfand, denn die Menge war aufgewühlt, und jeder wollte den besten Blick auf das Königspaar haben, wenn öffentliche Zeremonien abgehalten wurden. Heute war wieder so ein Tag. Amu spürte das Drängen der Menge, denn in wenigen Minuten wurden Ramses und Bint-Anat auf dem Empfangsbalkon erwartet.

Plötzlich ertönten Jubelrufe, und die Masse setzte sich in Bewegung. Mit einem geübten Wink gab er seinen Soldaten ein Zeichen, die Menge von den Palasttoren fernzuhalten. Die Soldaten nahmen die Zügel ihrer Pferde auf und begannen Ordnung zu schaffen. Eine geraume Zeit gelang dies ganz gut, dann aber merkte Amu, wie seine Männer die Kontrolle über die Masse verloren. Kurz entschlossen gab er seinen Pferden ein Zeichen und kam ihnen zu Hilfe. Inmitten des Trubels versuchte nun er, unter den erregten Menschen Ordnung zu schaffen. Das erwies sich als schier unmögliches Unterfangen. Er bückte sich gerade nach einer jungen Frau, die von den Massen zertrampelt zu werden drohte, als er plötzlich eine seltsame Lähmung im Rücken wahrnahm. Ohne es verhindern zu können, entglitt die Frau seinen Armen. Seine Hand streifte suchend über seinen Rücken. Als er sie zurückzog, war sie voll von Blut. Er spürte, dass etwas geschehen war. Mit dem Instinkt des Soldaten wusste er, dass er sich umdrehen musste, um seinen Rücken zu schützen, doch da spürte er einen heißen Stich in seiner Hüfte. Amu verlor endgültig die Kontrolle. Die Massen tobten. Keiner kümmerte sich mehr um den anderen. Den Fall vom Streitwagen spürte er kaum noch, ebenso wenig die Füße der Menschen, die jubelnd über ihn hinwegtrampelten und dem Königspaar zuwinkten.

Ramses und Bint-Anat betraten den Palast. Das Sed-Fest würde noch einen Tag andauern, dann war alles vorbei und Ramses' Kraft für die nächsten Jahre gesichert. Bint-Anat plagten allerdings Zweifel, ob nicht ein Teil der Kraft allein für das anstrengende Zeremoniell verbraucht worden war. Sie selbst fühlte bleierne Müdigkeit, und ihre Glieder waren steif. Ein Bad und eine entspannende Massage, das war das Einzige, woran sie noch denken konnte. Doch dazu kam es nicht, denn Amunnemipet stand mit versteinerte Miene vor ihnen.

»Majestät, es ist etwas Schreckliches passiert. Der Kronprinz ist schwer verletzt. Alles deutet auf ein Attentat hin.«

Bint-Anat erschrak. Sie hatte an das geplante Attentat nicht mehr gedacht. Es waren fast drei Jahre vergangen, und Merenptah hatte es nicht mehr erwähnt, sodass sie das Unabwendbare verdrängt hatte. Jetzt sah sie das schmerzerfüllte Gesicht ihres Gemahls und empfand Schuld. Wie hatte sie so einfach den Tod eines Menschen bestimmen können? Für Tani, drängte sich eine Stimme in ihren Kopf.

»Es war nur noch ein Flackern in seinen Augen gewesen, dann nahmen die Götter mir den Kronprinzen.« Ramses stützte seinen Kopf in die Hände.

Bint-Anat konnte zunächst nichts erwidern, zu schwer lastete ihr Gewissen. Schließlich sagte sie: »Mein Gemahl, welch schrecklicher Schicksalsschlag.«

Ramses blickte zornig auf. »Schicksal? Nein! Jemand raubte ihm bewusst das Leben. Möge er ewig dafür zahlen, möge Ammit seine Seele verschlingen.«

Bint-Anat wurde sich schmerzlich bewusst, dass die Flüche ihres Gemahls sie treffen mussten, wenn sie den Schuldigen finden sollten. Sie und Merenptah!

»Jetzt muss ich einen neuen Thronfolger ernennen – nach der siebzigtägigen Trauerzeit. Dabei sollte ein Fest der Freude gefeiert werden, nachdem die Riten der Erneuerung meiner Kraft abgeschlossen sind. Amu hat mich um Tani gebeten, und ich hätte sie ihm gegeben.«

Bint-Anat fuhr zusammen. »Er hatte dich um Tani gebeten?«

Ramses nickte. »Ich hätte es morgen verkündet. Es hätte eine Vereinigung reinsten Blutes bedeutet.«

Bint-Anat versuchte klar zu denken. Hatte Merenptah nicht gesagt, Amu sinne auf Tanis Tod? Ein ungutes Gefühl stieg in ihr hoch. Sie musste mit ihrem Bruder sprechen.

Merenptah konnte kaum antworten, als Bint-Anat schon die Tür aufstieß.

»Merenptah, warum hast du mich nicht unterrichtet?«

»Aber Schwester, ich hatte keine Gelegenheit. Es musste schnell gehandelt werden, und du warst an der Seite des Pharaos.«

Bint-Anat ging nervös auf und ab. »Ramses teilte mir gerade mit, dass Amu um Tani bei ihm gebeten hat. Das ergibt keinen Sinn. Du sagtest, er habe versucht sie zu töten.«

Merenptah nickte eifrig. »Natürlich hat er das. Der Anschlag war eindeutig.«

»Und warum wollte er sie jetzt zur Gemahlin?«

Merenptah zuckte gelangweilt mit den Schultern. »Vielleicht hat er seine Taktik geändert.«

»Aber«, Bint-Anat ließ sich verzweifelt auf einen Stuhl sinken, »dann war alles umsonst.«

»Das würde ich nicht sagen, Schwester, oder wärst du glücklich gewesen, wenn der Mann deine Tochter geheiratet hätte, der ihr und dir einst nach dem Leben trachtete?«

Bint-Anat konnte nichts erwidern. Eiseskälte breitete sich in ihr aus.

Chaemwese schloss das Grab seines Bruders im Tal der Könige. Er fühlte sich plötzlich alt. Seit Mut-Tujas Tod den Palast erschüttert hatte, war nichts mehr so wie früher. Chaemwese wurde plötzlich klar, dass sie alle, die Königsfamilie um Ramses, in dem Glauben gelebt hatten, ihre privilegierte Geburt ginge einher mit Unsterblichkeit. Alles würde so weitergehen wie immer. Niemals würde irgendetwas enden. Doch der Tod suchte auch Ramses' göttliche Familie heim, und ein jeder spürte in seinem Innern urplötzlich das Unvermeidliche. Ein irdisches Dasein dauerte nicht ewig.

Vielleicht auch deshalb hatte Chaemwese begonnen, Nachforschungen anzustellen. Er interessierte sich für die Gräber seiner Ahnen. Waren sie den Mysterien näher gewesen? Wo lag das Geheimnis des Lebens? Chaemwese suchte fieberhaft nach Antworten und glaubte sie im Apis-Kult versteckt. Apis war eine Erscheinungsform des Ptah, des Schöpfers, der allein durch seine Kraft das von ihm Erdachte ins Leben rufen konnte. Einzig diesem Mysterium widmete Chaemwese seine Kraft.

Sein Blick glitt hinüber zu Bint-Anat. Seine Schwester war nun neununddreißig und trotz der kleinen Falten, die ihre immer noch schönen Augen umgaben, und der leicht verhärteten Gesichtszüge vermochte sie noch zu beeindrucken und jüngere Frauen auszustechen. Neben ihr wirkten die blutjungen Mädchen gesichtslos. Bint-Anat strahlte eine Faszination aus, der sich niemand wirklich entziehen konnte. Jetzt blickte sie ihn ebenfalls an, und ein trauriges Lächeln umspielte ihren Mund. O Bint-Anat, dachte er, könnte ich die Zeit nur noch einmal zurückdrehen. Hätten wir noch einmal die unbeschwerte Zeit unserer Jugend. Dann wandte Chaemwese von seinen Gefühlen übermannt den Blick von seiner Geliebten ab. Sie sollte seine Verzweiflung nicht sehen, mit der er sie noch immer liebte.

Ramses reichte Chaemwese einen Becher Wein. Kühl und süß lief er Chaemwese die Kehle hinunter. So hatte der Wein geschmeckt, den er und Bint-Anat immer getrunken hatten, wenn sie im Garten lernten oder später, beim Senet-Spiel, wenn er die Süße des Weines mit der Süße seiner Liebe zu ihr verglich.

»Chaemwese, mein Sohn, du siehst müde aus.«

Ramses seufzte. Er und Chaemwese hatten sich in seine Privatgemächer zurückgezogen, in die kleine private Empfangshalle, die Chaemwese noch aus Kindertagen kannte. Hier saßen sie nun an dem Zedernholztisch, dessen Elfenbeinintarsien Chaemwese schon als Junge bewundert hatte.

»Die Zeit fordert ihren Tribut. Osiris hat einen hohen Lohn für das Erreichen meines Jubiläums gefordert, und ich frage mich immer öfter, ob es das alles wert ist.«

Chaemwese blickte seinen Vater an. Ramses wirkte ausgelaugt. Trotz seines einwandfreien Gesundheitszustandes und seiner immer noch vorhandenen Ausstrahlung begann das Alter auch an dem gottgleichen König zu zehren.

»Die Götter wählten dich wegen deiner Stärke, deinem festen Willen. Es ist nicht richtig, sie in Frage zu stellen.«

Ramses nickte. Keinem anderen seiner Söhne hätte er derartige Zurechtweisungen durchgehen lassen. Chaemwese war sein gebildetster Sohn. Er liebte ihn sehr.

»Chaemwese, nun ist es an dir, dich hinter mich zu stellen. Eines Tages wird die Wahl der Götter auf dich fallen.«

Chaemwese senkte den Blick. Er hatte genau diese Worte von seinem Vater erwartet. »Mein Vater, ich bitte dich, mich in der Rangfolge auszulassen. Mein Schicksal wird niemals der Horus-Thron sein.«

Ramses runzelte die Stirn. »Du bist mein rechtmäßiger Erbe, Chaemwese. Ich weiß, dass du Fähigkeiten besitzt, die sowohl Amu als auch Merenptah nicht gegeben wurden.«

»Doch werden diese Fähigkeiten nicht die Krone Ägyptens stärken können. Mein Weg ist ein anderer.«

»Ich gebe dir eine starke Königin an deine Seite. Tani, die

Tochter deiner Schwester, besitzt deren Schönheit sowie deren Klugheit und Kraft. Sie ist jetzt dreiundzwanzig Jahre alt, ich habe es lange herausgezögert, sie zu vermählen. Mir war klar, dass ich sie nur dem Thronfolger geben könnte. Amu ist nun nicht mehr da. Es ist an dir, sie zu deiner Gemahlin zu machen.«

Chaemwese spürte das Aufbegehren seines Herzens. Niemals hätte er es ertragen, Tani als Gemahlin an seiner Seite zu haben. All die Jahre, in denen er sie bei seltenen Gelegenheiten bewundert und mit Dankbarkeit die Rolle des Onkels übernommen hatte, konnte er nicht mit einer Vermählung zerstören. Sein Herz schlug für sie, doch nicht für die Frau, sondern für die Tochter, die er in ihr so gerne wiedererkannt hätte. Ein Leben an ihrer Seite war unvorstellbar.

»Vater, ich liebe dich, all die Jahre schlug mein Herz mit einer Hälfte hier im Palast, aber eine Rückkehr ist für mich unmöglich. Die Götter haben mir einen anderen Weg zugedacht. Die Krone haben sie mir nicht vorherbestimmt.«

Ramses blickte seinen Sohn lange an, dann nickte er. »So sei es dann – auch wenn mein Verstand mir sagt, dass es keine kluge Entscheidung ist.«

Bint-Anat begehrte heftig auf. »Nein, mein Gemahl! Diese Entscheidung ist gewiss falsch. Die Götter können das nicht gewollt haben.«

Ramses trat hart auf. »Mein Entschluss steht fest. Chaemwese hat die Krone abgelehnt.«

Bint-Anat rang verzweifelt die Hände. »Aber er ist der Hüter der Maat. Sein ganzes Wesen ist Maat. Er wäre der Thronfolger, den Ägypten braucht.«

Ramses Stirn zeigte die bekannte Zornesfalte. »Meinst du nicht, das wäre auch mein Wunsch, Tochter? Aber Chaemwese hat die Krone abgelehnt.«

Bint-Anat wirbelte herum. »Du kannst ihn zwingen, sie zu nehmen. Du bist der Pharao.«

Ramses blickte seine Gemahlin verständnislos an. »Wo ist dein Scharfsinn geblieben, Tochter? Welch einen König würde ich

Ägypten geben, wenn dieser die Krone mit Zwang auf seinem Haupt trägt?«

»Einen guten König, mein Gemahl. Außer dir gäbe es keinen besseren.«

Ramses beruhigte sich ein wenig. Sanft zog er Bint-Anat an sich. »Ich weiß, wie sehr du Tani liebst. Du hast dir einen anderen Gemahl für sie gewünscht, doch sie muss gehorchen, wie auch du es einst tun musstest. Es kann keine Ausnahme geben. Sie ist stark. Sie wird Merenptahs Schwäche ausgleichen.«

»Nein, ich bitte dich, mächtiger Stier, tue das Tani nicht an. Dir konnte ich damals mit einem Lächeln folgen, doch Merenptah ist nicht wie du. Tanis Herz wird auf immer leer bleiben. Sie wird mich dafür hassen.«

Ramses hörte nicht auf Bint-Anats Flehen. »Ich werde meinen Beschluss heute Abend verkünden.«

»Niemals, Mutter, ich will ihn nicht. Er ist widerlich. Die Mädchen erzählen sich fürchterliche Geschichten über ihn. Wenn ich sein Lager teilen muss, will ich sterben.«

Bint-Anat sah die Verzweiflungstränen über die Wangen ihrer Tochter laufen. »Ramses lässt sich nicht umstimmen. Ich habe alles versucht.«

Tani ging hysterisch auf und ab. »Warum hat Chaemwese die Krone abgelehnt? Findet er mich nicht attraktiv? Warum überlässt er mich diesem schrecklichen Mann?«

Tani warf sich verzweifelt auf ihr Ruhebett. Bint-Anat ging zu ihr hinüber und streichelte ihr Haar. Schluchzer drangen aus dem Kissen ihrer Tochter.

»Tani, vielleicht ist er nicht so schlimm, wie die Mädchen sagen.«

Tani fuhr hoch. »Ach nein? Warst du es nicht immer, die ihn verachtete? Mir wird schon schlecht, wenn ich ihn essen sehe. Ich will ihn nicht als Gatten. Ich habe nicht so lange gewartet, um dieses fette Nilpferd zu heiraten.« Tani ergriff die Hände ihrer Mutter. »Du kannst Einfluss auf Ramses nehmen. Bitte ihn, flehe ihn an. Sage ihm, dass ich mich umbringen werde, wenn ich Merenptah heiraten muss.« Tani wischte sich ein paar Tränen fort. Sie begann, wieder Hoffnung zu schöpfen. Und dann lag plötzlich ein Lächeln auf ihrem Gesicht. »Mutter, ich weiß, wie du es verhindern kannst. Wenn Ramses, wie du mir sagtest, heute Abend unsere Vermählung bekannt geben wird, erhebe Einspruch. Ramses darf sich der Meinung meiner Mutter und außerdem großen königlichen Gemahlin nicht so einfach entziehen. Wenn du vor so vielen Zeugen Bedenken äußerst, kann er uns nicht so einfach verheiraten.«

Bint-Anat seufzte. »Aber Tani, ich kann Ramses nicht in der Öffentlichkeit tadeln. Ich bin immer noch eine Frau. Niemand darf den Pharao in Frage stellen.«

Tani flehte: »Er wird vielleicht wütend sein, aber er wird dir verzeihen. Er liebt dich. Willst du das nicht für mich tun? Ist dir deine Tochter so wenig wert?« Bint-Anat versuchte verzweifelt den flehenden Blick ihrer Tochter zu ignorieren. »Mutter, wirst du für mich sprechen?«

Bint-Anat konnte es nicht mehr ertragen, die Angst ihrer Tochter zu sehen. »Ja, ich werde für dich sprechen.«

Tani fiel ihrer Mutter um den Hals.

Bint-Anat war todunglücklich in ihren Gemächern auf und ab gegangen. Wie hatte sie Tani nur so leichtfertig ein Versprechen geben können. Die Verzweiflung ihrer Tochter hatte sie dazu veranlasst. Sie hatte sich gerade dazu entschlossen, noch einmal mit Ramses zu sprechen, als ihre Dienerin hereinkam und sich vor ihr verbeugte.

»Was ist denn, Neferti?«

»Verzeiht die Störung, Majestät, der Prinz Merenptah wünscht Euch zu sprechen.«

Bint-Anat nickte Neferti zu.

Merenptah betrat mit einem Lächeln Bint-Anats Gemach. »Teure Schwester, ich hoffe, es geht dir gut!« Ohne auf eine Einladung zu warten, ließ er sich auf einem von Bint-Anats zierlichen Stühlen nieder, der dabei verdächtig knackte.

»Merenptah, wie schön, dich zu sehen«, log sie. »Weshalb suchst du mich in meinen Privatgemächern auf?«

Merenptah lächelte. »Um etwas sehr Privates mit dir zu besprechen, Schwester. Wie du weißt, haben wir vor Jahren ein Abkommen geschlossen, das sich auf kleine Gefälligkeiten gründete, die du mir dereinst erweisen solltest.« Merenptah griff nach Bint-Anats Obstschale. »Heute möchte ich darauf zurückkommen.«

»Was könnte ich schon für dich tun, Bruder?« Bint-Anats Herz bebte.

»Oh, es ist wirklich nur eine winzige Kleinigkeit, nichts von Bedeutung.« Bint-Anat blickte Merenptah wartend an. Dieser steckte sich gemächlich eine Feige in den Mund, dann fuhr er fort: »Wie du weißt, hat Ramses mich zu seinem Thronfolger ernannt. Heute Abend will er es verkünden und dazu die Vermählung mit deiner reizenden Tochter. Ich will mich nur deiner Zustimmung versichern.« Bint-Anats Kehle wurde trocken. Ohne eine Antwort abzuwarten, redete Merenptah weiter. »Deshalb wäre es, finde ich, eine äußerst reizende Geste von dir, wenn du heute Abend ein paar Worte deines Glückes zum Ausdruck bringen könntest. Vor den Gästen. Welch schöner Abschluss wäre das für mich.«

Bint-Anat nahm ihren Mut zusammen. »Ich könnte mein Glück schwerlich äußern, da doch Tani dieser Verbindung nicht aufgeschlossen gegenübersteht.«

Merenptah zeigte ein gekünsteltes Lächeln. »Oh, aber ich werde furchtbar glücklich sein. Dann freue dich einfach für mich.«

Bint-Anat setzte zum entscheidenden Vorstoß an. »Und wenn ich mich weigere?«

»Nun, dann tut es mir Leid, denn dann wird Tani niemals eine Königinnenkrone tragen, sondern Schande wird über sie kommen, genau wie über Chaemwese und über dich. Was glaubst du macht sie unglücklicher? Eine Vermählung mit mir oder ein Leben außerhalb der Palastmauern? Sie kennt doch überhaupt nichts anderes. Wie sehr würde sie dich dafür hassen?« Merenptah stand auf. Im Gehen wandte er sich noch einmal an Bint-

Anat. »Ich verlasse mich auf deine Unterstützung in dieser Sache, Schwester.«

Bint-Anat glaubte sich in einem Alptraum. »Ihr Götter, welch einen Preis muss ich für meine verbotene Liebe zahlen?«

Ramses blickte sich in dem überfüllten Bankettsaal um. Seine Würdenträger waren alle erschienen. Tani saß neben ihrer Mutter an seiner Seite. Sie wirkte seltsam entspannt. Ramses wunderte sich darüber, denn er wusste, dass Tani Merenptah nicht mochte. Er hätte ihr diese Vermählung gerne erspart. Jetzt gab er Amunnemipet ein Zeichen, und dieser entrollte einen Papyrus. Im Saal wurde es still.

»Dies verkündet im Jahr 30 seiner Herrschaft der große Pharao Ramses Usermaatre Setepenre, Goldhorus, reich an Jahren, Beschützer Ägyptens, von Maat geliebt.

Ich gebe meine Tochter Bint-Anat II. an die Seite des Kronprinzen Merenptah. Von heute an sollen sie vermählt sein vor Amun, verbunden vor allen Göttern.«

Es waren nur wenige Worte gewesen, doch sie trafen Bint-Anat ins Herz. Jetzt blickte Tani sie an, sich in der Sicherheit wiegend, dass ihre Mutter gleich für sie sprechen würde. Ramses stand auf und ergriff die Hand seiner Tochter. Merenptah kam an den Thron und nahm Tani in Empfang. Tani blickte fragend zu ihrer Mutter hinüber. Ramses wandte sich an seine Würdenträger und sprach selbst.

»Wisset, dass diese Vermählung der Wunsch des Pharaos und der großen Königsgemahlin Bint-Anat ist und dass das Königspaar damit der Maat Folge leistet. Dies soll dem Volk verkündet werden.«

Ramses und Bint-Anat setzten sich wieder. Tani warf ihrer Mutter einen entsetzten Blick zu. Merenptah führte Tani hinter den Thron. Bint-Anat wich Tanis Blick aus. Diese begriff, dass ihre Mutter nicht für sie sprechen würde, sondern durch Ramses' Worte ihr höchstes Einverständnis zu dieser Verbindung erklärt hatte.

# Bint-Anat und Tani

*Wehe mir, die ich mich täuschen ließ. Welch bösem Zauber bin ich erlegen, als ich verriet, was ich liebe. Verloren ist diese Liebe nun ewiglich. Schwer lastet die Erinnerung und das Gewissen – jegliche Reinheit ist von mir gewichen, geblieben sind Feuer und Blitz.*

# Kapitel 9

*Jahr 30 der Herrschaft Ramses' II. –*
*Königspalast in Pi-Ramses*

»Mutter, ich hätte nicht gedacht, dass du es wagen würdest, meine Gemächer aufzusuchen.«

Tanis gepresster Ton verriet Bint-Anat den Zorn ihrer Tochter. Deshalb sagte sie nichts, sondern setzte sich auf einen Stuhl neben Tanis Frisiertisch.

»Wie konntest du mich anlügen? Ich habe immer geglaubt, du wärst auf meiner Seite, doch jetzt muss ich sehen, dass die Geschichten der Priester doch wahr waren. Für die Krone auf deinem Haupt hast du sogar deine eigene Tochter verraten.«

Bint-Anat wollte nach Tanis Hand greifen, doch diese entzog sich ihr sofort. »Tani, du musst mir glauben, es ist nicht so, wie du denkst. Ich hatte keine andere Wahl.«

Tani fuhr nun zornig herum. »Was hätte schon passieren können? Dass du bei Ramses in Ungnade fällst? Dazu verehrt er dich viel zu sehr. Doch ich war es dir nicht wert, seinen Zorn heraufzubeschwören.«

»Nein, es ist anders.«

Tani blickte ihre Mutter durchdringend an. »So? Dann erzähle mir die Wahrheit.«

Bint-Anat schüttelte den Kopf. »Das kann ich nicht, Tani. Bitte glaube mir, ich habe das für dich getan.« Tani wandte sich wieder ab. »O nein, du hast aus reiner Selbstsucht gehandelt. Ich verachte dich. Vom heutigen Tag an verbiete ich dir, meine Gemächer zu betreten. Lebe wohl, Mutter.«

Bint-Anat fühlte diesen Schlag ins Gesicht. »Wenn du es so willst, Tani, werde ich nicht mehr an dich herantreten. Doch lasse mich wissen, wenn Merenptah dich schlecht behandelt. Ich kann dir helfen.«

Tani schüttelte den Kopf. »Ach, auf einmal willst du mir helfen? Mach dir keine Sorgen, Mutter, ich komme schon zurecht. Ich bin mindestens ebenso stark wie du, und da du mich schon all die Jahre vom Leben ausgeschlossen hast, warum sollte ich nicht jetzt wenigstens mein Anrecht auf die Königinnenkrone in Anspruch nehmen, auch wenn es an Merenptahs Seite sein wird. Ihr seid alle Heuchler, auf deren Gesellschaft ich verzichten kann. Du hast mich angelogen, und Chaemwese, der mir jahrelang seine Zuneigung versicherte, hat es nicht einmal in Erwägung gezogen, mich zu heiraten. Ihr beide habt mich Merenptah wie ein Beutestück überlassen, um euer eigenes Leben nicht aus den Bahnen zu werfen.«

Bint-Anat stand wortlos auf. Was sollte Tani auch davon halten? Sie konnte ihr die Wahrheit nicht sagen, und Tani konnte ihr nicht glauben. Zu viele Eindrücke trafen hier aufeinander. Als Tani ihren Blick abwandte und ihre Schminksklavin rief, verstand Bint-Anat das Zeichen sofort. Es war alles gesagt worden, was zu sagen war. Sie konnte gehen. Bint-Anat stand auf und verließ Tanis Gemächer.

Ramses saß über seinen Schriftrollen und studierte sie sorgfältig. Bint-Anat setzte sich neben ihn.

»Nun, mein Gemahl, gibt es irgendwelche beunruhigenden Nachrichten?«

Ramses ließ die Schriftrollen zusammenfahren. »Nein, nichts, das Land Kemet erblüht, die Ernten sind ergiebiger denn je, die Bauten gedeihen prächtig, und kein untergebener Staat wagt es, die Oberherrschaft Ägyptens in Frage zu stellen.« Ramses seufzte. »Es ist schon fast langweilig, und ich denke darüber nach, wozu man die ruhige Zeit wohl nutzen könnte.«

Bint-Anat überlegte schnell. »Nun, vielleicht wäre es an der Zeit, eine neue Gemahlin zu erwählen.«

Ramses runzelte die Stirn. »Wozu? Ich habe einen großen Harem. Wenn es mich nach schönen Frauen verlangt, kann ich dorthin gehen. Im Übrigen erfüllst du die Rolle der Königsgemahlin hervorragend, und ich sagte dir einst, dass ich dich niemals verstoßen würde.« Ramses verengte die Augen zu Schlitzen. »Teile ich nicht mehr oft genug das Lager mit dir, ist es das? Mein Verlangen nach dir besteht nach wie vor.«

Bint-Anat nahm Ramses' Hand. »Nein, das ist es nicht. Ich spreche auch nicht von einer normalen Braut. Ich meine eine Königin, die dir königliche Kinder schenken kann, keine Nebenfrau.«

Ramses runzelte die Stirn. »Meine Nachfolge ist geregelt. Es ist nicht notwendig.«

Bint-Anat nickte. »Ja, aber Merenptah ist nicht deine erste Wahl. Er steht jedoch außer Konkurrenz. Du könntest das ändern.« Nun nickte Ramses. »Vielleicht ist das keine schlechte Idee. Doch allein aus diesem Grunde mag ich nicht eine neue Königin an meine Seite holen, die ihre Rechte fordert und Unfrieden stiftet. Sie würde versuchen mit dir zu konkurrieren.«

Bint-Anat schüttelte den Kopf. »Ich bin viel mehr als sie, mein Blut legitimiert mich. Sie hingegen ist völlig unwichtig.«

Ramses lehnte sich zurück. »Nicht, wenn sie mir einen Prinzen schenkt. Dann werden die Priester verlangen, sie dir gleichzustellen. Ein unnötiges Unterfangen, das nur Probleme bringt.«

Bint-Anat blickte ihren Gemahl durchdringend an. »Doch wenn sie nun von höchster königlicher Geburt ist und doch keine Ägypterin. Dann wäre sie leicht zu kontrollieren, ihre Kinder aber hätten Thronanspruch. Eine recht gefällige Situation.«

»Dann könnte sie keine große Königsgemahlin werden, und somit wären auch ihre Kinder nicht legitim. Nur eine Ägypterin vermag den Titel der Königsgemahlin zu erhalten.«

»Oh, ich bin mir sicher, dass die Priester es nicht wagen werden, sich gegen deine Entscheidung zu stellen, wenn sie erst die Herkunft der Prinzessin erfahren.«

Ramses lauschte nun interessiert. »Und die wäre?«

»Chatti, mein Gemahl, Hattusilis' und Puduchebas älteste Tochter! Die Priester wären schlecht beraten, Hattusilis mitzuteilen, dass ihre Tochter es nicht wert ist, den Titel der großen Königsgemahlin zu erhalten. Allerdings könnten wir uns auch jeglicher Unterstützung der Priesterschaft sicher sein, wenn die neue Königsgemahlin zu hohe Ansprüche stellt. Die Amun-Priester werden sie hassen.«

Ramses begann lauthals zu lachen. »Bint-Anat, du hast deinen Scharfsinn noch immer nicht verloren. Welch interessante Idee. Und sie birgt weitere Vorteile, denn ich könnte das Bündnis mit Chatti festigen und Hattusilis besänftigen, der mir noch immer zürnt, weil ich seinem verräterischen Neffen Uriteschup Asyl gewähre und ihn nicht, wie im Vertrag gefordert, ausliefere.«

Bint-Anat lächelte. »Doch muss diese Idee von Hattusilis selbst kommen. Es wäre nicht angebracht, wenn der mächtige Stier Ägyptens um eine Prinzessin bittet.«

Ramses nickte wieder. »Ich hoffe, dass Tani deinen Scharfsinn geerbt hat. Sie wird ihn bei Merenptah gebrauchen können.«

Bint-Anats Gesicht wurde sofort traurig. »Sie zürnt mir, weil ich der Verbindung zwischen ihr und Merenptah zugestimmt habe. Sie hat mir verboten, ihre Gemächer zu betreten.«

»O Bint-Anat, ich habe von dir nicht verlangt, eine öffentliche Stellungnahme zu der Vermählung abzugeben. Es war dein Wunsch, dass ich das Einverständnis der großen Königsgemahlin in meiner Rede erwähne.« Ramses stand auf und reichte Bint-Anat einen Becher Wein. »Warum nur, meine Gemahlin? Der Gedanke entsetzte dich, dass Tani Merenptah heiratet.«

Bint-Anat wich Ramses' Blick aus. »Ja, doch wollte ich der Maat gerecht werden und habe deshalb auch vor dem Hofstaat die Verbindung für richtig erklärt. Es wurde einfach erwartet.«

Ramses zuckte mit den Schultern. »Manchmal geht deine Loyalität mir gegenüber einfach etwas zu weit. Doch ich danke dir trotzdem und hoffe, dass Tani dir vergeben wird.«

Bint-Anat hätte am liebsten laut losgelacht. Nur die Götter konnten ihr vergeben.

Merenptah war beunruhigt. Die Nachricht der Herrin Ti war dringlich gewesen. Gab es Mitwisser? Er konnte sich kaum ruhig in seinem Sessel halten, es durften keine Probleme auftauchen, gerade jetzt, da er fast am Ziel seiner Wünsche war. Er erwartete jede Stunde die Geburt seines Thronfolgers, den seine Gattin Tani ihm schenken sollte. Tani war von reinem königlichen Blut. Würde sie einen Prinzen gebären, wäre Merenptah als Thronfolger offiziell bestätigt. Es war ihm nicht leichtgefallen, die Tochter seiner verhassten Schwester zu schwängern. Sie ähnelte ihrer Mutter sehr, und Merenptah hielt ihre psychische Stärke für eine Abart der Natur. Von Anfang an hatte sie ihm klargemacht, dass sie ihn abstoßend fand. In ihrer Hochzeitsnacht hatte sie ihm nicht einmal in die Augen gesehen, als er es endlich fertig gebracht hatte, seine Abneigung zu überwinden und das Notwendige zu tun. Tani hatte steif wie eine Statue unter ihm gelegen, so als wäre sie nicht in ihrem Körper. Aber das war Merenptah ebenso recht. Frauen bereiteten ihm nur Freude, wenn er sie schlagen oder sonst wie quälen konnte. Er bevorzugte Jünglinge mit weicher Haut und schlanken Hüften. Doch Tani war recht schnell schwanger geworden. Ein paar freudlose Nächte, und Merenptah wurde für seine Mühen belohnt. Nun hoffte er, dass Tani ihm den ersten Prinzen schenkte, denn ein Mädchen würde bedeuten, das er noch mehr Nächte sein Bett mit seiner Gemahlin teilen müsste.

»Prinz Merenptah, wie schön es doch ist, Euch wieder einmal zu sehen.« Merenptah wurde jäh aus seinen Gedankengängen gerissen, als die Herrin Ti eintrat. Sie ließ sich ohne Aufforderung auf dem Stuhl gegenüber von Merenptahs Arbeitstisch nieder.

»Herrin Ti, ich hoffe, dein Besuch ist für mich nicht Anlass zur Sorge?«

Ti lächelte. »O nein, Prinz, was sollte dir jetzt noch Sorgen bereiten? Dein Rivale ist aus dem Weg geräumt, du hast die Frau bekommen, die dich legitimieren wird, und in ein paar Tagen wirst du deinen Thronfolger den Priestern zeigen. Es läuft alles zu deiner Zufriedenheit – hoffe ich.« Merenptah nickte vorsichtig. Ti legte die Hände in ihren Schoß. »Ein Anlass für mich, dich an die Einhaltung unseres geschlossenen Vertrages zu erinnern.«

Merenptah setzte ein falsches Lächeln auf. »Aber Herrin Ti! Meine Stellung ist ganz und gar nicht derart gefestigt, wie du denkst. Wenn meine Gemahlin nun ein Mädchen zur Welt bringt – und außerdem ist immer noch Ramses der Pharao. Ich kann dich zu diesem Zeitpunkt nicht an den Hof holen.«

Ti funkelte Merenptah zornig an. »Warum nicht, Prinz? Du stehst jetzt außer Konkurrenz. Chaemwese hat die Krone abgelehnt.«

»Aber meine Gemahlin ist von sehr hoher Geburt. Falls sie ein Mädchen haben wird und ich hole dich vorher als meine Frau in den Palast, wird sie toben vor Wut. Sie wird mir den Einlass in ihre Gemächer verwehren und bei Ramses und Bint-Anat gegen mich sprechen. Ich sehe darin eine große Gefahrenquelle.«

Tis Lippen verzogen sich zu einem Strich. »Wenn ich dich nicht besser kennen würde, Prinz, so würde ich glauben, du willst dich nicht an die Vereinbarungen unseres Vertrages halten. Doch bedenke, Prinz, ich besitze das Schriftstück mit deinem Siegel und das nötige Wissen, um dich in die Knie zu zwingen.« Ti überlegte einen Moment. »Aber dieses Mal will ich dir glauben, denn ich erkenne die Risiken eines verfrühten Handelns sehr wohl. Ich werde also warten, doch wenn deine Gemahlin einen gesunden Knaben zur Welt bringt, werde ich mich bald wieder an dich wenden.« Ti stand auf und verabschiedete sich nachlässig.

»Hässliche alte Vettel!« Merenptah rief ihr genau diese Worte in Gedanken hinterher.

*Königspalast in Pi-Ramses*

»Prinz, wie gut, dass Ihr zurück seid. Eure Gemahlin ist vor wenigen Minuten niedergekommen.« Die Dienerin strahlte Merenptah überglücklich an.

»Und, rede schon, hat sie mir den erwünschten Thronfolger geboren?«

Das Mädchen trat verlegen von einem Fuß auf den anderen. »Nein, der Thronfolger ist es noch nicht, aber eine wunderschöne Prinzessin, die darauf wartet, dass Ihr ihr einen Namen gebt. Die Prinzessin Tani hat selbst darum gebeten.«

Merenptah polierte sich abwesend mit einem Tuch seine Nägel. »Soll meine Gemahlin ihr einen Namen geben. So ist es seit jeher Sitte. Ich bin nur für den Namen des Prinzen zuständig.«

Die Dienerin wusste nicht recht, was sie sagen sollte, deshalb erwiderte sie: »Wollt Ihr Eure Gemahlin und Eure Tochter nicht besuchen?«

Merenptah zog widerwillig die Augenbrauen zusammen. »Wozu? Ich kann sie doch später noch sehen. Ich habe Wichtigeres zu tun.«

Merenptah ließ die verdutzte Dienerin einfach stehen. Einerseits war er maßlos enttäuscht, dass er noch immer keinen Thronfolger hatte, andererseits hielt ihm das die Herrin Ti vom Leib. Er würde neue Überlegungen anstellen müssen.

### *Sakkara*

Bint-Anat fiel Chaemwese um den Hals. »Wie lange habe ich dich nicht mehr so berühren dürfen, Bruder? Die Jahre sind an uns vorbeigezogen und haben uns unserer Jugend beraubt, ohne dass wir sie auskosten konnten. Wie gerne denke ich an den Abend in Pi-Ramses zurück.«

Chaemwese schloss die Augen und sog den Duft ihrer Haare ein. Ein Gefühl des Loslassens überkam ihn. Die Jahre fielen von ihm ab, und er war wieder der zwölfjährige Knabe, der in schwärmerischer Liebe für seine strahlend schöne Schwester entflammt war. Doch dann öffnete er die Augen und ließ sie los. Es war alles nur eine Illusion. Ramses war mit den Aufsehern zu den

Grabmälern gegangen, die Chaemwese restaurieren ließ. Eine kurze Zeit von ein paar Stunden war alles, was sie hatten.

»Bint-Anat, die Jahre sind vergangen, und wir sollten weiser geworden sein. Das Feuer der Jugend ist erloschen, und die stete Flamme der Reife vermag meinem Ka nur noch leichte Verbrennungen zuzufügen.«

Bint-Anat betrachtete ihn skeptisch. »Wenn ich wollte, könnte ich dich noch immer schmerzhaft treffen, doch dafür liebe ich dich zu sehr. O Chaemwese, warum hast du die Krone abgelehnt? Jetzt zürnt Tani sowohl mir als auch dir. Sie versteht unser Verhalten nicht.«

Chaemwese ließ sich müde in einen Sessel sinken. Bint-Anat konnte die Spuren des Alters deutlicher in seinem Gesicht sehen als in ihrem, obwohl er fast drei Jahre jünger war als sie. Kummerfalten lagen um Augen und Mund. Seine Haut wirkte viel zu fahl für einen Sechsunddreißigjährigen. Sein Körper war noch immer kräftig, doch er wirkte trotzdem kraftlos. Wieder einmal gab Bint-Anat sich selbst die Schuld daran. Wegen ihr hatte Chaemwese früh aufgehört jung zu sein. Ihre Liebe gab seinem Ka keine Kraft, sondern fraß es langsam auf.

»Ich konnte Tani nicht zu meiner Gemahlin machen, ebenso wenig wie die Krone auf mein Haupt gehört. Es war der Wunsch der Götter, dass Amu sie trägt. Sie können nicht gewollt haben, dass er stirbt, ohne sie getragen zu haben.«

Bint-Anat trafen Chaemweses Worte wieder einmal wie Speere. »Tani hasst Merenptah. Sie sagte mir, dass sie an deiner Seite hätte glücklich werden können.«

Chaemwese schüttelte den Kopf. »Nein, sie irrt sich! Ich liebe Tani, doch nicht als Frau, sondern als das Kind, das ich in ihr sehe. Sie hätte früher oder später gemerkt, dass mein Herz dir gehört. Das wäre fatal gewesen.«

»Aber sie ist so unglücklich.«

Chaemwese horchte auf und fragte: »Warum hast du dieser Verbindung so einfach zugestimmt? Ich weiß, dass du Merenptah nie mochtest.«

»Ich dachte, ich müsste Ramses bestätigen.«

Chaemwese schüttelte heftig den Kopf. »Heißt das, du tatest es, um Ramses gefällig zu sein? Hat er schon so sehr von deiner Seele Besitz ergriffen?«

»Wie kannst du nur so etwas sagen?«, entgegnete Bint-Anat wütend.

»Du hättest Tani helfen können.« Bint-Anat entging nicht der tadelnde Unterton in Chaemweses Stimme.

»Wie könnte ich die Entscheidung des mächtigen Stieres von Ägypten in Frage stellen?« Ohne es zu wollen, schrie sie plötzlich: »Wie konntest du das tun? Die Krone sollte dir zukommen, es war Ramses' Entscheidung. Wie konntest du es wagen, dich zu weigern?«

Chaemwese stand auf und sah seine Schwester verständnislos an. »O Schwester, was ist aus dir geworden? Du bist nicht mehr die Frau, die ich geliebt habe. Dein Blick ist kalt, und Gefühle empfindest du nur für dich – und für Ramses. Weil er ist wie du, weil ihr beide in eurem Narzissmus vereint seid und euch in eurer Göttlichkeit sonnt. Ihr verschlingt eure Kas, ihr liebt euch zu Tode. Ihr seid wie zwei Löwen, die um dasselbe Territorium kämpfen. Ramses nutzt deinen Körper, und du nutzt seinen Geist aus, indem du ihn in die Richtung lenkst, in die du gehen willst. Ihr seid wie Tiere, getrieben von einem unerschütterlichen Selbsterhaltungstrieb, bereit, für euer eigenes Wohl Artgenossen und Nachkommen zu opfern. Erst jetzt, nach so vielen Jahren, wird mir klar, dass meine Liebe zu dir niemals hätte Erfüllung finden können, auch nicht, wenn ich dich zu meiner Gemahlin gemacht hätte. Wenn du etwas an mir geliebt hast oder glaubtest es zu lieben, dann warst du es nur selbst, die du in mir wiedererkannt hast. Du hast dein eigenes Blut durch meine Adern strömen hören, hast es gewittert wie ein Raubtier. Es ist dein Fluch, dass du nur im eigenen Fleisch Erfüllung finden kannst.«

Bint-Anat stand starr vor ihm. »Was sagst du da?«

Ein zorniges Flüstern entfuhr ihren Lippen. Sie spürte, wie sie außer Kontrolle geriet. Sie holte aus und schlug Chaemwese die Hand ins Gesicht, wobei ihre Fingernägel tief in seine Wangen schnitten. Blut floss aus den Wunden. Chaemwese blickte seine Schwester nicht mehr an. Er drehte sich um und ging.

»Chaemwese … es tut mir Leid«, stammelte sie. Doch Chaemwese beachtete sie nicht.

*Die königliche Barke von Ramses und Bint-Anat*

»Warum bist du so schweigsam, Tochter? Sollte es dich derart hart getroffen haben, dass du Sakkara und Chaemwese verlassen musst?«

Bint-Anat starrte an Ramses vorbei. »Nein, Chaemwese und ich haben die tiefe Bindung im Laufe der Jahre verloren. Es schmerzt nicht mehr – wie früher.« Welch großartige Lügnerin sie doch war – die Jahre hatten es sie gelehrt.

»Dann wirf einen Blick auf diesen Papyrus, den mir ein Bote in Sakkara überreichte. Er dürfte dich interessieren.« Ramses gab ihr eine Schriftrolle.

Bint-Anat überflog die Zeilen, die in Babylonisch, der offiziellen Amtssprache, abgefasst waren. Nach etwa zehn Sekunden hielt sie inne. »Das ist eine Nachricht aus Chatti, von Hattusilis. Er will dir tatsächlich seine älteste Tochter senden, damit du sie heiraten kannst. Wie hast du das fertig gebracht?«

Ramses lächelte. »Ich habe meine Verbindungen, die bis in die Hauptstadt Hattusa reichen, auch ein paar Berater, die zwar in Hattusilis' Diensten stehen, jedoch in Wirklichkeit mir treu ergeben sind. Sie haben das Ganze für Hattusilis geschmackvoll ausgeschmückt.«

Bint-Anat ließ sich auf ihrem eigenen Thronsessel, der neben Ramses unter dem Baldachin stand, nieder. »Das sind wirklich erfreuliche Neuigkeiten, mein Gemahl. Wir sollten uns gut auf das große Ereignis vorbereiten.«

*Jahr 33 der Herrschaft Ramses' II. –*
*Königspalast in Pi-Ramses*

»Wie schön, Prinz Merenptah, endlich habt Ihr den Thronfolger, auf den Ihr so lange warten musstet.«

Die Dienerin strahlte Merenptah unschuldig an. Für sie war er ein fettleibiger Vierunddreißigjähriger, dem sie zu dienen hatte. Sie hatte mit dem Kronprinzen gelitten, der es in drei Jahren nicht fertig gebracht hatte, einen männlichen Nachkommen zu zeugen, dafür aber schon drei Prinzessinnen von seiner Hauptfrau Tani hatte. Jetzt war sein sehnlichster Wunsch endlich in Erfüllung gegangen. Merenptah stand auf und machte sich sofort auf den Weg in die Gemächer seiner Gemahlin.

Bint-Anat saß Amunnemipet gegenüber, der genau wie sie auf Ramses' Eintreffen wartete. Derzeit war der Pharao überaus beschäftigt, und Bint-Anat musste immer länger auf das Erscheinen ihres Gemahls in seinem Arbeitszimmer warten. Gedankenverloren spielte sie mit einem Zopf ihrer Perücke.

»Nun, Amunnemipet, Prinz Merenptah hat wohl endlich bekommen, was er wollte. Der kleine Merire wird ihn endgültig als Thronfolger bestätigen.«

Amunnemipet horchte auf. »Und das scheint Euch Sorge zu bereiten.«

Bint-Anat überlegte kurz, ob sie zu viel gesagt hatte, doch sie brauchte einen Verbündeten. »Gibt es nicht genug Anlass zur Sorge, treuer Freund?«

Amunnemipet ließ sich nichts anmerken. »Ich denke, Ihr habt sehr gut vorgesorgt. Die Hochzeit mit der Hethiterprinzessin war ein kluger Zug Eurerseits. Der Pharao braucht einen legitimen Prinzen. Das wird Merenptah zumindest ein wenig einschüchtern.«

»Hoffen wir es!«

Ramses betrat eiligen Schrittes den Raum. Mit einem kurzen Gruß an Amunnemipet und Bint-Anat ließ er sich vor seinem Arbeitstisch nieder. »Es ist ein äußerst schlechter Zeitpunkt für die bevorstehende Hochzeit. Mein zweites Regierungsjubiläum fordert meine ganze Aufmerksamkeit.«

»Nun, mein Gemahl, hast du dich bezüglich der Organisation desselben entschieden?«

Ramses nickte zufrieden. »Ja, Chaemwese wird es wieder ausrichten, ich werde ihn, Merenptah und dich an meiner Seite haben. Außerdem wird Isisnofret teilnehmen. Merenptah und ich haben befunden, dass das Volk sie bei einem öffentlichen Anlass sehen sollte, bevor sie sich auf eigenen Wunsch für immer in den Harem Faijum zurückzieht.«

Bint-Anat warf ihrem Vater einen fragenden Blick zu. »Warum soll sie gerade jetzt zurückkehren?«

Ramses drehte seinen schweren Goldarmreif. »Nun, es ist die beste Gelegenheit. Eine neue Königin wird eintreffen, und da werde ich dem Volk verkünden, dass ich die Königin wieder in den Harem Faijum entlassen kann, wo sie ihr Alter verbringen wird. Natürlich auf ihren eigenen Wunsch.«

»Wie gerissen!« Bint-Anat war vorsichtig.

»Ja, nicht wahr? Es war Merenptahs Idee. So viel Scharfsinn hätte ich ihm gar nicht zugetraut. Vielleicht wird er doch noch einmal ein akzeptabler Nachfolger.« Ramses nahm seinen Becher, den der Diener stets gefüllt hielt. »Zuerst das Jubiläum, dann die Hochzeit, und dann kann Isisnofret endlich wieder aus dem Palast geschafft werden. Es ist mir nicht wohl bei dem Gedanken, dass sie ständig mit Mohnsaft betäubt wird. Im Harem kann sie meinetwegen ihren Wahnsinn ausleben.«

Bint-Anat wusste nicht, weshalb, doch Ramses' Worte gefielen ihr nicht. Es waren nicht seine eigenen. Aus ihm sprach Merenptah, der immer mehr an Einfluss zu gewinnen schien. Ramses hatte Isisnofret auf eine ihm eigene Art geliebt, sie war kein ausrangiertes Stück Holz, das Ramses weggeworfen hatte. In Bint-Anat machte sich langsam ein stetes Gefühl der Ohnmacht breit. Es war Zeit für einen Wechsel. Es war Zeit, dass sie ihre eigenen Figuren ins Spiel brachte.

Merenptah hatte die Nachricht der Herrin Ti erhalten und las sie höchst unwillig. Ihm war jedoch klar, dass er antworten musste, er hatte sich ihr gegenüber verpflichtet. Wie hatte er auch ahnen können, dass sie so lästig sein würde. Nach einer Weile, in der er über das Schreiben nachgedacht hatte, griff er selbst zum Federkiel und begann eine Antwort zu verfassen. Er übergab sie einem Diener, dem er vertraute, und schickte ihn zum Anwesen der Herrin Ti.

Nach ein paar Minuten betrat Tani sein Gemach. Unbeeindruckt von Merenptahs abweisendem Gesichtsausdruck blieb sie kurz vor ihm stehen. Seine fünfundzwanzigjährige Gemahlin war auf der Höhe ihrer Schönheit und ihrer Kraft angelangt. Und gerade das hasste Merenptah an ihr am meisten.

»Nun, mein Gemahl, bevor du wieder angetrunken und unangemeldet in meinen Gemächern erscheinst, teile ich dir mit, dass ich heute Abend einen Empfang für meine engsten Freunde gebe. Du bist natürlich nicht erwünscht. Ich kann dir zwar nicht verbieten, ebenfalls teilzunehmen, doch sei gewiss, dass ich dir diesen Abend gründlich verderben werde, wenn du dich entschließen solltest, vorbeizuschauen.« Tanis Augen funkelten herausfordernd. »Ich könnte mich dazu herablassen, meinen Freundinnen zu erzählen, welch eine Enttäuschung du in jeglicher Hinsicht bist.«

Merenptah funkelte sie zornig an. »Das Einzige, was ich von dir jemals wollte, war ein Thronerbe. Warum sollte ich mir nur die geringste Mühe geben, dich zu erfreuen?«

Tani ließ sich leise lachend in einen Sessel sinken. »Oh, mein Gemahl, du könntest alle Anstrengungen der Welt auf dich nehmen, und ich würde doch noch immer das sehen, was du wirklich bist. Wie nannte dich Bint-Anat? Fettes Nilpferd? Nun, das warst du in deinen besseren Zeiten.«

»Hüte deine Zunge, du nutzlose Hure. Ohne mich wirst du die Krone der Königin nur von Ferne bewundern können.«

Tani lachte. »Aber ich bin die Mutter eines königlichen Prinzen. Warte nur ab, irgendwann schnürt es dir den fetten Hals zu. Und ich werde hinter dir sitzen und dafür sorgen, dass die Schlinge nicht aufgeht.« Tani erhob sich. »Und da du jetzt deinen Prinzen hast und ich meine Pflicht dir gegenüber erfüllt habe, rate ich dir, meine Gemächer zu meiden.«

Merenptah lächelte süffisant. »Nun, das musst du mir schon überlassen. Ich gebe mich mit einem Thronfolger nicht zufrieden. Das wäre viel zu leichtsinnig.«

»Wie du meinst, doch wirst du nie sicher sein können, dass der nächste Prinz von deinem Blut ist. Es bleibt dir überlassen, das Risiko einzugehen und die Söhne anderer Männer als die deinen aufziehen.«

Merenptah stemmte seinen fetten Körper mit aller Kraft hoch. »Wie kannst du es wagen? Du wirst die Königin sein und holst wie eine Bäuerin dreckige Kerle in dein Bett?«

Tani lachte schadenfroh. »Nun ja, sieh es als ausgleichende Gerechtigkeit. Ich habe dich nicht freiwillig geheiratet. Gib dich zufrieden mit dem Prinzen, bei dem du sicher bist, dass er dein Blut ist. Ich habe die ganzen Jahre niemals wirklich leben dürfen. Ich werde ab jetzt alles das tun, wozu ich Lust habe.« Tani zog Merenptah an seinem fleischigen Ohr. »Ich will dich in meinem Leben nur noch zu öffentlichen Anlässen sehen. Du widerst mich an. Ich verbringe jetzt die Nächte mit Männern, deren Körper kraftvoll sind und die mir Freude bereiten können. Du hast ja noch immer deinen Harem und deine Knaben.« Tani verzog angeekelt das Gesicht. »Und denke immer daran, Merenptah! Ein schwacher König wird nicht lange auf dem Thron sitzen. Vielleicht solltest du verzichten?«

Merenptah bebte vor Zorn. »Verschwinde!«

Tani drehte sich kokett um und verließ lachend die Gemächer ihres Gemahls.

*Das Anwesen des Prinzen Merenptah in Pi-Ramses*

Ti wurde langsam ungeduldig. Merenptah ließ heute lange auf sich warten. Der Diener schenkte ihr Wein nach.

»Herrin Ti, dann hast du also meine Nachricht erhalten?«

Ti drehte sich um und blickte in Merenptahs feistes Gesicht. »Natürlich habe ich das. Und du weißt auch, warum ich heute hier bin.«

Merenptah hob beschwichtigend die Hände. »Oh, aber natürlich. Der Vertrag, den wir einst abgeschlossen haben. Ich habe jetzt einen Thronfolger, und der Vertrag muss eingelöst werden.« Ti nickte zufrieden.

Merenptah trat auf sie zu. »Nun, ich hoffe, du bist noch im Besitz dieses Vertrages, denn er ist die Grundlage unserer kleinen Vereinbarung.

»Mache dir darüber keine Sorgen, ich habe ihn behütet wie mein Kind.«

»Darf ich ihn sehen?«

Ti lachte. »O Prinz, glaubst du wirklich, ich wäre so dumm? Nein, der Vertrag ist in sicheren Händen. Du wirst keine Möglichkeit haben, ihn zu zerstören.«

Merenptah nickte, dann zog er eine Schriftrolle aus seiner Arbeitstischlade. »Ist das der Vertrag?«

Ti erschrak. »Woher hast du ihn?«

»Dein Diener gab ihn mir.«

»O, dieser Schakal. Ich habe ihm ein Vermögen bezahlt für seine Loyalität.«

»Ja, doch ich bin immer noch der reichere von uns beiden. Schließlich entstamme ich dem Königshaus, und mein rein königliches Blut privilegiert mich und bürdet mir bestimmte Pflichten auf. Und dazu gehört auch, das Königshaus rein zu halten und dafür zu sorgen, dass Bürgerliche sich keinen Platz in den Reihen der Götter ergaunern können.«

Ti schnaubte verächtlich. »Ist dein Platz etwa legitim? Hätte dein eigener Vater dir freiwillig die Krone gegeben, wenn Prinz Chaemwese sie angenommen hätte?« Ti sah Merenptah mitleidig an. »Nein, Prinz! Du bedurftest der Hilfe einer Bürgerlichen, damit die Götter sich nicht von dir abwenden.«

»Da hast du Recht, Ti, doch jetzt ist alles anders geworden, und deine Hilfe ist für mich nicht mehr von Nutzen.« Merenptah machte eine längere Pause. »Im Gegenteil – ich spüre, dass du zu einer Gefahr für den Palast wirst. Du wirst sicherlich verstehen, dass ich in der Abwesenheit meines Vaters für Ordnung sorgen muss, und deshalb trennen sich heute unsere Wege.«

Ti stand wütend auf. »So einfach ist das nicht, Prinz. Mein Wissen allein reicht, um den Pharao und Bint-Anat zu überzeugen. Irgendjemand wird mir zuhören.«

Merenptah schüttelte den Kopf. »Ich fürchte, das wird nicht der Fall sein, Herrin Ti, denn im Land des Westens werden, wenn Ammit dich nicht verschlingt, die Rechtschaffenen mit dem Finger auf dich zeigen und sagen: ›Seht, das ist Ti, die sich etwas erkaufen wollte, was nur die Götter geben können.‹«

Ti erhob sich. Sie verstand. Hastig drehte sie sich um und rannte in Richtung Tür. Doch plötzlich ging diese auf und ein großer Nubier mit einem Kupferdraht betrat den Raum. Ti erkannte sofort die Situation. Mit einem Schrei stürzte sie zu einem der Fenster und wollte die Binsenmatte zur Seite schieben, um hinauszuspringen und ihr Leben zu retten. Doch der Nubier war schneller. Ein leiser Pfeifton, und die Schlinge legte sich um Tis Hals. Jeglicher Kraft beraubt, ließ sie sich in den Raum zurückziehen. Gurgelnde und krächzende Geräusche entfuhren ihrer Kehle, und ihre Augen traten weit aus den Höhlen. Das Blut schoss ihr in den Kopf, und die diesseitige Welt verschwand. Ihr inneres Auge nahm eine andere Welt wahr, in die sie bereit war, überzugehen.

Der Nubier ließ Tis Leiche fallen und blickte Merenptah fragend an. Dieser stand auf und seufzte. »Wie schade, sie war brillant – aber zu gierig.«

*Königspalast in Pi-Ramses*

Ramses saß über den Depeschen und schnaubte vor Wut. Er hatte seine Tochter rufen lassen, die immer Lösungen für Probleme fand. Gerade kam die schöne Bint-Anat in sein Arbeitszimmer gestürmt.

»Mein Gemahl, Amunnemipet teilte mir mit, dass es wichtig sei.«

Ramses verlor keine Zeit, sondern wies auf den Papyrus, der vor ihm lag. Bint-Anat las ihn hastig durch.

> *»Grüße sendet dem mächtigen Stier Ägyptens, geliebt von Re, Bezwinger fremder Länder, groß an Siegen, reich an Jahren, die große Königin Puducheba, Regentin des Königreiches Chatti.*
> *Warum, großer König, schreibst Du uns derart unfreundliche Briefe? Warum wirfst du Deinem Bruder, dem großen König von Chatti vor, dass er Dir seine Tochter nicht schicken will? Siehe, eine große Kälte zwingt das Volk Chattis in die Knie, die Prinzessin kann den Palast nicht verlassen. Außerdem wütete ein großes Feuer im Palast, das die Mitgift der Prinzessin teilweise vernichtete.*
> *Du, mein Bruder, solltest nicht so unfreundlich sein, denn die Prinzessin wird Dein sein. Wende den Zorn Deines Gottesbruders Seth von uns ab, der den Palast verbrannte und die Kälte auslöste, und wir werden Dir die Prinzessin schicken. Dies schrieb im Jahr 33 der Herrschaft des großen Ramses Usermaatre Setepemul die große Königin Puducheba.«*

Bint-Anat ließ den Papyrus zusammenfahren. »Ich gab dir den Rat, mein Gemahl, dich nicht zu allzu ungehörigen Äußerungen herabzulassen.«

Ramses schlug die Faust auf den Tisch – mit zunehmendem Alter nahm auch sein Jähzorn stetig zu. Die sanfte Nefertari war nicht mehr an seiner Seite, um ihn zu mäßigen. »Ich bin dazu berechtigt. Ich könnte die Tochter eines Gottes fordern.«

»Doch kompliziert es die Dinge unnötig.« Bint-Anat griff nach einem Becher Wein. »Nun gut, sie wollen, dass Seth die Flüche von ihnen nimmt. Sie werden sich wundern!« Ramses blickte seine Tochter erwartungsvoll an. »Schreibe Hattusilis, dass er seine Tochter in zwei Monden reisebereit halten soll. So lange wird es dauern, bis du Seth besänftigt hast.«

Ramses grinste verschlagen. »Natürlich, der Martinssommer. Es wird eine kurzfristige Erwärmung geben.«

Bint-Anat leckte den Becherrand ab. Der Oasenwein vermochte es am besten, ihre Sinne zu schärfen. »Doch weiß Hattusilis nichts davon. Er wird glauben, du hättest deinen Einfluss auf Seth wirken lassen. Es wird dein Ansehen erheblich steigern.«

Ramses lehnte sich entspannt zurück.

Merenptah traf seine Schwester am See an, wo sie in den Abendstunden zu baden pflegte. Enttäuscht stellte er fest, dass sie noch immer schön war und somit wohl auch noch in der Lage, Ägypten von Ramses' Bett aus zu regieren. Wie gerne hätte er ihr einfach einen Dolch durch ihr Herz gestoßen!

»Schwester, wie schön, dass ich dich hier treffe.«

Bint-Anat drehte sich lasziv um, sodass er ihre volle Nacktheit betrachten konnte. Eine Geste, von der Bint-Anat wusste, dass sie ihren Bruder verunsichern würde. Weiblichkeit machte ihn nervös, sie berührte ihn unangenehm.

»Merenptah, ich bin sicher, dass du nicht zufällig hier bist, sondern den ganzen Palast nach mir abgesucht hast, bis du mich nun leider doch gefunden hast. Ich gedenke Re alleine zu huldigen, bevor er von Nut verschlungen wird, also komm bitte gleich zur Sache.«

Merenptah lächelte scheinheilig. »Ich mache mir etwas Sorgen wegen der bevorstehenden Hochzeit mit der Hethiterprinzessin. Natürlich ist sie nicht legitim, ihre Kinder können nicht im Königspalast unter den meinen wohnen.«

Bint-Anat lächelte ebenfalls. »Nun, wenn das so ist, warum machst du dir die Mühe, mir dies persönlich mitzuteilen? Diese Entscheidung liegt nicht bei mir, deine Bedenken solltest du bei Ramses vortragen.« Und mit freudestrahlendem Gesicht fuhr sie fort: »Sag ihm direkt, dass seine Braut nicht standesgemäß und dass auch sein Samen nicht göttlich genug ist, die Kinder der Hethiterin zu legitimieren.« Bint-Anat klatschte in die Hände. »Ach, weißt du was? Bemühe dich nicht. Nachdem du schon so lange gebraucht hast, mich zu finden, will ich dir das ersparen. Ich trage Ramses deine Bedenken selbst vor.«

Merenptah winkte ab. »Nein, Schwester, ich denke, das werde ich tun – mit deiner Unterstützung.«

»Ja, Bruder, vielleicht ist es doch keine gute Idee von mir, bei Ramses für dich zu sprechen, bin ich doch nur eine Frau. Mein Einfluss ist zu gering.«

Merenptah lächelte eisig. »Wenn ich es nicht besser wüsste, würde ich glauben, dass du gegen mich handelst, Schwester. War die Hochzeit nicht dein Einfall? Vielleicht sollte ich Ramses vom unflätigen Verhalten seiner großen Königsgemahlin berichten, von deiner verbotenen Liebe zu Chaemwese?«

»Das, lieber Bruder, hätte unweigerlich zur Folge, dass von der verbotenen Liebesfrucht die Rede sein wird, die ja nun deine Gemahlin ist und dich legitimieren soll. Man stelle sich vor, das Kind einer verbotenen Liebe. Wäre es nicht ein Streich der Götter, wenn Tani und ich verbannt würden – mitsamt deinem illegitimen Prinzen? Vielleicht würde die Enttäuschung in Ramses den Wunsch nach neuen Erben wecken? Erben, die ihm eine junge Prinzessin schenken kann?«

Merenptah wurde kreidebleich. »Du Schlange!«

Bint-Anat stand auf und trat ganz nahe an ihn heran, sodass ihre Brüste seinen Körper berührten. Dann näherte sie sich seinem Ohr und fuhr mit der Zunge über das Ohrläppchen. Ein kühler Wassertropfen fiel auf Merenptahs Schulter, als Bint-Anat ihm ins Ohr flüsterte: »Du wolltest Tani – und jetzt gehört sie dir!«

Kalter Schweiß brach Merenptah aus. Bint-Anat wandte sich ab, als wäre nichts geschehen, und verschwand.

Als sie außer Sichtweite war, übergab sich Merenptah.

# Bint-Anat und Maathorneferure

*Diese dort steht weit unter mir, Ra – der Du allein mich erhoben hast, Dir zu dienen – sie ist mehr Werkzeug als Geschöpf, mehr Dienerin als Herrin, der ich befehle, mir zu dienen, wie ich Dir diene. Ich dulde niemanden an meiner Seite – wehe der Seele, die mich in Frage stellt!*

# Kapitel 10

*Jahr 34 der Herrschaft Ramses' II. –*
*Königspalast in Pi-Ramses*

Bint-Anat saß neben Ramses auf dem Thron im großen Empfangssaal. Heute war ein bedeutender Tag. Ramses würde gleich die Hethiterprinzessin in Empfang nehmen. Bint-Anat hatte von ihrer Schönheit gehört und wartete nervös auf ihr Erscheinen, um sich selbst ein Bild machen zu können. Plötzlich ertönten die Fanfaren, und Bint-Anat sah, dass sich eine kleine Delegation auf den Thron zubewegte.

Minuten der Anspannung begannen für sie.

Dann verbeugte sich ein schönes junges Mädchen vor ihr und Ramses. Bint-Anat musterte sie. Sie war jung – höchstens sechzehn Jahre alt. Ihre Augen blickten nervös umher. Ein scheues Lächeln umspielte ihren Mund. Ihre Bewegungen verhießen Unsicherheit. Langsam entspannte sich Bint-Anat wieder. Das Mädchen war bestens geeignet. Ramses war entzückt. Er verkündete ihren Namen – Maat-Hor-Neferu-Re –, Die Horus in Re erblickt. Bint-Anat lächelte innerlich. Zweifellos schmeichelte die naive und unschuldige Art, wie die Prinzessin den großen König von Ägypten anblickte, dem eitlen Ramses.

Maathor blickte sich in ihren neuen Gemächern um. Ägypten war völlig anders als ihre Heimat Chatti. Ägypten lebte, es pulsierte, während Chatti kalt war, gerade und ohne überflüssige Verzierungen. Chatti war eine Männerwelt, in der Frauen nur Gäste waren – notwendige Gäste, dieses kriegerische Reich brauchte ständig Nachkommen, denn die meisten Söhne fielen in den Kriegen. Maathor war nicht unglücklich darüber, hier zu sein. Ihre Gemächer waren ein Traum. Hell, warm und freundlich. Ihre Garderobe war leicht und bestand aus hauchdünnen Gewändern, die sie auf ihrem Körper so gut wie nicht spürte. Hier in Ägypten bedurfte sie keiner schweren und beengenden Pelzmäntel, die sie vor dem rauen Klima schützten. Dieses Land war ein einziges Lachen, eine einzige Freude, ein einziger Traum. Frauen schienen hier geachtet zu werden, und ihre Männer machten ihnen Geschenke und zeigten sich mit ihnen in der Öffentlichkeit. Sie hatte sich recht schnell an die Annehmlichkeiten des Lebens in Ägypten gewöhnt. Sie feierte rauschende Feste, hatte junge Freundinnen gefunden und war mit sich und der Welt zufrieden. Ramses besuchte sie regelmäßig. Es gefiel ihm, ihren jungen Körper zu lieben. Und selbst wenn Ramses einmal das Interesse an ihr verlieren würde, und das würde irgendwann, so wusste Maathor, geschehen, hatte sie doch noch immer den Titel der großen königlichen Gemahlin, den ihr niemand nehmen konnte. Sie würde nicht wie irgendeine Nebenfrau in einem der Harems verschwinden.

Plötzlich wurden Maathors Gedanken durch das Räuspern einer jungen Dienerin unterbrochen. Maathor blickte sie fragend an.

»Majestät, die Königin Bint-Anat bittet um Erlaubnis, eintreten zu dürfen.«

Maathor verzog nachdenklich die Stirn. Sie konnte Bint-Anat nicht einschätzen. Sie hatte es als äußerst beleidigend empfunden, dass diese in ihrer Hochzeitsnacht Ramses zuerst für sich beansprucht und dann in das Hochzeitsgemach geschickt hatte. Maathor hatte noch den Duft von Bint-Anats Parfum an ihm riechen können. Doch ihre Neugier siegte.

»Sie möge eintreten!«

Die beiden Frauen musterten sich wortlos. Bint-Anat sah ein frisches, junges Mädchen, in der Blüte ihrer Jugend. Maathors Haar war dunkelbraun, ihre Augen waren schräg gestellt, was ihr einen katzenhaften Ausdruck verlieh. Bint-Anat überlegte einen Moment, ob ihr gefiel, was sie sah. Ihr selbst war durch den Teil syrischen Blutes eine gewisse Exotik gegeben, doch kam sie zu dem Schluss, dass es bei Maathor zu viel des Guten war. Sie wirkte auf den ersten Blick sehr interessant, doch schon bald würde jeder Mann ihrer überdrüssig werden, da ihr Gesicht nicht wandelbar war – und dies löste eine sexuelle Übersättigung aus. Bint-Anat war beruhigt. Sie schenkte Maathor ein Lächeln. Maathor erwiderte es vorsichtig. Sie hatte Bint-Anat ebenso gemustert wie diese sie und war auch zu einem für sie beruhigenden Ergebnis gelangt. Bint-Anat war schön, o ja! Die Geschichten, die sie über sie gehört hatte, trafen zu. Doch hatte Maathor festgestellt, dass Bint-Anat alt war. Noch zwei oder drei Jahre, und ihre Schönheit würde bröckeln wie Kalkstein. Das wäre dann die Strafe für ihre Dreistigkeit.

»Es ist mir eine Ehre, meine königliche Schwester kennen zu lernen.«

Maathor hatte sich entschlossen, freundlich zu sein. Bint-Anat verbeugte sich leicht. Sie war dabei darauf bedacht, nicht loszulachen. Was erdreistete sich dieses unwichtige Ding? Kein Tropfen königlichen ägyptischen Blutes floss durch Maathors Adern. Sie würde niemals mehr als ein Mittel zum Zweck sein – für Ramses im Bett und für Bint-Anat im großen Senet-Spiel um den Thron.

»Mich freut es ebenfalls, dass ich meine Schwester endlich kennen lerne. Möge Re dein Haupt und deinen Leib segnen.«

Maathor bot Bint-Anat einen Stuhl an.

»Ich glaubte eigentlich nicht, dass meine Schwester mir wohlgesonnen ist, nachdem sie den König in der Nacht meiner Hochzeit für sich beanspruchte.«

Bint-Anat überhörte den unverschämten Tadel. »Nun, Maathor, er hat die Hochzeit mit dir in eben dieser Nacht vollzogen, nicht wahr? Ich denke nicht, dass er versagt hat. Außerdem hörte ich, dass er dich seitdem des Öfteren aufgesucht hat. Es gibt also keinen Grund, mir deswegen Vorwürfe zu machen. Es wäre anmaßend, bin ich doch von seinem Blut, meine Stellung ist unangefochten.« Bint-Anats feingliedrige Hand vollzog eine katzenhafte Bewegung, wobei ihre goldenen Armreifen leise klimperten. »Ich trage das Blut des Gottes in mir und habe eine reinblütige Prinzessin geboren – die Erbprinzessin wohlgemerkt. Diese

Hände«, Bint-Anat hob ihre hennabemalten Handflächen, »bestimmen, wer am Hof des Pharaos geliebt wird und wer nicht, sie strafen und sie loben, sie begünstigen und sie vernichten.« Bint-Anats Fingernägel erzeugten ein kratzendes Geräusch auf dem kleinen Senet-Spieltisch, als sie nach den Spielfiguren griff. »Spielen wir eine Partie?«

Maathor zog skeptisch die Augenbrauen hoch. »Nein, Königin! Jeder hier am Hof weiß, dass du noch nie geschlagen wurdest. Ich messe mich niemals in einem Spiel, in dem ich der sichere Verlierer bin.«

Bint-Anat ließ die Figuren lächelnd auf das Brett fallen. »Dann ist es ja gut! Ich hatte gehofft, wir würden wirkliche Schwestern werden. Ich mag dich, Maathor – und ich will dir helfen.«

»Welcher Art Hilfe bedarf ich deiner Meinung nach, Schwester?«

Maathors Frage hatte etwas schnippisch geklungen. Sie verstand Bint-Anats Andeutungen nicht. Sie war nicht weniger als sie, trug sie doch ebenfalls den Titel der großen Königsgemahlin. Und war sie nicht auch von reinem königlichen Blut, gesegnet vom Wettergott, der in Chatti angebetet wurde? Bint-Anat überhörte erneut den anmaßenden Ton.

»Nun, Maathor, der Pharao begehrt dich, du besitzt sozusagen die Gunst der Stunde.« Bint-Anat machte ein erwartungsvolles Gesicht. Maathor begriff noch immer nicht. »Maathor, verstehst du denn wirklich nicht?« Trotz spiegelte sich im Gesicht der jungen Frau wider. »Was ich sagen will, ist, dass du diese Gunst auch nutzen solltest, damit es ein Leben nach dieser Gunst für dich geben wird.«

»Wie meinst du das? Ich bin keine gemeine Nebenfrau, ich bin große königliche Gemahlin, mein Anspruch kann nicht einfach übergangen werden.«

»So? O, meine kleine ahnungslose Nilgans! Sag, weißt du, wer meine Mutter ist?«

»Natürlich, die große königliche Gemahlin Isisnofret.«

Bint-Anat nickte belustigt. »Ja, und weißt du auch, wo sie jetzt ist?«

»Sie hat sich auf eigenen Wunsch in den Harem Faijum zurückgezogen, um ihr Alter zu genießen.«

Bint-Anat nickte wieder. »Und nun sage mir, Maathor, wohin würdest du dich zurückziehen, um dein Alter zu genießen?«

Maathor verschränkte die Arme vor der Brust. »Nirgendwohin natürlich. Ich würde hier im Palast bleiben. Hier ist das Leben. Nirgendwo sonst würde ich hingehen. Warum sollte ich?«

Bint-Anat begann zu lachen. »Und glaubst du wirklich, dass meine hochverehrte Mutter das nicht ganz genauso gesehen hat? Glaubst du, dass sie freiwillig zwischen all den langweiligen Hühnern im Faijum ihre restlichen Tage begeht?«

Maathor wurde kreidebleich. »Heißt das etwa, dass …?«

»Natürlich, du naives Entchen. Sie ging niemals freiwillig. Sie wurde verstoßen. Und warum?« Bint-Anat schenkte Maathor ein süffisantes Lächeln, bevor sie fortfuhr. »Weil sie genauso ahnungslos und einfältig war wie du.«

»Ich bin nicht einfältig!« Maathor wurde zornig.

»Oh, natürlich nicht.« Bint-Anat stand auf. »Aber jammere nachher nicht, wenn alles zu spät ist. Sage nicht, dass ich dich nicht gewarnt hätte.« Sie war schon im Begriff, den Raum zu verlassen.

»Warte! Setz dich bitte wieder. Ich will hören, was du zu sagen hast.«

Bint-Anat drehte sich um und ließ sich zufrieden auf dem Stuhl nieder. »Nun, zuerst einmal brauchst du einen Erben. Das wird dich im Ansehen der Priester und des Pharaos erheblich steigen lassen. Merenptah ist der letzte legitime Sohn des Pharaos, mit Ambitionen auf die Krone. Ein neuer Prinz würde das Reich stärken. Die Priester warten schon so lange darauf. Stell dir vor, dass du die Mutter sein wirst. Ägypten und der Pharao würden dich mit Gold überhäufen und dir auf ewig höchste Ehren zuteilwerden lassen.«

Maathor lächelte glücklich. »Ja, dann wäre alles geklärt.«

Bint-Anat fuhr mit der Hand über den Senet-Tisch, dass alle Spielfiguren heruntergefegt wurden. »Nichts ist geklärt. Glaubst du, meine Tochter Tani ist dumm? Sie wird in einem neuen Prinzen nur eine Gefahr für ihren Thronanspruch und den Thronanspruch ihrer Kinder sehen. Sie wird alles versuchen, dich aus dem Weg zu räumen.«

Maathor blickte Bint-Anat entsetzt an. »Aber … dann ist es besser, wenn ich mich mit dem zufriedengebe, was ich jetzt schon habe.«

»Nein, denn Tani wird nicht wissen, dass du dich zufriedengibst! So oder so, sie wird versuchen dich zu beseitigen.«

Maathor begann zu schluchzen. »Ich habe Angst! Was soll ich denn bloß tun?«

»Hör auf zu heulen! Natürlich wirst du einen Prinzen haben, denn das macht es für Tani schwieriger, dir zu schaden. Du wirst unter meinem Schutz stehen. Ich werde für dein Wohl sorgen. Mein Einfluss macht es mir möglich.«

Maathor warf sich vor Bint-Anat auf die Füße und küsste ihr die Hände. »Ich danke dir, Schwester! Ich werde ab jetzt nur noch dir vertrauen.«

Bint-Anat tätschelte Maathor sanft den Kopf. Dann schob sie diese sacht von sich und stand auf. Bevor sie ging, lächelte sie Maathor noch einmal aufmunternd an. »Du kannst mir vertrauen, Maathor – ich bin deine wahre Schwester.«

Vor der Tür schüttelte Bint-Anat ungläubig den Kopf. Dass es so leicht sein würde, hätte sie nicht gedacht. Wie hatte Chatti nur all diese Kriege gewinnen und seine Stellung so lange halten können? Waren die Männer ebenso einfältig und dumm wie die Frauen? Oder basierte Maathors unglaubliche Beschränktheit auf der Tatsache, dass Frauen in Chatti nicht viel mehr Wissen zuteilwurde als den Rindviechern in den Ställen? Bint-Anat reckte sich. Nun, was es auch war, es kam ihr sehr gelegen, denn dieses kleine Frauchen war die Spielfigur, die ihr im großen Intrigenspiel des Hofes gefehlt hatte.

*Jahr 35 der Herrschaft Ramses' II. –*
*Königspalast in Pi-Ramses*

Maathor lag erschöpft in den Kissen. Es war die Hölle gewesen. Vier Stunden lang hatte sie gebraucht, um Ramses' Frucht aus ihrem Leib zu pressen. Jetzt richtete sie sich langsam auf. Die Hebammen wuschen das kleine schreiende Bündel gerade, während Maathor von dem Weihrauchgeruch, der ihr das Atmen schon bei der Geburt erschwert hatte, zu husten begann. Ehe sie etwas sagen konnte, betrat Bint-Anat den Raum und ging auf sie zu. Sanft lächelnd nahm sie Maathors Hände.

»Nun, wie geht es dir?«

Maathor blickte an Bint-Anat vorbei. »Was ist es? Ein Sohn? Ist es ein Prinz?«

Bint-Anat stand auf und nahm den Hebammen das schreiende Bündel ab, um es Maathor zu bringen. »Du hast eine Tochter, Maathor! Wie willst du sie nennen?«

Maathor wurde hysterisch. »Nur eine Tochter? Aber es sollte doch ein Sohn sein. Die Priester haben es mir prophezeit.«

Bint-Anat betrachtete die völlig aufgelöste Maathor. Das war es also, was Frauen am Hof dazu veranlasste, ihre Töchter zu hassen. War es die gleiche Angst bei Isisnofret gewesen, die sie dazu gebracht hatte, Bint-Anat abzulehnen? Und jetzt? Jetzt war Bint-Anat selbst die Dämonin, die dafür sorgte, dass es ein Mädchen mehr gab, das niemals eine Mutter haben würde. Sie verdrängte die Schuldgefühle. Wer hatte jemals nach ihr gefragt? Sie hatte sich immer selbst helfen müssen, und das tat sie auch jetzt.

»Bei uns in Ägypten ist es Brauch, dass die Mutter dem Mädchen einen Namen gibt.«

Maathor blickte Bint-Anat verständnislos an. »Ich weiß nicht, was soll ich denn für einen Namen aussuchen? Sie ist doch nur ein Mädchen. Ist es nicht ohnehin egal? Gib du ihr einen Namen.«

Bint-Anat blickte in das Gesicht des Kindes. »Sie ist hübsch, und ihre Haut schimmert golden wie Re, wenn er in den Abendstunden das Antlitz einer jungen Frau liebkost. Sie soll Neferure heißen.«

Bint-Anat legte Neferure in die Arme ihrer Mutter, die so gar nichts mit ihr anzufangen wusste. Dann stand sie auf und ging in den Nebenraum, wo die Hebammen warteten. Eine der alten Frauen verbeugte sich tief vor Bint-Anat.

»Majestät, ich denke, Ihr solltet es wissen. Wir haben es nicht fertig gebracht, der Königin zu sagen, dass sie keine Kinder mehr haben wird. Sie hat so sehr um einen Sohn gebetet.«

Bint-Anat zuckte unmerklich zusammen. »Es war ganz richtig so, sie würde diese Nachricht nicht verkraften. Wer weiß es noch?«

»Sonst niemand, Majestät.«

»Und so soll es auch bleiben. Ist es ganz sicher, dass sie keine Kinder mehr haben wird? Vielleicht habt Ihr Euch geirrt?«

Die Hebammen schüttelten traurig den Kopf. »Sie war von zu zierlicher Gestalt, es hat etwas in ihrem Leib zerrissen. Wir konnten die Blutung stoppen, doch Kinder wird sie keine mehr haben können.«

Bint-Anat nickte nachdenklich. »Gut! Ich werde es ihr später sagen, wenn es ihr besser geht. Habt Dank für Eure Offenheit.«

Die Hebammen verbeugten sich und verließen die Gemächer.

»Ich dachte, du solltest es erfahren, mein Gemahl. Nur du und ich und die Hebammen wissen, dass Maathor keine Kinder mehr haben wird. Ich habe es ihr nicht gesagt, sie schien so viel Wert auf einen Prinzen zu legen.«

Bint-Anat goss parfümiertes Wasser über Ramses' Rücken, nachdem sie ihn mit Natron abgerieben hatte.

»Nun, meine gerissene Tochter, hätten wir nicht alle großen Wert auf einen Prinzen gelegt? Ist es zu Maathors Wohl, dass du nichts über die Unfruchtbarkeit der Königin verlauten lassen willst, oder zu meinem – oder geschieht dies alles etwa zu deinem eigenen Wohl?« Ramses genoss Bint-Anats sanfte Finger auf seinem Rücken.

»Du und ich, wir sind zu alt, um uns zu belügen, Ramses! Es geschieht sowohl zu ihrem, zu deinem als auch zu meinem Wohl. Merenptah ist ein guter Sohn, der dir in jeglicher Hinsicht gefällig zu sein versucht, seit Maathor in den Palast Einzug hielt. Es wird eine Zeit dauern, bis er hinter das Geheimnis kommt. Vielleicht ergibt sich später noch einmal die Möglichkeit einer Hochzeit mit einer anderen königlichen Prinzessin, die unsere Pläne doch noch Wirklichkeit werden lassen wird.«

»Ich mag Maathor. Sie gefällt meinen Lenden.«

Bint-Anat lehnte sich im Becken zurück. »Sie gehört dir, mächtiger Stier! Erfreue dich an ihr, solange du willst. Merenptah wird für die nächste Zeit ein gefälliger Sohn sein. Je öfter du Maathor besuchst, desto unterwürfiger wird er werden. Und das Schöne daran ist, dass du dich dabei noch erfreuen kannst. Wenn die Zeit gekommen ist, wirst du von selbst eine neue Königin verlangen, die deinen Samen empfangen kann. Erst dann wird Merenptah merken, dass er kostbare Zeit verschenkt hat. Er wird wie ein wütendes Nilpferd im Kreis herumlaufen, wenn er seiner Dummheit gewahr wird.«

Ramses drehte sich um und lachte schallend. »Wie kannst du nur derart verschlagen sein, Tochter? Seth selbst gab deiner Mutter seinen feurigen Samen. Wer sich nicht vor dir hütet, der verbrennt bei lebendigem Leib.« Er drückte sie in eine Ecke des Beckens und drängte sich zwischen ihre Schenkel. Mit hastiger Gewalt drang er in sie ein, und ein paar erlösende Stöße genügten, um sein Verlangen zu befriedigen. Atemlos ließen seine Lippen von ihren Brüsten ab, und er flüsterte ihr ins Ohr: »Doch wage es niemals, dich gegen mich zu wenden, Tochter, denn Seth gab dich an meine Seite, damit du mir gehören mögest und meinen Körper und meine Seele erfreust. Vergiss niemals, dass ich dein Gott bin, dann wirst du ewig an meiner Seite sein.«

»Schwester, bitte sorge dafür, dass die Amme dieses furchtbare Kind holen kommt. Es schreit den ganzen Tag, und ich weiß einfach nicht, was es will.«

Maathors Nerven lagen wie so oft blank. Seit Neferures Geburt witterte sie hinter jeder Mauer, hinter jedem Geschenk, das ihr durch ihre Dienerinnen überbracht wurde, Giftmörder und Attentäter. Bint-Anat hatte Maathor zunächst belustigt bei ihren Wahnvorstellungen beobachtet, aber jetzt machte sie sich doch leise Vorwürfe, den Geist dieses unschuldigen Mädchens derart in den Wahnsinn getrieben zu haben. Maathor ließ sich auf ihr Ruhebett sinken.

»Bint-Anat, ich weiß nicht, was ich tun soll. Ich versuche alles, um wieder schwanger zu werden, doch es will mir einfach nicht gelingen. Wenn ich nicht bald einen Prinzen gebären werde, wird mein Schicksal besiegelt sein.«

Sie rang nervös ihre Hände, während ihre Augen fiebrig glitzernd und ruhelos jede einzelne ihrer Dienerinnen misstrauisch beäugten. Bint-Anat mischte etwas Mohn in Maathors Wein.

»Hier, trink das! Es wird dir helfen, dich zu beruhigen.«

Maathor griff nach dem Becher, den ihr Bint-Anat reichte, und stürzte den Inhalt hinunter. Keine Frage, Maathor war längst abhängig von dem beruhigenden Trunk. Bald würde er an ihrer Schönheit zehren – wieder ein Schachzug, den Bint-Anat beiläufig ersonnen hatte, um Ramses' Aufmerksamkeit langsam von der Hethiterin abzuwenden. Nicht dass sie eifersüchtig gewesen wäre, das lag ihr fern, doch solange Ramses an Maathor Gefallen fand, würde er keine Hochzeit mit einer neuen Prinzessin in Erwägung ziehen und somit natürlich auch keine männlichen Nachkommen zeugen. Bint-Anat setzte sich neben Maathor auf das Ruhebett und strich ihr beruhigend über die Stirn.

»Du musst dich zusammenreißen, Maathor. Ramses verlangt deine Anwesenheit bei dem Festmahl heute Abend. Wenn du ihn verstimmst, wird er vielleicht die Versuche aufgeben, mit dir einen Sohn zu zeugen.«

Maathor zuckte zusammen. »Nein! Ich bin ganz ruhig. Ich habe mich völlig im Griff.«

Bint-Anat stand auf. »Dann lass dich jetzt baden, ankleiden und schminken, denn sonst verbringt Ramses die Nacht in seinem Harem bei einer seiner Nebenfrauen.«

Maathor gab sich Mühe, Ramses an diesem Abend gefällig zu sein. Sie umgarnte ihn, bediente ihn und merkte in ihrer Einfältigkeit nicht, dass Ramses gerade deshalb das Interesse an ihr langsam zu verlieren begann. Bint-Anat beobachtete das Szenario eine Weile, bis sie sich ein klares Bild über Ramses' Gefühle zu Maathor hatte machen können. Dann fiel ihr Blick unweigerlich auf ihre Tochter Tani.

Tani war jetzt siebenundzwanzig, und neben ihrer weiblichen Reife war auch ihre Autorität, die sie ausstrahlte, völlig ausgereift. Merenptah hatte sie gewollt, doch jetzt schien er an ihrer Seite nicht besonders glücklich zu sein. Sie vermieden jeglichen Kontakt, wahrten den Schein nur zu offiziellen Anlässen. Und da ließ Tani dann keine Gelegenheit aus, sich über ihren Gemahl lustig zu machen. Sie hatte die Kraft und die Schönheit ihrer Mutter geerbt und strahlte eine natürliche Autorität aus. Sie musste sich dazu nicht einmal anstrengen.

Jetzt bemerkte Tani Bint-Anats Blick und warf dieser einen frostigen Augenaufschlag zu. Tani hatte ihrer Mutter nie verziehen, und Bint-Anat konnte Tani die Wahrheit nicht offenbaren. Zu viel hing von dieser großen Lüge, die ihr Leben begleitete, ab. Bint-Anat hatte seit einiger Zeit festgestellt, dass Tani Maathor keine Beachtung mehr schenkte. Hatte sie ihre Rivalin sonst mit aufmerksamen Blicken bedacht, so war sie ihr jetzt gleichgültig. Es gab keinen Zweifel, Tani wusste, dass Maathor keine Bedrohung mehr darstellte. Im Gegensatz zu Merenptah. Dieser scharwenzelte immer noch wie ein Hund um seinen Vater herum und versuchte ihm gefällig zu sein. Tani ließ ihn gewähren. Mit der Befriedigung einer satten Katze genoss sie Merenptahs verzweifeltes Schauspiel und dachte nicht im Traum daran, diesen unfähigen Tölpel von seinen Seelenqualen zu erlösen. Im Gegenteil, sie spielte Bint-Anats Spiel mit, denn je mehr sie ihren Gemahl vor seiner Inthronisierung zu zermürben vermochte, desto leichter wäre er später zu beseitigen.

Bint-Anat ahnte die Pläne ihrer Tochter – und insgeheim hieß sie sie gut! Ein jeder würde besser für den Thron sein als Merenptah!

*Jahr 38 der Herrschaft Ramses' II. – Wadi es Sebua*

Bint-Anat blickte an der großen Statue hoch, die sie in jugendlichem Alter im Besitz der höchsten Kroninsignien darstellte. Sie war zufrieden mit dem, was sie sah.

Ramses saß auf seinem Thronsessel an ihrer Seite. Ständiges Stehen war ihm zu mühselig geworden. Der dreiundsechzigjährige Ramses war zwar noch lange nicht am Vergreisen, doch seine Kräfte begannen langsam zu schwinden. Außerdem quälten ihn nun des Öfteren heftige Zahnschmerzen, die er mit Mohnsaft zu bekämpfen versuchte, sowie stete Rückenschmerzen, die ihm das lange Sitzen im Audienzsaal unerträglich machten.

Durch Bint-Anats Gesicht zogen sich nun würdevolle Falten, die jedoch noch nicht besonders tief waren. Bint-Anat besaß nach wie vor eine aufrechte Statur, und ihr Haar glänzte trotz der wenigen grauen Strähnen kraftvoll. Die Königinnenwürde war ihr noch immer gegeben.

»Gefällt dir mein Geschenk an dich, meine Gemahlin?« Ramses wandte seiner Tochter den Blick zu.

»Es ist großartig, Majestät. Hier soll mein Name verehrt werden. Dieses Heiligtum soll einzig mir gewidmet sein.«

Ramses stand auf und reckte sich vorsichtig. »Es war an der Zeit, der Königin, die all die Jahre wirklich Ägypten in ihrem Herzen trug, ein Ehrendenkmal zu errichten. Meine Königin – die gleich nach Nefertari kommt!«

Bint-Anat blickte Ramses milde an. Keine andere hätte sie neben sich gelten lassen. Doch Nefertari war eine Erinnerung aus glücklichen Jugendzeiten. Wie sehr hatte sie doch damals Ramses' Leib begehrt, wie verzweifelt hatte sie versucht, seine Seele zu erforschen. Obwohl sie Nefertari geliebt hatte, hatte Eifersucht doch oft ihr Herz zerfressen. Heute konnte Bint-Anat kopfschüttelnd daran zurückdenken. Jegliche Eifersucht war ihr fremd. Wen gab es außer ihr denn jetzt noch? Doch könnte sie die Zeit zurückdrehen, so dachte sie, sie würde erneut die Feuer der Leidenschaft jeglicher Stabilität vorziehen. Bint-Anat nahm den Arm ihres Vaters.

»Mein Gemahl, es ist wieder einmal Zeit, über Kemets Belange zu sprechen.«

Ramses seufzte, nickte dann jedoch. »Du hast wie immer meine ungeteilte Aufmerksamkeit.«

Bint-Anat begann ihre Ausführungen. »Die Korrespondenz mit unserem mächtigen Verbündeten Chatti ist viel versprechend. In den letzten Jahren wurden die Sendschreiben herzlicher. Ich weiß, dass Hattusilis einen Besuch im Land der Biene und im Land der Binse stets verweigerte, doch hat das Alter ihn besonnener gestimmt – wenn er dies nicht sowieso schon immer gewesen ist. Ein Besuch würde den diplomatischen Beziehungen vortrefflich dienen.«

Ramses nickte. »Darum, meine Königin, habe ich mich durchaus schon gekümmert, und es freut mich, dir dieses Mal einen Schritt voraus zu sein. Hattusilis hat bereits einem Besuch zugestimmt.«

Bint-Anat sah ihren Vater fragend an. »Warum habe ich davon nichts erfahren?«

Ramses lächelte. »Weil ich es so wollte, es sollte eine Überraschung für meine übereifrige Tochter sein. Ich hoffe, du bist zufrieden?«

Bint-Anat hauchte Ramses einen angedeuteten Kuss auf die Wange. Es waren nur ein paar Wachsoldaten der Leibgarde anwesend, sie durfte sich solch intimer Gesten bedienen. »Mein Vater ist immer ein großer Diplomat gewesen. Und wäre es nicht außerordentlich diplomatisch, wenn du eine weitere Prinzessin in deinen Harem aufnehmen würdest?«

Ramses blickte Bint-Anat mürrisch an. »Ich fühle mich nicht mehr genötigt, weitere Prinzessinnen in meinen Harem aufzunehmen. Der meinige reicht mir. Außerdem möchte ich nicht noch einmal eine Frau wie Maathor, die zwar schön, jedoch nicht sonderlich aufregend ist.«

»Dann nimm sie aus dynastischen Gründen! Es stärkt deinen Thron, wenn das Volk sieht, dass die Zeugungskraft der Götter noch immer in deinen Lenden wohnt.«

Ramses zuckte mit den Schultern. »Meinetwegen! Doch viel abgewinnen werde ich ihr nicht mehr können.«

# Bint-Anat und Seba

*Ra – mein Vater! Nach all der Zeit schenkst Du mir wieder ein Lächeln – ein Zeichen Deiner Liebe! Der Stern, den Du mir zeigtest, leuchtet hell und unverdorben. Endlich darf ich wieder lieben – endlich werde ich wieder geliebt.*

# Kapitel 11

*Jahr 38 der Herrschaft Ramses' II. –*
*Königspalast in Pi-Ramses*

Ramses lag von Schmerzen betäubt auf seinem Ruhebett. Amunnemipet war der Einzige, der ihm Gesellschaft leisten durfte. Er reichte ihm eine Schale mit Wein, in den er den Mohnsaft gemischt hatte, der Ramses auf Grund der Zahnschmerzen nun immer öfter verabreicht wurde. Ramses schlug Amunnemipet den Silberbecher aus der Hand.

»Willst du mich abhängig machen? Glaubst du, es ist mir nicht aufgefallen, dass man mir in letzter Zeit nur allzu häufig diesen Trank verabreichte? Außerdem beginnt seine Wirkung nachzulassen. Wo sind meine Ärzte? Sollten hier in meinem Palast nicht die besten Ärzte des Landes vertreten sein? Alles Stümper! Ich habe sie reichlich entlohnt für Tätigkeiten, die jeder Arzt aus den Armenhäusern besser hätte verrichten können. Im Laufe der Jahre ist aus viel versprechenden Ärzten eine Horde vollgefressener nutzloser Idioten geworden, die nicht einmal mehr in der Lage sind, eine eindeutige Diagnose zu stellen.« Ramses richtete sich schwerfällig auf seinem Lager auf. »Niemand dieser gut bezahlten Stümper will mir sagen, woher die Schmerzen an meinem Zahn kommen und womit sie zu beseitigen wären.« Ramses war einem Tobsuchtsanfall nahe. »Amunnemipet, der du mein bester Freund all die Jahre gewesen bist, mein Sandalenträger, Fächerträger zu meiner Rechten, der du das Ohr des Königs besitzt, Erzieher der Prinzen Amunherunemef und Chaemwese, Berater des Königs, sollte es auch dir nicht gelingen, einen fähigen Arzt zu finden, der die Schmerzen an meinem Zahn beseitigen kann?«

Amunnemipet wusste, dass dies keineswegs eine Frage, sondern eine direkte Aufforderung, ja, mehr noch, ein Befehl gewesen war. Er verbeugte sich und verließ Ramses' Gemächer.

»Heißt das, der König wünscht, dass man einen Arzt aus einem Gesindehaus holt, der dann sein Leiden behandeln soll?« Bint-Anats Augen blickten ungläubig zu Amunnemipet hinüber.

»Seine Aufforderung schien klar. Ich kenne den König nun schon so lange, es ist ihm egal, wer ihn von seinem Leiden befreit, wenn es nur schnell und effektiv geschieht.«

Bint-Anat erhob sich von ihrem Thronsessel im kleinen Audienzsaal. »Nun, wenn der König es wünscht, werden wir ihm einen Arzt von dort kommen lassen. Doch höre dich gut um, Amunnemipet! Er muss sein Handwerk verstehen. Es muss eine Perle unter all diesem Schmutz geben. Ramses würde uns beiden einen Fehler sehr übel nehmen.«

Amunnemipet erhob sich, nachdem er bei offiziellen Besuchen es immer dabei belassen hatte, vor seiner Königin zu knien. »Weder du, meine Königin, noch ich haben Ramses jemals enttäuscht.«

Bint-Anat lächelte. »Eben darum würde Ramses uns einen Fehler doppelt anlasten.«

Bint-Anat blickte das kleine, einfach gekleidete Ding vor sich lange an. »Das, mein treuer Freund, soll nun die Perle sein, die unter all dem Elend zu finden war?«

Amunnemipet zuckte mit den Schultern. »Ich habe sie beim Praktizieren beobachtet. Ich hätte sie nicht in den Palast gebracht, wenn ich nicht sicher wäre, dass sie diejenige ist, die dem König helfen kann.«

»Nun, wenn das so ist … erhebe dich und teile uns deinen Namen mit.«

Das Mädchen kam flink auf die Beine. »Mein Name ist Seba, große Königin.«

Bint-Anat erkannte, dass trotz der kindlichen Stimme keine Unsicherheit in den Worten des Mädchens lag. »Seba – der Stern. Ein einfacher, aber hübscher Name«, entgegnete Bint-

Anat freundlich. »Nun, Seba, wenn du dem Pharao helfen kannst, wird es dein Schaden nicht sein, und auch deine Eltern, die wohl ihr ganzes Hab und Gut für deine Ausbildung opferten, werden mehr haben als je zuvor. Solltest du aber versagen, so wird Schimpf und Schande über dich kommen, und es wird kaum einen Ort geben, an dem du dein erlerntes Handwerk noch ausüben kannst, geschweige denn Lohn dafür erhältst.« Bint-Anat musterte Seba streng. »Doch ich bin nicht herzlos! Solltest du mich hier und jetzt darum bitten, diesen Auftrag nicht übernehmen zu müssen, so kannst du deines Weges gehen und den Königspalast vergessen.«

Seba straffte die Schultern. »Auf eine solche Chance habe ich niemals zu hoffen gewagt. Ich habe mich ausführlich mit jeglichen Zahnkrankheiten beschäftigt. Ich würde diesen Auftrag gerne annehmen.«

Bint-Anat nickte lächelnd. Sie hatte sich in Seba nicht getäuscht. »Dann gehe mit meinen Dienerinnen, damit sie dich waschen können und dir geeignete Kleider anlegen, bevor du beim König vorgelassen wirst. Ich werde bei der Untersuchung anwesend sein und bin auf deine Diagnose gespannt.«

Bint-Anat war schon da, als Seba die Gemächer des Königs betrat. Zu ihrer Überraschung stellte die Königin fest, dass sich unter dem ganzen Schmutz ein schönes junges Mädchen befand, das mit seinen großen braunen Augen eine beruhigende Wärme ausstrahlte. In den einfachen, aber sauberen Leinengewändern wirkte sie Vertrauen erweckend, jedoch auch unnahbar, wie es der Ärzteschaft nachgesagt wurde. Seba verbeugte sich leicht vor der großen Königsgemahlin, ging dann aber sicheren Schrittes auf Ramses' Lager zu. Auch hier verbeugte sie sich und begann dann leise, jedoch sicher zu sprechen.

»Wo genau liegt das Zentrum des Schmerzes, unter dem der große Pharao leidet?«

Ramses blickte Seba erstaunt an, gab dann aber bereitwillig Auskunft. »Im Unterkiefer, im hinteren Bereich auf der linken Seite.«

Seba bat den Pharao, den Mund zu öffnen. Mit einem kleinen Bronzespiegel fand sie schnell den kranken Zahn. Sie pochte sanft gegen das entzündete Zahnfleisch, und Ramses stöhnte. Sodann richtete Seba sich auf und begann zu sprechen.

»Der linke hintere Backenzahn ist vereitert und muss umgehend entfernt werden.«

Bint-Anat sah Seba verständnislos an. »Das ist alles? Selbst unsere Ärzte haben eine solche Behandlung schon oft durchgeführt und wagten nicht, eine Diagnose zu stellen?«

Seba lächelte. »Der Grund dafür, dass Eure Ärzte vor einer Behandlung zurückgeschreckt sind, ist zweifellos der, dass sich mittlerweile durch ihre Untätigkeit Eiter unter dem Zahn gebildet hat, der den Kiefer in Mitleidenschaft zog. Es gilt also nicht nur, den Zahn zu entfernen, man muss vielmehr auch den Kiefer aufschneiden und säubern. Eine sehr schmerzhafte Angelegenheit, die nicht immer Erfolg verspricht.«

Ramses richtete sich auf. »Heißt das, dass ich diese Prozedur über mich ergehen lassen soll, ohne dass es mir gewiss ist, dass ich von den Schmerzen befreit werde?«

Seba verbeugte sich erneut. »Es heißt, dass ich diese Operation durchführen kann, Ihr damit eine große Aussicht auf Heilung habt, oder dass Ihr mir auf Grund der nicht hundertprozentigen Heilungschance die Operation verweigert, dann jedoch in einigen Monaten an einer Vergiftung des Blutes sterben werdet.«

Plötzlich war Totenstille im Raum. Jeder starrte Seba entsetzt an. Ramses fand als erster wieder Worte. »Deine Offenheit könnte dich das Leben kosten!«

Seba lächelte milde. »Oder aber Euch, großer König.«

Ramses ließ sich auf sein Lager zurücksinken. »Ich habe Ehrlichkeit schon immer der Speichelleckerei vorgezogen. Ich vertraue dir, Seba. Du kannst die Operation durchführen.«

Ramses ließ sich langsam das Leinentuch aus dem Mund ziehen. Eine Woche war nun vergangen, und Ramses fühlte sich wie neu geboren. Ein paar wenige Wundschmerzen und eine Zahnlücke waren die einzig bösen Erinnerungen, die ihn an sein Martyrium erinnerten. Seba hatte seiner Meinung nach ein Wunder vollbracht.

»Ich kann es nicht erwarten, ein großes Festmahl zu geben! Gaumenfreuden wie Rindfleisch und kräftiges Knoblauchbrot sind nur eine ferne Erinnerung für mich.« Ramses lächelte Bint-Anat freudig zu.

Seba schüttelte den Kopf. »Ihr werdet noch mindestens einen Monat warten müssen, mein König. Erst dann kann ich sicher sein, dass die Wunde sich geschlossen hat und sich nicht mehr entzünden wird.«

»Ich soll mich einen weiteren Monat von Kräutersud und Suppen ernähren?«

Seba ließ sich nicht einschüchtern. »Genau so ist es, mein König.«

Ramses wurde ärgerlich. »Ich fühle mich wohl. Was sollte mich daran hindern, einfach heimlich etwas zu mir zu nehmen? Ich bin der König.«

Seba zuckte mit den Schultern. »Vielleicht hindert Euch nichts, vielleicht aber doch die Gewissheit, dass man mich, die ich Euch geholfen habe, mit Schimpf und Schande vom Hof jagen wird und Ihr wegen einer Entenkeule die Existenz der kleinen Seba zu Grunde gerichtet habt.«

Ramses versuchte ernst und ärgerlich zu klingen. »Seba, du bist eine sehr gute Ärztin, aber du hast ein äußerst loses Mundwerk. Viele haben dadurch schon ihre Zunge verloren.«

Ramses konnte nicht sagen, wieso, doch Seba wusste genau, dass er ihr nicht ernsthaft drohte. Im Gegenteil – Sebas Anwesenheit war erquickend für seine Seele, nachdem er jahrelang von Hofschranzen umgeben war.

»Mein Gemahl scheint unter den Händen von Seba recht schnell genesen zu sein.« Bint-Anat ließ sich an Ramses' Seite auf sein Lager nieder.

»Ist meine Königin eifersüchtig? Sieht sie eine Rivalin in der kleinen Ärztin?«

Bint-Anat lächelte milde. »Würde es dir schmeicheln, wenn ich in Seba eine Rivalin sehen würde?«

Ramses grinste. »Du schaffst es immer wieder, deinen Kopf aus der Schlinge zu ziehen, Bint-Anat.«

»Ich bin eben deine Tochter.«

Ramses ergriff Bint-Anats Hände. »Ich weiß, dass ich dir und Amunnemipet meine Heilung zu verdanken habe. Einem tollkühnen Befehl zufolge habt ihr den kleinen Stern aus dem Gesindehaus geholt. Ich würde sie gerne für den Palast verpflichten. Seit Jahren habe ich meinen Leibarzt nicht mehr kommen lassen. Ich würde sie sofort statt seiner nehmen.«

Bint-Anat nickte. »Doch setzt du Seba damit auch großer Gefahr aus. Sie ist eine Gemeine. Der Adel wird sie hassen, jeder Günstling des Königs wird gehasst. Seba ist durchaus klug, doch wie ein ungeschliffener Edelstein. Sie muss viel lernen, wenn sie sich bei Hofe behaupten will. Eine langwierige Ausbildung wäre unbedingt erforderlich.«

Ramses griff nach einem Becher Wein. »Meinst du, sie wäre es wert?«

Bint-Anat stand auf und nahm sich ebenfalls einen Becher. »Ich hätte sie niemals an dein Lager vorgelassen, wenn es nicht so wäre.«

»Dann stand Sebas Laufbahn von Anfang an fest?« Bint-Anat nickte. »Wirst du sie also unter deinen persönlichen Schutz stellen, meine Gemahlin?«

»Sie wird von mir jegliche Unterstützung bekommen, derer sie bedarf.«

Ramses richtete sich auf. »Du hast also schon mit ihr gesprochen?«

»Nein, doch wie ich Seba einschätze, wird sie nicht wegen des Reichtums oder der Vergünstigungen zusagen. Die Aussicht darauf, dass sie sich weiter ausbilden und lernen kann, wird sie überzeugen.«

*Jahr 40 der Herrschaft Ramses' II. –*
*Königspalast in Pi-Ramses*

»Ich will an Ramses' Seite sein, wenn mein Vater die Stadt betritt. Niemand kann es mir verbieten, auch du nicht, Bint-Anat. Ich bin ebenso große Königsgemahlin, wie du es bist.«

Maathor stampfte wütend mit dem Fuß auf, und gleich darauf warf sie eine Alabastervase gegen die Wand und begann zu schreien. Bint-Anat gab ihr eine Ohrfeige.

»Sieh dich an, Maathor. Willst du die eine Hand deinem Vater reichen, während du in der anderen Hand noch den Mohnsaft hältst, mit dem du dich Tag für Tag berauschst?« Bint-Anat verzog verächtlich die Mundwinkel. »Nein, Maathor, du hast es dir selbst zuzuschreiben, wenn man dich nicht zu deinem Vater lässt. Was soll er von dir denken, was soll er von Ägypten denken? Er wird ihm die Schuld an dem Versagen seiner Tochter geben. Du wirst deine Gemächer nicht verlassen. Dein Vater wird denken, du bist bei meiner Schwester Merit-Amun in Abu Simbel, um in die Mysterien eingeweiht zu werden. Hattusilis wird deine Tochter Neferure sehen und dich in guter Erinnerung behalten. Bedenke, dass dein Vater krank ist. Willst du ihn enttäuschen, indem du ihm so vor die Augen trittst?«

Maathor stürzte demonstrativ den Rest ihres Mohntrunkes hinunter. »Und wenn schon – soll er doch sehen, was Ägypten seiner Tochter angetan hat. Dann hätte es einmal Frieden gegeben. Ich hatte nie die Stellung, die Ramses meinem Vater versprochen hatte. Zwar bin ich vom Titel her große Königsgemahlin, aber du hast es doch immer verstanden, mich in den Hintergrund zu drängen, damit du selbst glänzen kannst.«

»Das Volk, Schwester, würde den Glauben an das Königshaus verlieren, wenn es einer unfähigen Versagerin wie dir als Königin huldigen müsste. Glaube mir, so wie es ist, ist es gut.« Maathors Augen funkelten zornig. »Ich werde schon dafür sorgen, dass mein Vater die ganze Wahrheit erfährt.«

Seba saß konzentriert über ein paar Papyri, die sie immer wieder miteinander verglich. Bint-Anat beobachtete Seba, die sie als ihre Ziehtochter angenommen hatte, mit Wärme. Seba war nie eine Enttäuschung gewesen. Die letzten zwei Jahre hatten genügt, um ihr Wissen fast zu verdreifachen. Sie bewegte sich mittlerweile zwischen den Höflingen so sicher, als wäre sie Prinzessin von Geburt. Seba vermochte das Loch in ihrer Seele zu füllen, das Tani hinterlassen hatte – fast zu füllen. Tani würde immer einen Platz im Herzen ihrer Mutter haben. Jetzt blickte Seba freudig auf.

»Majestät-Mutter! Wie glücklich bin ich, Euch zu sehen.«

Seba hatte bei ihrer offiziellen Adoption die Erlaubnis erhalten, Bint-Anat Mutter zu nennen, doch im Gegensatz zu Tani blieb sie auf einer würdigen Distanz. Während Tani Bint-Anat einfach Mutter genannt hatte, setzte Seba die Anrede Majestät vor den vertraulichen Titel. Bint-Anat hatte die schlichte Taktierung ihrer Ziehtochter erkannt. Sie vermied dadurch Rivalität und machte sich Tani nicht zur unmittelbaren Feindin.

»Seba, du lernst zu viel. Deine Ausbildung ist fast abgeschlossen, du solltest dir nun auch etwas Ruhe und vor allem etwas Spaß gönnen. Du bist noch so jung, gerade siebzehn, vielleicht sollte ich nach einem geeigneten Ehemann für dich Ausschau halten. Du bist hübsch, und es gäbe viele junge Männer, die in Frage kämen.«

Seba stand auf und umarmte Bint-Anat. »Oh, bitte tut das nicht. Ich habe bislang keine Zeit gehabt, mich um solche Dinge zu kümmern. Ich möchte nicht sofort in etwas getrieben werden, wovon ich so gut wie nichts verstehe. Lasst mir bitte noch etwas Zeit.«

Bint-Anat zuckte gleichgültig mit den Schultern. »Deinem Intellekt entspräche sowieso keiner derjenigen, die so kriecherisch um dich werben. Vielleicht solltest du deine Wahl selbst treffen. Im Moment bedarf ich ohnehin deiner Hilfe in medizinischen Fragen.«

Seba wurde sogleich ernst. »Seid Ihr krank, oder geht es dem König schlecht?«

»Nein, nein! Nichts dergleichen. Es ist die alte Sache! Maathor besteht darauf, ihren Vater zu sehen, der den Hof in ein paar Wochen besuchen wird.«

Seba seufzte. »Maathor ist ein armes Opfer, das im großen Spiel um den Thron untergegangen ist. Wahrscheinlich würde es ihr wirklich Freude bereiten, ihren Vater zu sehen.«

Bint-Anat schüttelte den Kopf. »In diesem Zustand? Hattusilis würde sofort wieder Krieg beginnen, wenn er sieht, wie Maathor in Ägypten verkommen ist. Außerdem machte mir Maathor unmissverständlich klar, dass sie ihren Vater darüber unterrichten will, dass ihr am Hofe nie die Rolle zukam, die Hattusilis versprochen wurde.«

Seba lächelte milde. »Nun, seit ihrer Ankunft habt Ihr sie zu dem gemacht, was sie jetzt ist – und seit zwei Jahren helfe ich Euch tatkräftig dabei.« Bint-Anat blickte Seba aufmerksam an. Seba hob die Hände. »Es wird uns wohl nichts anderes übrig bleiben, als sie wirklich aus dem Palast fortzuschaffen. Ihre Tochter Neferure wird sie vertreten. Wenn sie erst einmal im Faijum ist, wird der König sie nicht mehr zurückholen. Er hat sie längst vergessen. Das, Majestät-Mutter, legt den Grundstein für Euren nächsten Plan, nämlich von Hattusilis eine zweite Prinzessin für den Harem des Königs zu fordern. Ich werde also Maathor einen sehr starken Beruhigungstrunk geben, der sie für mindestens zwei Tage schlafen lässt. So kann sie fast unbemerkt aus Pi-Ramses fortgeschafft werden.«

Bint-Anat reichte ihrer Ziehtochter einen Becher Wein und nahm sich selbst auch einen Becher vom Tablett. Mit einem tiefen Seufzer tranken beide Frauen einen großen Schluck.

# Bint-Anat und Hattusilis

*Ra – was ich tue, dient Ägypten! Ich werde töten, wenn ich muss, ich werde sterben, wenn es so sein soll. Nur ein wahrer König versteht meine Pein! In Kriegszeiten komm und führe meine Hand, wenn ich den Dolch in die Brust meiner Feinde stoße! Doch wenn Frieden herrscht, lass mich milde sein – auch gegenüber meinen Feinden!*

# Kapitel 12

*Jahr 40 der Herrschaft Ramses' II. –*
*Königspalast in Pi-Ramses*

Hattusilis war alt geworden. Eigentlich war er nicht älter als Ramses, doch die weiter fortgeschrittene Gebrechlichkeit des Chatti-Königs rief Ramses sein eigenes Alter in den Kopf zurück. Ramses war zwar auch gealtert, doch musste er nicht mit vielen Gebrechen kämpfen. Hattusilis ging gebeugt, er hatte Rheuma – was nicht zuletzt an dem rauen Klima seines Heimatlandes lag –, ihm fehlten fast alle Zähne, und er sah recht ausgelaugt und kraftlos aus. Zweifellos blickte Hattusilis verwundert auf die Vitalität des mächtigen Stieres von Ägypten. Ramses erkannte seine gute Gesundheit als Geschenk, das ihm die Götter Ägyptens als ihren direkten göttlichen Abkömmling gemacht hatten, und schwor sich, die Tempel dieses Jahr reicher zu beschenken denn je.

Bint-Anat folgte ihrem Vater und dem Hethiterkönig auf dem Fuße, begleitet von einer zwölfjährigen Prinzessin, die König Hattusilis als Geschenk für Ramses' großen Harem mitgebracht hatte. Die Kleine wagte kaum ein Wort zu sagen, außerdem sprach sie so gut wie kein Ägyptisch. Bint-Anat schätzte das Mädchen recht schnell ab. Sie wirkte zu orientalisch, ihre Haut war zu dunkel, ihre Gesichtszüge entsprachen nicht dem ägyptischen Schönheitsideal. Bint-Anat hatte schnell bemerkt, dass Ramses ihr kaum einen Blick geschenkt hatte. Selbst wenn sie Ramses einen Sohn gebären würde, weder er noch die Priesterschaft noch das Volk würde ihn als legitimen Nachfolger anerkennen. Auch wenn er die ästhetischen Züge eines Ägypters erben und die ganze

Schule ägyptischer Tradition durchlaufen würde, seine Mutter würde wie ein dunkler Schatten auf ihm lasten. Er würde vielleicht ein guter Priester, General oder Minister werden, die Krone würde ihm niemand aufs Haupt setzen. Das Mädchen war der Mühe nicht wert.

Das abendliche Festbankett zu Ehren Hattusilis' war prächtiger als jedes andere, das im Laufe der letzten zehn Jahre im Palast gegeben worden war. Bint-Anat saß neben Seba, die die fünfjährige Neferure mitgebracht hatte. Neferure war ein ruhiges Mädchen. Schon jetzt ließ sich erkennen, dass sie schlicht von Charakter, doch hübsch anzusehen sein würde. Eine gute Ehefrau, vielleicht sogar eine königliche Nebenfrau. Hattusilis hatte freudig seine Enkelin begrüßt und ihr eine schöne Kette überreicht, mit einem Medaillon, das Chattis Wettergott zeigte. Es sollte sie an ihr anderes Volk, das sie niemals kennen lernen würde, das Volk der Hethiter, erinnern. Neferure hatte das Kettchen dankbar lächelnd entgegengenommen und war nach ein paar Minuten wieder zu Bint-Anat und Seba gekommen, da ihr der alte Mann, der kein Ägyptisch sprach und den sie somit nicht verstand, etwas unheimlich war.

Ramses und Hattusilis unterhielten sich in Babylonisch, der offiziellen Amtssprache. Tani war erst gar nicht erschienen, Merenptah hatte eine seiner Nebenfrauen dabei, um nicht ganz das Gesicht zu verlieren. Der gehetzte Blick in seinen Augen ließ die Unzufriedenheit erkennen, die sein Leben begleitete. Chaemwese saß weit abseits und unterhielt sich mit Merit-Amun.

Chaemwese! Bint-Anat fühlte einen Stich in ihrem Herzen. Warum hatten sie sich damals gestritten? Jetzt schien ein unwiderruflicher Abstand zwischen ihnen zu stehen. Sie hatten sich offiziell und steif begrüßt und waren dann recht schnell ihrer Wege gegangen. Bint-Anat beobachtete Chaemwese und Merit-Amun. Sie waren ebenso gealtert wie sie. Doch während sie sich unrein fühlte, strahlte von den beiden eine tiefe seelische Reinheit aus. Sie, Bint-Anat, hatte ihre Seele, ihren Körper um der Krone willen verkauft. Sie verdrängte die Gedanken aus ihrem Kopf und wandte sich ihrer Ziehtochter Seba und der kleinen Neferure zu.

Seba blickte Neferure liebevoll an. Seit zwei Wochen waren die beiden fast unzertrennlich. Nachdem Seba Maathor in den Harem Faijum abgeschoben hatte, fühlte sie sich irgendwie verantwortlich für das kleine Mädchen, obwohl sie sich eigentlich diesbezüglich keine Vorwürfe hätte zu machen brauchen. Maathor hatte sich ebenso wenig um ihre Tochter gekümmert wie Isisnofret um Bint-Anat. Doch Bint-Anat wusste, dass Seba Neferure zur Seite stehen würde wie sie selbst seinerzeit Merit-Amun.

Sie lehnte sich in den weichen Polstern zurück. Früher hätte sie einen solchen Abend an Ramses' Seite genossen, doch mit zunehmendem Alter schien der ganze Prunk und Pomp zu faulen. Zuerst unmerklich von innen heraus, wie eine Frucht, bis dann plötzlich die ganze Fäulnis auszubrechen drohte. Vor Bint-Anats Augen tanzten kleine Sternchen, in denen sie zeitweise Nefertaris Gesicht zu erkennen meinte. Nefertari – wie lange war das her, als Bint-Anat sie ehrfürchtig im Garten anstarrte. Die kleine Prinzessin Bint-Anat, das Mädchen mit den großen Wunschträumen, die sich alle erfüllt hatten, doch nicht so, wie sie es sich vorgestellt hatte. Nefertari war zu einem Gebet geworden. Wenn sie jetzt im Geheimen ihren Namen aussprach, dann war es wie eine Zauberformel, die Wünsche erfüllen kann – Jugend, Freude, Liebe, Leidenschaft, Träume, Kraft! Ja, vor allem Kraft. Bint-Anat fühlte sich ausgelaugt und kraftlos. Wenn sie doch noch einmal die Kraft hätte, das Rad zurückzudrehen. Wenn sie doch noch einmal so unbedarft sein könnte, ausgestattet mit der Arroganz der Jugend, der Leichtfertigkeit des Seins! So, dachte sie, erfüllte sich wieder einmal das kosmische Gesetz der Maat! Der Mensch erkennt erst, was ihm gegeben wurde, wenn es ihm genommen wird! Und wieder die Gegensätze. Die Leichtigkeit der Jugend kann erst genossen werden, wenn man auch die Last des Alters kennt. Bint-Anat lächelte über die gewonnene Erkenntnis. Wenn sie jetzt wie einst mit ihrem Bruder Chaemwese im Palastgarten sitzen und über Dinge diskutieren könnte, die andere nicht verstanden oder als Unfug abtaten, würde sie zu ihm sagen: Wenn die Götter einem Menschen ewige Jugend schenken würden, wie unglücklich und leer würde er sein!

Ramses saß seiner Tochter-Gemahlin gegenüber und wunderte sich einmal mehr über ihre sichere Hand beim Senet-Spiel.

»Hattusilis fragt immer wieder nach Maathor! Er ist enttäuscht darüber, seine Tochter nicht sehen zu können. Er vermag ihr Verhalten nicht zu verstehen. Immer wieder betont er, dass es wohl das letzte Mal sei, dass er ihr in die Augen blicken dürfe. Er sagt, dass er bald sterbe, und um ehrlich zu sein, ich glaube das auch.«

Bint-Anat legte das Senet-Spiel beiseite und lenkte ihre Aufmerksamkeit auf das Gespräch. »Du hast Recht, doch glaubst du, Hattusilis möchte die Maathor sehen, die sie jetzt ist?«

»Vielleicht nicht, und er wird entsetzt sein, doch im Hinblick auf die wenige Zeit, die ihm noch bleibt, kann ich meine Augen nicht vor seiner Bitte verschließen. Ammit würde dereinst vor dem Totengericht meine Seele verschlingen, denn es ist Unrecht, einen Sterbenden von seiner Familie fernzuhalten. Maathor ist seine erstgeborene Tochter. Er hatte ein besonderes Verhältnis zu ihr und gab sie mir äußerst ungern.«

Bint-Anat blickte verwundert auf. »Sagte er dir das etwa?«

Ramses verzog das Gesicht. »Natürlich nicht, aber es ist offensichtlich.« Er stand auf und wandte sich zum Gehen. Doch dann drehte er sich noch einmal um. »Es ist mein Wunsch, Tochter, dass du Maathor sofort aus dem Harem Faijum kommen lässt. Sie soll sich mit ihrem Vater unterhalten, bevor dieser abreist.«

»Mein Gemahl, sie wird weder über mich noch über dich Lobreden verbreiten.«

Ramses zuckte mit den Schultern. »Vielleicht kennt Hattusilis die Schwäche seiner Tochter. Wenn nicht, wird der Frieden zwischen Chatti und Ägypten wohl vorbei sein – aber ich habe der Maat Folge geleistet!«

Bint-Anat erkannte, dass dies wohl Ramses' letztes Wort war und selbst sie seine Entscheidung dieses Mal akzeptieren musste.

Als Ramses gegangen war, ließ sie ihren Schreiber rufen und diktierte einen Brief an Hormin, der immer noch Vorsteher im Harem Faijum war. Er sollte Maathor schnellstmöglich nach Pi-Ramses zurückbringen lassen.

Drei Wochen später schickte Hattusilis eine dringende Botschaft an Bint-Anat, in der er eine sofortige Unterredung wünschte. Die Wortwahl ließ erkennen, dass er ein Nein nicht akzeptiert hätte. Bint-Anat möge ihm durch einen Boten einen Zeitpunkt nennen, zu dem sie bereit sei, ihn zu empfangen. Sie dachte eine Weile nach, legte dann den Papyrus zur Seite und machte sich auf den Weg zum Gästeflügel des Palastes.

Sie brauchte kein Wort zu sagen, die hethitischen Wachen vor Hattusilis' Prunkgemächern machten sofort Platz. Der Diener, der sie empfing, säuselte wohlwollend auf Babylonisch: »Seine Majestät erwartet die große Königin.«

Sie runzelte die Stirn. Warum erwartete er sie? Er hatte doch sie um eine Audienz ersucht. Er war Gast in Ägypten, und es war Brauch, dass sich der Gast selbst bequemte, seine Anliegen vorzutragen, indem er den Gastgeber in seinen Gemächern aufsuchte. Hattusilis wusste das. Wie konnte er sie also erwarten? Sie trat ein und fand Hattusilis auf einer Liege ruhend. Erst jetzt, in seinen Privatgemächern, bemerkte Bint-Anat die Gebrechlichkeit, der der große Kriegerkönig zunehmends verfiel. Er hatte bei öffentlichen Auftritten gut verstanden, diese zu verstecken. Allein die Reise nach Ägypten musste für den lebensmüden Mann eine Tortur gewesen sein. Jetzt sah er Bint-Anat und winkte sie zu sich.

»Setz dich bitte, Königin. Ich habe einen Stuhl für dich bereitstellen lassen. Verzeihe mir bitte, dass ich nicht aufstehe! Wie du wohl bemerkst, schwinden meine Kräfte zusehends.«

Bint-Anat ließ sich ihm gegenüber nieder. »Wenn das so ist, großer König, wie hättest du dich dann in meine Gemächer bequemen sollen, wenn ich dir einen Termin hätte zukommen lassen?«

Hattusilis zwinkerte. »Ich habe darauf vertraut, dass du kommen würdest.«

Sie zog die Augenbrauen hoch. »Wie konntest du das? Du kennst mich nicht, wie also konntest du mich einschätzen?«

»Oh, ich weiß, was Ramses über dich sagt, ich weiß, was der Hof über dich sagt, und ich weiß, was meine Tochter über dich sagt.«

Bint-Anat zuckte unmerklich zusammen. »Bin ich deswegen hier?«

»Erklär du es mir, Königin! Weshalb ist eine so stolze Person zu mir gekommen? Niemand hätte es von dir verlangen können. Du bist die größte Königsgemahlin – seit Nefertari tot ist, gibt es keine mehr, die mit dir in Konkurrenz zum König steht.«

Bint-Anat lächelte. »Ich führe nicht den Titel Gottesgemahlin, wie Nefertari ihn innehatte.«

Hattusilis beugte sich vor und betrachtete Bint-Anat ausgiebig. »Wir wissen doch beide, Königin, die eine führt den Titel, die andere lebt ihn!« Bint-Anat war überrascht. »Glaubst du, Puducheba und ich hätten nicht gewusst, dass die umsichtigen, taktisch perfekt ausgeloteten Schreiben niemals aus Nefertaris Hand hätten stammen können? Wir wussten nicht, von wem sie aufgesetzt wurden, aber niemals von Nefertari. Sie war Gottesgemahlin durch Ramses' Liebe, du bist es durch die Gunst der Götter. Als ich hier ankam, war mir sofort klar, wer neben Ramses regiert.«

»Ich sehe, Majestät, wir können offen miteinander reden. Dann darf ich dich also auch darum bitten, mir dein eigentliches Anliegen vorzutragen.«

Hattusilis hustete schwer, dann ließ er sich zurücksinken. »Ich brauche dir nicht zu sagen, dass Maathor dich nicht mit Worten des Lobes bedachte. Im Gegenteil. Sie heulte und beschuldigte dich, ihr von Anfang an keine Chance gelassen zu haben. Du hast Ramses von ihr ferngehalten, sie mit Mohnsaft betäubt, bis sie nicht mehr darauf verzichten konnte. Du hast sie vor meiner Ankunft heimlich in den Harem Faijum schaffen lassen, damit ich sie nicht sehen und ihretwegen wieder Krieg zwischen Ägypten und Chatti beginnen würde.« Hattusilis machte eine lange Pause, bevor er fortfuhr. »Ist das richtig, Königin?«

Bint-Anat antwortete klar und deutlich: »Ja, Majestät, das ist vollkommen richtig.«

Hattusilis nickte. »Gut! Wenn du diese Frage verneint hättest, hätte ich vielleicht wirklich wieder Krieg begonnen. Ja, ich war entsetzt über den Zustand meiner Tochter, die ich immer am meisten unter meinen Töchtern geliebt hatte und Ägypten als den größten Beweis meiner Aufrichtigkeit schickte. Ich glaube dir, dass du das alles für dein Land tatest, auch wenn es mich sehr schmerzt. Doch als Regentin darfst du keinen Menschen über das Land stellen, welchem du dienst. Ich sehe, dass du meine Enkelin Neferure nicht ausschließt wie Maathor. Vielleicht fällt es dir leichter, sie in die Familie zu integrieren, weil sie Halb-Ägypterin ist. Vielleicht ist die Kluft zwischen Maathor und dir einfach zu groß.« Hattusilis hustete wieder. »Es mag sein, dass ich trotzdem wieder Krieg angefangen hätte, wenn ich jünger gewesen wäre, doch ich habe nicht mehr viel Zeit. Deshalb möchte ich dir ein paar Dinge abverlangen, sozusagen als Entschädigung für den Zustand meiner Tochter.« Bint-Anat zögerte, nickte dann jedoch. »Neferure darf niemals außen vor stehen. Sie ist mehr Ägypterin als Hethiterin! Ich weiß, dass sie in der direkten Thronfolge keine Chance hat, berücksichtigt zu werden, doch sollte es dir möglich sein, seinerzeit einen guten Palastbeamten oder einen Sohn aus einer Nebenehe von Ramses mit ihr zu vermählen.«

Bint-Anat nickte. »Darum hättest du nicht bitten müssen, Majestät, Neferures Zukunft ist gesichert.«

Hattusilis schloss die Augen für ein paar Sekunden. »Umso besser, Königin. Doch muss ich auch für Maathors Sicherheit sorgen. Ich kann sonst nicht gelassen in die andere Welt blicken.«

Abermals nickte Bint-Anat. »Was begehrst du für deine Tochter?«

»Nicht viel! Ich weiß, dass sie niemals an dich heranreichen kann, und deshalb sollte es dir leichtfallen, mir meine Wünsche für sie zu erfüllen. Sie soll nicht in aller Abgeschiedenheit ihr Leben im goldenen Käfig fristen. Gib ihr ein schönes Landgut, auf das sie sich zurückziehen kann. Mit Personal und etwas Land, das sie bewirtschaften lassen soll. Dann ist sie nicht von der Krone abhängig. Erlaube ihr, ab und zu nach Chatti zurückzukommen, damit sie ihre Familie besuchen kann. Sie fühlt sich in Ägypten immer noch fremd.«

Bint-Anat dachte kurz über das Gesagte nach. »Deinen ersten Wunsch werde ich erfüllen. Sie wird ein Landgut, Personal und Boden erhalten, den sie nach ihrem Ermessen bewirtschaften lassen soll. Sie möge die Erträge ohne Steuern für sich behalten. Deinen zweiten Wunsch, die Besuche in Chatti, muss ich strikt ablehnen. Ich kenne deine Tochter, Majestät. Solange du lebst, das weiß ich nun, ist Ägypten sicher. Doch nach deinem Tod wird Maathor die Besuche nutzen, um deinen Thronfolger gegen Ägypten aufzuwiegeln. Sie wird so lange das Feuer schüren, bis es wieder Krieg gibt – und dabei ist es ihr egal, ob Chatti letztendlich gewinnt. Deine Tochter wäre nur auf ihre eigene Rache bedacht.«

Hattusilis lächelte milde. »Sie ist eben keine Königin wie du! Ich muss dir Recht geben. Also gut, ich bin mit deiner Zusage auf die erste Bitte zufrieden. Ich werde mit der Gewissheit sterben, dass ich dir vertrauen kann und dass du niemals ein gegebenes Wort brechen würdest.«

Bint-Anat stand auf. »Sei dir meiner Aufrichtigkeit sicher! Bevor du gehst, werde ich deine Wünsche erfüllen, sodass du dich von der standesgemäßen Unterbringung deiner Tochter überzeugen kannst. Sie soll dir von nun an jedes Jahr mindestens vier Briefe schicken, die ich nicht lesen werde. Sobald aber dein Thronfolger den Thron Chattis übernimmt, werde ich jedes Schreiben, das Ägypten verlässt, überprüfen!«

Hattusilis nickte. »Die Götter haben Ägypten eine kluge Königin geschenkt!«

Bint-Anat diktierte mehrere Briefe, in denen sie Maathor großzügig Güter, Personal und Land sowie ein großes Landgut aus dem Thronbesitz übereignete. Hattusilis war ein umsichtiger, guter

König. Chatti würde vielleicht nie wieder einen so guten Regenten haben. Sie würde ihr Wort halten, auch über Hattusilis' Tod hinaus! Ja, mehr noch, sie würde für Maathors Wohlergehen bis zu ihrem Tod Sorge tragen.

Als Hattusilis abgereist war, war alles geregelt. Maathor war mit ihrem Besitz zufrieden, und kurze Zeit später bat die junge Hethiterprinzessin, die Ramses anlässlich Hattusilis' letztem Besuch in einer Nebenehe geheiratet hatte, darum, ihrer älteren Schwester auf deren Landsitz Gesellschaft leisten zu können. Ramses entsprach ihrem Wunsch sofort. Er hatte keinerlei Interesse an ihr, und Bint-Anat sah dies als eine gute Möglichkeit an, Maathor von der Einsamkeit zu befreien. Vielleicht würde sie dort ihren Frieden finden. An ihre Tochter verschwendete Maathor dabei keinen Gedanken. Neferure blieb bei Bint-Anat und Seba im Palast und wurde zur königlichen Prinzessin erzogen. Es schien nun alles geregelt zu sein, und der Palast konnte sich eine Verschnaufpause gönnen – wenigstens für eine kurze Zeit.

### *Jahr 42 der Herrschaft Ramses' II. –*<br>*Königspalast in Pi-Ramses*

Amunnemipet stützte sich auf seinen Stock, den er seit einem Jahr benötigte, da sein Rücken unter Altersgebrechen litt. Den Göttern sei Dank, so dachte er, dass mein Verstand noch vollkommen klar ist, denn Ägypten befand sich wieder einmal an einem Wendepunkt, und es war nicht sicher, ob sich hinter dieser Wegkreuzung etwas Gutes verbarg oder etwas Schlechtes. Früher wäre Amunnemipet mit einer derart brisanten Botschaft direkt zu Ramses gegangen, egal, ob tagsüber oder nachts, aber mittlerweile reagierte Ramses auf nächtliche Störungen ungehalten und wütend. Das Alter begann nun merklich an ihm zu nagen. Siebenundsechzig Jahre hinterließen auch bei dem Gottkönig ihre Spuren, und so begab sich Amunnemipet in dieser

Nacht zu den Gemächern der großen Königsgemahlin, die mit fünfzig noch viel belastbarer war als der große Ramses.

Bint-Anat machte sich bei Amunnemipets Besuchen längst nicht mehr die Mühe, ihr Thronornat anzulegen. Viel zu oft saßen sie jetzt in privateren Gesprächen zusammen und gestalteten Ägyptens Schicksal. Auch jetzt trug sie nur ein dünnes Leinengewand und hatte auf Perücke und Schminke verzichtet. Lediglich zwei goldene Armreifen und einen Stirnreif mit der Uräus-Schlange, die sie als Mitglied des Königshauses auswiesen, hatte sie schnell angelegt.

»Wir haben gewusst, mein Freund, dass es nicht mehr sehr lange dauern würde. Wir haben nur die Tatsachen verdrängt, weil wir alle eine Verschnaufpause gebraucht haben. Jetzt jedoch ist diese Pause beendet, und wir sehen wieder ungewissen Zeiten entgegen.«

Amunnemipet hatte dunkle Ringe unter den Augen. Er war so alt wie Ramses, sie hatten zusammen das Kap besucht, und wenn Ramses sich jetzt die Freiheit nahm, sich aus den Regierungsgeschäften so weit es ging zurückzuziehen, musste sein Freund aus Kindertagen noch immer die Geschicke Ägyptens mitlenken.

Amunnemipet dankte den Göttern für eine solch umsichtige Regentin, wie Bint-Anat es war. Mit Grausen dachte er an seine Jugendtage zurück, in denen er unter Isisnofret zu leiden gehabt hatte. Mit ihr hätte er niemals das schwere Staatsschiff in der Fahrrinne halten können. Nun seufzte er, ohne dass er das gewollt hatte – das Alter ließ ihn die Kontrolle über seine Gesten manchmal verlieren, doch Bint-Anat verzieh ihm das gerne. Sie waren aufeinander eingespielt und letztendlich immer zu einer Lösung gelangt.

»Hattusilis ist tot, Königin, wir kennen seinen Nachfolger Prinz Tuthalija nicht. Ist er uns freundschaftlich gesinnt, oder will er vielleicht wieder Krieg? Wir wissen beide, Königin, dass die Hethiter immer ein kriegerisches Volk waren. König Hattusilis war ungewöhnlich umsichtig für einen Hethiter. Vielleicht hat sein Volk die lange Friedenszeit, die er ihm aufdrängte, satt, und Prinz Tuthalija nutzt die ihm sich bietende Möglichkeit, sich durch einen Krieg bei den Hethitern beliebt zu machen.«

Jetzt war es die Königin, die seufzte. »Wir wissen es nicht, Amunnemipet, und wir werden es in dieser Nacht nicht herausfinden. Ich danke dir für deine schnelle Benachrichtigung, doch jetzt sollst du zurück zu Bett gehen. Morgen ist auch noch ein Tag, und vielleicht sehen wir ohne die Nachtgespenster, die unsere Sinne zu vernebeln versuchen, einfach klarer.«

Amunnemipet erhob sich dankbar und verabschiedete sich höflich.

Bint-Anat aber konnte nicht mehr schlafen. Sie hatte Amunnemipet fortgeschickt, da sie um sein Alter und um seine Mühen wusste. Sie griff nach einem Papyrus und einem Federkiel und begann eigenhändig ein Schreiben an den neuen König Tuthalija zu fertigen. Sie brauchte Gewissheit – Ägypten brauchte Gewissheit.

### *Jahr 43 der Regierung Ramses' II. – Königspalast in Pi-Ramses*

Chaemwese versuchte eine vorsichtige Verbeugung, wobei er darauf achtete, dass diese nicht zu tief wurde, denn sein Rücken bereitete ihm mittlerweile Schmerzen. Bint-Anat kam ihm zuvor, indem sie sich vom Thron erhob, ihm entgegenging und seine Hände nahm.

»Lass das, Bruder, wir sollten aufhören, uns hinter Masken und Fassaden zu verstecken. Die Zeit heilt viele Wunden, und obwohl unschöne Narben bleiben, so sind sie doch nur ein Schatten dessen, was die Wunde verursacht hat.« Chaemwese sah Bint-Anat zweifelnd an. Diese bemerkte sein Zögern. »Ich verlange nichts von dir, außer dass du mein Bruder bist und mich nicht wie eine böse Stiefmutter behandelst. Merit-Amun öffnete mir die Augen. Wir sollten nicht um etwas trauern, was uns nicht vorherbestimmt war. Das war es doch, was du mir damals sagen wolltest, nicht wahr? Nun, spätestens jetzt sollten wir das wissen! Es gibt keinen Grund, sich für etwas zu entschuldigen oder sich selbst für etwas zu strafen. Ich werde alt, Chaemwese! Ramses hat die Krone größtenteils mir überlassen. Ich brauche Freunde, Hilfe, Verbündete. Merenptah sieht, dass sein Vater endlich schwächer zu werden scheint, und lässt seit Jahren erstmals wieder Aktivität erkennen. Ich wage zu bezweifeln, dass diese Aktivität zu Ramses' und meinen Gunsten ausfällt. Tani ist ihrerseits bemüht, eine Anhängerschaft um sich zu scharen. Sie hat ganz eigene Pläne, was dic Thronfolge anbelangt. Ich glaube nicht, dass sie Merenptah lange auf dem Thron sehen will. Ihre Söhne sind in einem interessanten Alter. Sie könnte bestens die Regentschaft für sie übernehmen. Zumindest ihr ältester Sohn ist von Merenptah legitimiert worden. Sobald sein Vater König ist, wird er die Abzeichen des Hor im Nest tragen.«

Chaemwese zuckte hilflos mit den Schultern. »Du weißt, dass ich mich aufs Regieren nicht verstehe. Wenn ich die Krone gewollt hätte, hätte Ramses sie mir gegeben.«

Bint-Anat nickte. »Ich brauche keinen Regenten, ich brauche zuverlässige Freunde. Die Priesterschaft hört auf dich. Du kannst ein starkes Gegengewicht gegen Merenptah und Tani bilden, wenn es ihnen gelingt, mir und Ramses die Macht zu entreißen. Sie können sich niemals ganz gegen die Priesterschaft stellen.«

Chaemwese verbeugte sich kühl, aber nicht unfreundlich. »Du weißt, dass meine Loyalität immer Ramses und dir gegolten hat. Ich begehrte einst die Frau, doch niemals die Königin.«

»Wirst du also auch dieses Jahr wieder das Heb-Sed-Fest ausrichten?«

»Natürlich, deswegen bin ich nach Pi-Ramses gekommen.«

Seba hielt Neferure an der Hand, die eine beträchtliche Größe für ihr Alter erreicht hatte. Mit acht Jahren fehlte ihr nicht mehr viel, um die zwanzigjährige Seba einzuholen, der sie auf Schritt und Tritt folgte. Neferure hatte sich als äußerst geschickt im

Umgang mit Arzneien erwiesen, und so wurde sie von Seba unterrichtet, die eine Anstellung im Haus des Lebens zu Pi-Ramses innehatte. Seba war ihrer Adoptivmutter treu ergeben, wenn es etwas zu tun gab, das niemand zu erfahren brauchte. So war Seba Bint-Anats rechte Hand. Gott sei Dank war das nicht allzu oft der Fall. Das letzte Mal hatte sich eine rangniedere Mitanni-Prinzessin aus Ramses' Nebenehen erdreistet, ihren fünfzehnjährigen Sohn bei der Priesterschaft als rechtmäßigen Thronfolger anzupreisen. Seba hatte rasch und präzise gehandelt. Das Gift der Kobra hatte die lasterhafte Prinzessin schnell zum Schweigen gebracht, und ihr Sohn hatte wieder die Stellung eingenommen, die ihm zukam.

»Sieh nur, Seba, wer ist der junge Mann auf dem Streitwagen, der an General Mays Seite steht?« Neferure war sichtlich beeindruckt.

»Dein Halbbruder, Prinzessin, der König Tuthalija von Chatti. Er ist zu Besuch hier, das Königspaar hat ihn eingeladen.«

»Er ist wirklich ein Bruder von mir?«

Seba lächelte milde. Neferure wusste so gut wie nichts über Chatti. Sie war nur Ägypterin, das Rassenbewusstsein, das ihre leibliche Mutter ihr hätte geben können, war nicht vorhanden. Woher auch? Neferure hatte ihre Mutter seit ihrer Abreise auf ihr Landgut nie mehr gesehen. Sie hatte auch niemals mehr nach ihr gefragt.

Pi-Ramses beging das fünfte Heb-Sed-Fest des Königs. Wie jedes Mal war es prunkvoller als das jeweils letzte. Das Volk gewöhnte sich mittlerweile an die dreijährigen Feiern.

Bint-Anat saß an Ramses' Seite im großen Empfangssaal. Die Hitze war drückend, und ein Blick auf Ramses ließ sie erkennen, dass auch er schrecklich unter dem Zeremonialgewand schwitzte. Nachdem die Abgesandten der Vasallenstaaten endlich die Geschenke vorgeführt hatten, trat König Tuthalija vor den Thron und verbeugte sich leicht. Bint-Anat las schnell in seinen Augen. Dieser König war kein Kriecher. Er war jung und stolz. Vielleicht war er ein umsichtiger König wie Hattusilis, doch für dessen Ausgewogenheit und Friedfertigkeit war er einfach zu jung. Es galt, vorsichtig zu sein. Ramses machte sich nicht die Mühe, den jungen König abzuschätzen, ein Verhalten, das es in früheren Jahren nicht gegeben hätte. Stattdessen hatte er Merenptah als Thronfolger befohlen, am Abend ein Fest für den jungen König auszurichten. Lapidar hatte er nur gesagt: »Ein so junger König kann sich besser mit dem Hor im Nest unterhalten und seine Sinne bei einem rauschenden Fest beleben.« Bint-Anat hatte darauf verzichtet, ihren Vater-Gemahl darauf aufmerksam zu machen, dass dies ein äußerst gefährliches Unterfangen war. Merenptah hatte mit Sicherheit auf eine solche Chance nicht zu hoffen gewagt. Er allein mit dem König von Chatti. Und alles, was er zu tun brauchte, war, Tuthalija davon zu überzeugen, dass Ramses zu alt zum Regieren war. Bint-Anat konnte sich die geschickte Argumentation dieses Fettwanstes nur zu gut vorstellen – Du siehst ja selbst, mein Bruder, mein Vater ist so senil, dass er es vorzieht, sich abseits zu halten und seinem Hor im Nest die zweifellos ehrenvolle Aufgabe zu überlassen, seinen persönlichen Gast zu bewirten. Wenn er nicht so alt und schwach wäre, könnte man das glatt als Brüskierung ansehen. Ich meine, wir sollten über die Beziehungen Ägyptens und Chattis reden, mein Freund. Ich denke, wir haben die gleichen Ziele für unsere Länder. Reichtum, Wohlstand und Glück sind nur einige davon. Ich muss leider befürchten, dass Ramses Ägypten in ein Loch fallen lässt! Und wenn das geschieht, ist nicht zwangsläufig Chatti ebenfalls in Gefahr? – Bint-Anat biss sich auf die Lippen. Nein, sie würde Merenptah einen Strich durch die Rechnung machen.

# Bint-Anat und Tani

*Was zerbrochen ist, kann zusammengefügt werden, doch vermag ich nicht mehr das Bild zu sehen, das vorher dargestellt war, denn tiefe Risse entstellen die Harmonie. Mein Herz ist schwer, da dieses mein liebstes Stück ist.*

# Kapitel 13

*Jahr 43 der Herrschaft Ramses' II. –*
*Königspalast in Pi-Ramses*

Tani beäugte ihre Mutter misstrauisch. Sie benahmen sich wie zwei Löwinnen, die um dasselbe Beutestück kämpfen.

»Nun, Mutter, ich hoffe, es ist wichtig, was du mir zu sagen hast, denn ich habe soeben meinen Schwur gebrochen, nie wieder mit dir zu sprechen.« Tani fuhr herum. »Und damit du es gleich weißt, ich bin nicht gewillt, ihn noch einmal zu brechen.«

Bint-Anat zeigte ihre Verletztheit nicht und erwiderte kühl: »Keine Sorge, was ich zu sagen habe, ist für uns beide von höchster Wichtigkeit.« Tani nickte und ließ sich ihr gegenüber in einem Sessel nieder, um ihre Bereitschaft zum Zuhören zu signalisieren. »Ramses hat die Bewirtung unseres Gastes meinem untauglichen Bruder, deinem Gemahl, überlassen. Ich denke, dass ich dir die Brisanz dieser Tatsache nicht weiter zu erläutern brauche. Er wird ebenso wenig für mich und Ramses sprechen wie für dich. Da du ihn seit Jahren von deinen Festen ausschließt, wird es ihm eine willkommene Abwechslung sein, dieses Mal dich von jeglicher Gesellschaft auszuschließen.«

Tani schnaubte verächtlich. »Das glaube ich gern, denn du bist die Erste, von der ich etwas über diese Aufgabe meines Gemahls erfahre. Wann soll die erste Gesellschaft stattfinden?«

»Bereits heute Abend. Ramses hat nicht mehr den Weitblick, als dass er die Gefahr der Situation erkennen würde. Ich kann nicht mit ihm reden. Er reagiert auf gut gemeinte Ratschläge jähzornig und weist mich immer öfter in die Schranken. Er legt mir fast ganz die Regierungsgeschäfte in die Hände, doch trifft er eine

Entscheidung, fragt er nicht mehr wie früher nach meiner Meinung. Im Gegenteil, er ist stur und lässt Beamte in Ungnade fallen, die ihm seit jeher treu gedient haben.«

Tani fuhr sich durch das Gesicht. »Und weshalb kommst du zu mir, Mutter? Du weißt doch genau, dass es das ist, worauf ich seit Jahren warte – dass mein Vater endlich die Macht verliert, Merenptah Thronfolger wird, ich ihm eine kurze Weile den Anschein der Macht überlassen werde, ihn dann endlich stürze und einen meiner Söhne auf den Thron setze, um für ihn die Regentschaft zu übernehmen.«

Bint-Anat nickte. »Natürlich weiß ich das, Tani, doch bedenke, dass uns beiden mit einer resoluten Machtergreifung Merenptahs nicht gedient ist. Sollte es ihm gelingen, König Tuthalija zu seinem Verbündeten zu machen, wird er zuerst Ramses und mich stürzen, sich mit dir als legitime Thronerbin krönen lassen und sich dann schnellstmöglich deiner entledigen. Seinen Thronfolger hat er bereits. Du könntest ihm mit einem solch starken Partner wie Chatti niemals die Macht streitig machen. Er würde dir deine Söhne nehmen und sie auf seine Seite bringen.«

Tani blickte Bint-Anat kühl an. »Und was meinst du sollen wir tun?«

Bint-Anat griff nach einem Süßgebäck. »Ich denke, dass ich einen Ausweg weiß, den aber nur wir beide zusammen in Angriff nehmen können. Allerdings ist es an der Zeit, zumindest politischen Frieden zu schließen. Wir wissen beide, dass Frauen, die Macht ausüben, mehr Unterstützung bedürfen als Männer. Frauen werden immer wieder in Frage gestellt. Sie kämpfen viel härter für ihre Ziele.«

Tani verzog die Augenbrauen. »Vielleicht wäre ich geneigt, auf deinen Vorschlag einzugehen – wenn er mir sinnvoll erscheint.«

Bint-Anat lächelte. »Wir werden Merenptah zuvorkommen. Ich als Königin und du als Kronprinzessin werden dem König von Chatti eine Einladung senden. Wir werden ihn mit den schönsten Mädchen Ägyptens zusammenbringen, wir werden ihn von einem Fest zum anderen schicken, von einer Sehenswürdigkeit in die nächste. Mitunter wird es dann deine Aufgabe sein, Merenptah so einzuschüchtern, dass er sich nicht bei Ramses beklagt. Ich meinerseits werde dafür sorgen, dass Ramses nicht von Merenptahs Hofschranzen behelligt wird. König Tuthalija wird sich nicht lange in Ägypten aufhalten. Seine Macht in Hattussa ist noch nicht gefestigt genug, als dass er zu lange fortbleiben könnte. Chatti ist ein kriegerisches Reich, trotz des Friedens mit Ägypten. König Tuthalija hat ein schweres Erbe angetreten. Versichern wir ihn unserer und des Sonnenkönigs Loyalität. Machen wir ihm klar, dass Merenptah nicht gut für Ägypten ist.«

Tani nickte zustimmend. »Ja. Doch wenn uns dies gelungen ist, verfolgen wir wieder eigene Ziele, bei denen wir uns gegenseitig nicht brauchen.«

»Oh, Tochter, unsere Ziele liegen näher beieinander, als du glaubst. Es ist doch so, dass wir beide Merenptah nicht auf dem Thron sehen wollen. Solange Ramses lebt und ich die Regierungsgeschäfte tätige, droht keine Gefahr. Ich gebe zu, dass ich einst versucht habe, ein Gegengewicht zur Thronfolge deiner Söhne zu schaffen, doch wie du mit Befriedigung festgestellt haben dürftest, ist mir dies nicht gelungen. Von dort aus droht also keine Gefahr mehr. Da Ramses schon länger keine Kinder gezeugt hat und seinen Harem so gut wie nicht mehr besucht, dürfte dieser Kampf ausgestanden sein.«

Tani beugte sich vor. »Was willst du also?«

Bint-Anat beschloss, konkret zu werden. »Die Macht, solange Ramses lebt – und leben heißt für mich, solange sein Herz schlägt. Möge er auch nicht mehr regierungsfähig sein, so gehört mir die Macht, bis sein Herz aufhört zu schlagen.«

Tani spielte mit ihrem Ohrring. »Und danach?«

»Danach werde ich freiwillig den Thron räumen! Ich werde eine Verzichtserklärung in deinem Beisein unterschreiben, die ich Merit-Amun geben werde. Stirbt sie vor Ramses, wird Chaemwese sie nehmen.«

»Aber ich könnte auch ohne deine Hilfe nach Ramses' Tod die Macht ergreifen.«

»Mit meiner Hilfe würdest du schneller an dein Ziel gelangen.«

»Inwiefern?«

»Merit-Amun und Chaemwese leiten die Priesterschaft dieses Landes. Hast du die Priester erst einmal auf deiner Seite und Chatti als Verbündeten, wird es ein Leichtes sein, sich deines Gemahls Merenptah zu entledigen. Und außerdem, wie könnte sich Merenptah selbst die Krone aufs Haupt setzen, wenn die Priesterschaft dich auf dem Thron sehen will?«

Tani horchte auf. »Ich gebe zu, dass deine Worte viel Wahres enthalten. – Also gut! Lass uns unseren Plan in Angriff nehmen.«

König Tuthalija amüsierte sich prächtig. Die wunderschönen Tänzerinnen ließen jugendliche Glut in seinen Augen aufkommen. Der König war sehr jung, etwa dreiundzwanzig. Er war athletisch gebaut, sein Gesicht bis zur Vollendung markant, und seine Augen waren aufgeschlossen und klug. Obwohl ihm in seiner Heimat ein großer Harem zur Verfügung stand, war er von der Freiheit der Ägypterinnen entzückt. Unterhielten sich Frauen in seiner Heimat größtenteils untereinander und antworteten ihren Männern nur monoton auf irgendwelche Fragen, kokettierten sie hier und wollten erobert werden. Der König war von Ägypten begeistert. Sowohl in der Architektur als auch in der hohen Kultur dieses schönen Landes sah er die Zukunft für sein eigenes Volk. Das hohe medizinische Wissen der Ärzte hatte so manche Krankheit heilbar gemacht, an der in Chatti früher viele Menschen sicher dem Tode geweiht gewesen wären.

König Tuthalija war ein großer Anhänger seines Vaters Hattusilis gewesen und darauf bedacht, die Friedenspolitik fortzusetzen. Dies hatte er auch der großen Königsgemahlin Bint-Anat und ihrer hübschen Tochter, der Kronprinzessin Tani, erzählt, die ihn zu diesem rauschenden Fest geladen hatten. Er mochte die Art der Frauen, die nach einem harmlosen Wortgeplänkel geradeheraus begonnen hatten mit ihm über Politik zu sprechen. Sie versuchten nicht, die Hinfälligkeit des Gottkönigs zu vertuschen, sie verhehlten nicht ihre Pläne bezüglich der Thronfolge. König Tuthalija war der Auffassung, dass Offenheit die beste Voraussetzung für gute Beziehungen zwischen ihren Ländern war. Außerdem hatte ihm sein Vater Hattusilis noch auf dem Sterbebett geraten, sich in politischen Fragen an die große Königsgemahlin zu halten. Sie sei zwar hart wie ein Mann, geradeheraus, doch stehe sie hinter Ägypten und wolle auch weiterhin Frieden zwischen Ägypten und Chatti halten. König Tuthalija war jung und unerfahren, doch er war nicht dumm. Wenn er jemandem trauen konnte, dann der großen Königsgemahlin. Während er noch in seine Gedanken vertieft war, riss ihn die große Königsgemahlin jäh aus diesen heraus.

»Euer Majestät, darf ich Euch meine Adoptivtochter Seba vorstellen, die im Haus des Lebens den Beruf der Ärztin ausübt und als solche für den König und mich unersetzbar ist.«

Seba verbeugte sich, und ohne es verhindern zu können, stieg ihr tiefe Röte ins Gesicht. König Tuthalija wollte sich ihr kurz zuwenden und ein höfliches Kopfnicken andeuten, als sein Blick auf der jungen Frau verharrte. Die peinliche Stille ließ sowohl Tani als auch Bint-Anat die Situation sofort erkennen. Da standen sich zwei Menschen gegenüber, die auf Anhieb die gleichen Gefühle füreinander hegten. Eine Seltenheit bei Hofe, wo Ehen arrangiert, erzwungen und aus Notwendigkeit geschlossen wurden. Bint-Anat kam den beiden jungen Leuten zu Hilfe.

»Warum setzt du dich nicht zu uns, Seba?«

Seba ließ sich nieder und richtete ihr purpurfarben angelaufenes Gesicht auf ihren Weinbecher, den Bint-Anat ihr reichte. König Tuthalija hatte das Interesse an den Tänzerinnen verloren. Er musterte Sebas feingliedrige Hände, die so verstört mit der Verzierung des Weinbechers spielten. Bint-Anat nahm das Gespräch wieder auf.

»Ihr müsst wissen, Majestät, dass meine Adoptivtochter ein Genie auf ihrem Gebiet ist. Sie kam vor einigen Jahren zu uns und behandelte eine Zahnkrankheit des Mächtigen Stieres, die keiner der Palastärzte zu behandeln wagte. Seit diesem Tag hat sie die beste Ausbildung genossen, einer königlichen Prinzessin gleich.«

Tani grinste in sich hinein. Ihre Mutter verschacherte also immer noch ihre Töchter zu Gunsten der Krone. Doch dieses

Mal tat sie damit vielleicht sogar etwas Gutes und verhalf zwei Menschen zu ihrem Glück. Tani hatte nie Groll gegen Seba gehegt. Sie hatten zwar keinen Kontakt gepflegt, doch hatte sie es ihr hoch angerechnet, dass sie mit ihrer Anrede Majestät-Mutter Tanis unangefochtene Rangfolge zum Ausdruck brachte. Sie gönnte Seba das Glück, vor allem wenn es ihren eigenen Plänen zugute kam.

»Wenn das so ist, vielleicht könnte ich Prinzessin Seba dazu überreden, sich die Wunde an meiner Schulter einmal anzusehen. Sie will nicht richtig verheilen. Es wäre mir eine große Ehre, wenn die Prinzessin mir ihre Zeit opfern würde.«

Seba blickte strahlend auf. Der König hatte sie Prinzessin genannt, obwohl ihr diese Anrede eigentlich nicht zustand. »Natürlich, es wäre mir eine große Ehre, den König von Chatti behandeln zu dürfen.«

Seba schwebte seit einigen Wochen wie auf Wolken. Der König von Chatti hatte ihre Gesellschaft der aller anderen vorgezogen. Sie fühlte sich wie eine richtige Prinzessin, wurde umgarnt und erfuhr das erste Mal, was Liebe ist. Allerdings hatte sie damit die Blicke der Neider auf sich gezogen. Es wurden Stimmen bei Hofe laut, die sagten, dass Seba doch eigentlich nur eine Gemeine sei, dass man ihr von Anfang an zu viel Bedeutung habe zukommen lassen und dass sie im Palast doch eigentlich nichts zu suchen habe. Bint-Anat wusste, dass es Zeit war zu handeln.

Sie hatte Seba im Palastgarten getroffen, wo sie sich nun häufiger aufhielt, um in der Nähe des Königs zu sein.

»Seba, du strahlst wie Re! Die letzten Wochen haben dich erblühen lassen. Du ziehst den Neid des ganzen Palastes auf dich.«

Seba lächelte. »Eine sehr umsichtige Art, mich daran zu erinnern, dass ich keine Prinzessin bin, auch wenn der König von Chatti mich so fühlen lässt.« Seba seufzte und rupfte eine Lotosknospe auseinander, die sie verklärt betrachtet hatte. Bint-Anat ließ sich neben ihr nieder. »Nein, das wollte ich dir damit nicht sagen – oder vielleicht doch, aber nicht so, wie du es denkst.«

Seba blickte traurig drein. »O Seba, nein, was ich meine, ist, dass es zu gefährlich in Pi-Ramses für dich wird. Es ist immer zu erwarten, dass der Hof einem jungen Mädchen die Gunst eines Königs neidet. Ob sie nun adlig ist oder nicht, es gibt immer Gerede.«

»Doch ich bin nicht adlig, und deswegen könnte ich einen Skandal auslösen und muss Pi-Ramses verlassen.«

Bint-Anat nahm Sebas Hand. »Ja, du musst Pi-Ramses verlassen, aber nur um deiner eigenen Sicherheit willen.«

Seba schluchzte. »Doch wohin soll ich gehen? Pi-Ramses ist meine Heimat geworden, Ihr meine königliche Mutter, die Krone Ägyptens meine Passion, der ich bis zum Tod dienen werde. Soll ich wieder zurück in die Armenhäuser? Dann wäre ich besser gleich dort geblieben, denn so würde ich nicht wissen, was ich vermissen werde.«

»Nein, Seba, du wirst Ägypten verlassen und nach Chatti gehen. König Tuthalija hat mich um dich gebeten. Natürlich wirst du keine Königin sein, doch eine standesgemäße Nebenehe führen. Und außerdem weiß ich genau, dass du in seinem Herzen immer die erste seiner Gemahlinnen sein wirst. Du wirst nicht wie eine Sternschnuppe aufleuchten und in seinem Harem verschwinden. Er will eine legitime Nebenehe mit dir führen, und du wirst den Titel einer Gemahlin erhalten. Deine Kinder jedoch, so hat er versprochen, sollen legitimiert werden. Er wird damit auf viel Widerstand stoßen, seine erste Gemahlin wird Galle spucken. Vielleicht wird sie versuchen dich aus dem Weg zu räumen. Doch ich hätte dieser Verbindung nicht zugestimmt, wenn du nicht eine so ausgezeichnete Ärztin wärst, klug genug, dich selbst zu schützen. Und wer weiß, vielleicht ist es einmal an der Zeit, deine Kunst gegen die erste Gemahlin einzusetzen? Der König liebt dich aufrichtig, und er steht zu dir, sonst würde er auf eine Legitimation eurer gemeinsamen Kinder verzichten. Er ist bereit, für dich zu kämpfen. Also geh mit ihm, und kämpfe du für ihn.«

Bint-Anat stand auf und ließ die völlig verblüffte Seba allein. Sie sollte erst einmal über alles nachdenken.

Kurze Zeit später verabschiedete sich Seba weinend von ihrer Adoptivmutter und von ihrer Ziehtochter Neferure. Erst als Bint-Anat sie erneut dazu ermutigt hatte, Ägypten zu verlassen, hatte sie sich entschlossen, ihrem eigenen Herzen zu folgen und in eine ungewisse Zukunft aufzubrechen. Natürlich hatte sie tief in ihrem Innern auch verstanden, was diese Liebesheirat für Chattis und Ägyptens Beziehungen bedeutete.

## Bint-Anat

*Ra – mein Vater – ich diene Dir zu gefallen! Mein letzter Atemzug soll Dir gehören, zu spät ist es nun, loszulassen. Ich umklammere die Macht, obwohl ich fühle, dass sie stärker und stärker wird und ich zu schwach bin, sie noch lange zu halten. Wut und Grimm allein verleihen mir die nötige Kraft, ehe ich schließlich loslasse.*

# Kapitel 14

*Jahr 46 der Herrschaft Ramses' II. –*
*Königspalast in Pi-Ramses*

Neferure ging zügigen Schrittes durch den Palastgarten, wobei sie Acht geben musste, dass sie durch ihr eng anliegendes Gewand nicht stolperte und hinfiel. Der Diener trug einen schweren Medizinkasten hinter ihr her, in dem Phiolen und andere Dinge klimperten. Auf halbem Weg sah sie Bint-Anat, die ihr schon entgegeneilte. Neferure war froh, dass zuerst Seba und später Bint-Anat dafür gesorgt hatten, dass sie eine schnelle, effektive Ausbildung zur Heilkundigen erhalten hatte, denn so war sie in der Lage, die ständig wechselnden Leiden des Mächtigen Stieres von Ägypten ohne fremde Hilfe zu behandeln. Neferure hatte sich lange gefragt, warum Bint-Anat seit Sebas Abreise mit unerbittlicher Härte Perfektion von der jetzt Elfjährigen gefordert hatte, doch mittlerweile war sie sehr wohl in der Lage, dieses zu verstehen. Ramses war zu einem Tyrannen geworden – zumindest innerhalb des Palastes. Natürlich wahrte Bint-Anat nach außen hin den Schein des göttlichen Herrschers, doch die Familie und die engen Vertrauten mussten zweifelsohne unter ihm leiden. Die große Königsgemahlin war nur durch ein eng verstricktes Familiennetz in der Lage, den Schein des Gottesherrschers zu wahren, der er zweifelsohne einmal gewesen war. Neferure in ihrer Eigenschaft als Ärztin war für Bint-Anat unersetzbar, denn sie konnte sich ihrer Loyalität gewiss sein, dass nichts von Ramses' wirklichem Zustand über die Palastmauern getragen werden würde.

»Ich will diese ganzen widerlichen Mittelchen nicht mehr! Sie helfen nicht. Seit Seba uns verlassen hat, gibt es niemanden mehr, der mir helfen könnte. Du hast sie gehen lassen, Tochter! Wie konntest du das tun? Mit welcher Berechtigung hast du dich gegen mich gewandt?«

Ramses tobte vor Zorn, wobei alle Anwesenden froh über die Tatsache waren, dass der König sein Lager nicht mehr ohne fremde Hilfe zu verlassen vermochte. Stand er einmal auf seinen eigenen Füßen, konnte er sich zwar mit Hilfe eines Stockes selbstständig fortbewegen, doch machte er dabei einen recht kläglichen Eindruck, denn von Jahr zu Jahr ging er gebeugter.

»Mein königlicher Gemahl sollte endlich einmal einsehen, dass Sebas Heirat das einzig Richtige war, was wir tun konnten, und darüber hinaus eine willkommene Möglichkeit, ein wachsames Auge auf Chatti zu werfen. Sebas Liebesheirat hat ein starkes Band zwischen Ägypten und Chatti geflochten.«

»Wer benötigt das schon! Ich bin der Mächtige Stier Ägyptens, niemand würde es wagen, gegen mich Krieg zu führen – und wenn doch, was könnte er gegen mich ausrichten, der ich gottgleich bin, unbesiegbar durch die Gunst Amuns, Res und Pthas.«

Bint-Anat gab es auf. Ramses war nicht mehr der Mann, den sie geheiratet hatte. Das Alter hatte seine Sinne verwirrt, das Erkennen der eigenen Sterblichkeit trieb ihn in den zunehmenden Wahnsinn. Sie winkte Neferure herbei. »Gib ihm etwas gegen die Schmerzen, etwas, das ihn aufheitert.«

Neferure reichte Ramses einen Becher.

»Was soll das sein?«, schnauzte Ramses seine jüngste Tochter an.

»Nur etwas Karobensaft. Dein Lieblingsgetränk, großer König. Du weißt, du gibst niemals Audienzen, ohne vorher einen Becher deines Lieblingsgetränkes zu dir genommen zu haben.«

Plötzlich lächelte Ramses milde. »Ach ja! Wie konnte ich das nur vergessen? Siehst du, Tochter? Seba hat immer die richtige Medizin für mich. Ich werde jetzt meinen Karobensaft trinken und dann eine große Konferenz abhalten. Mit all meinen Generälen, meinen Vertrauten und meiner Königin – meiner über alles geliebten, schönen Nefertari.«

Bint-Anat nickte milde. Sie kannte das schon. Ramses warf alles durcheinander. Manchmal war er völlig normal, dafür aber ungenießbar, und manchmal war er erheitert und milde, dafür aber völlig verwirrt. Bint-Anat war Letzteres lieber. Wer konnte ihm verdenken, dass er sich in die glorreichen Zeiten seiner Herrschaft zurückzog? Sie selbst tat das sehr oft – allerdings ohne die Grenzen zwischen Fiktion und Realität zu verwischen.

Ein paar Minuten später schlief Ramses friedlich. Die Gefahr war fürs Erste gebannt. Bint-Anat gab den wenigen Vertrauten ein Zeichen, dass sie sich zurückziehen durften. Zu diesen Vertrauten gehörten eigentlich nur Neferure, Amunnemipet, Tani und gezwungenermaßen Merenptah. Letzteren hielt Tani fest am Zügel, sorgte dafür, dass er nichts nach außen dringen ließ, gab ihm aber gleichzeitig das Gefühl, zum engsten Familienkreis zu gehören, indem sie ihn als Statist bei solchen »Familientreffen« teilnehmen ließ. Während sich alle zurückzogen, gab Bint-Anat Neferure ein Zeichen, dass sie sich nicht entfernen solle. Als alle anderen verschwunden waren, begann sie zu sprechen.

»Neferure, wir beide wissen, dass der zunehmende Wahnsinn des Königs nicht mehr zu heilen ist. Was aber ist mit seinen körperlichen Leiden?«

Neferure dachte kurz nach, dann antwortete sie: »Sein Rücken macht ihm zu schaffen, doch das ist eine natürliche Alterserscheinung, die ihn zwar leiden, aber nicht sterben lässt. Seine verkrümmten Finger sind ebenfalls eine Alterserscheinung, schmerzhaft, aber nicht tödlich. Was mir wirklich zu schaffen macht, ist der schlechte Zustand seiner Zähne. Seba hat damals den kranken Zahn gezogen, und ich säubere diese Stelle regelmäßig, doch wirklich verheilen wird sie wohl nicht mehr, und auch andere Zähne weisen Fäulnis auf, was den schlechten Atem des Königs erklärt.«

Bint-Anat nickte. »Wird er daran sterben?«

Neferure zuckte mit den Schultern. »Ich tue, was in meiner

Macht steht. Vielleicht kann ich auch einige der Zähne entfernen, doch ist die Gefahr einer Infektion dann womöglich noch höher, als wenn ich sie mit Wundmitteln behandle und von Zeit zu Zeit einen Zahn herausnehme, der wirklich nicht mehr zu retten ist.«

Die Königin dachte kurz nach. »Wichtig ist, dass der König lebt. Ich kann ihm nicht die Gnade des Todes gewähren. Ich habe seit frühester Kindheit für ihn gelebt. Oft genug habe ich die Last der zwei Kronen für ihn getragen, wenn er sich die Freiheit für eigene Vergnügungen nahm. Ich habe ihm stets seinen Willen gelassen, selten gab es Streit. Doch jetzt ist dies der Preis, den ich ihm abverlange. Er soll so lange am Leben gehalten werden, wie es geht.«

Neferure hob die Hände und verbeugte sich leicht, denn dies war der Befehl ihrer Königin, der eigentlichen Sonne Ägyptens.

In ihren Gemächern erwartete Bint-Anat die nächste ungute Nachricht. Amunnemipet war in ihrem Arbeitszimmer, in der Hand einen Papyrus. Ohne große Gesten überreichte er Bint-Anat das Dokument. Diese entrollte das Sendschreiben, das von ihrer Adoptivtochter Seba aus Chatti kam.

*»Grüße sendet Euch, geliebte Majestät-Mutter, Königin von Ober- und Unterägypten, Eure Adoptivtochter Seba, Gemahlin des großen Königs von Chatti.*
*Wie geht es meiner Majestät-Mutter? Wisset, dass es mir gut geht und Eurem Enkel, dem Sohn des Königs Tuthalija, ebenfalls.*
*Sehet, dass große Sorge mich dazu veranlasst, Euch heute zu schreiben. Der große König erhielt ein Sendschreiben vom Hor im Nest, Kronprinz Merenptah, in dem er die Loyalität der großen Königin von Ägypten gegenüber dem König von Chatti anzweifelt. Um unserer Liebe willen übergab der König es mir und bat mich, Euch zu schreiben. Dies tue ich nun heute. Da ich mir sicher bin, dass Merenptah ohne Euer Wissen handelte und zweifellos falsches Zeugnis ablegte, über-*

*lasse ich diese Angelegenheit Euch, Majestät-Mutter, und betrachte mein Anliegen damit als erledigt.*
*Dies schrieb Euch die Gemahlin des Königs Tuthalija im Jahr 5 seiner Regierung.«*

Bint-Anat legte den Papyrus beiseite. »Bring Sebas Schreiben zu Tani! Da sie sich weigert, mit mir zu reden, wird sie die Sache aus der Welt schaffen müssen. Ich denke, dass es keine weiteren Probleme geben wird. Doch ist es vielleicht wieder einmal Zeit, mich der Loyalität meiner Untergebenen zu versichern.« Bint-Anat stand auf. »Amunnemipet, sorge dafür, dass in einem Monat die königliche Barke bereitsteht, ich will eine Reise nach Sakkara unternehmen.«

### *Sakkara*

Bint-Anat betrat das Heiligtum der Apis-Stiere, das ihr Bruder Chaemwese mehr als alles andere liebte. Während sie über einem Altar Milch vergoss, um ein Opfer für den derzeitigen Apis-Stier darzubringen, trat Chaemwese an sie heran.

»Es hat mich überrascht, Königin, dass du die beschwerliche Reise auf dich genommen hast, die du gewiss nicht wegen deiner Liebe zum Apis unternommen hast.«

Bint-Anat drehte sich um. »Nein, Bruder, da hast du sicherlich Recht. Ein anderes Anliegen zwang mich zu dieser Reise nach Sakkara.«

Chaemwese nahm den Arm seiner Schwester. »Dann lass uns in mein Haus gehen, damit wir bei ein paar Erfrischungen darüber reden können.«

Die Königin ließ Chaemweses Bild auf sich wirken. Dreiundfünfzig Jahre zählte ihr Bruder, doch er wirkte so alt wie Ramses mit nunmehr einundsiebzig. Wahrscheinlich lag das teilweise an dem Leben, das Chaemwese sich ausgesucht hatte. Er hatte es neben dem als Hohepriester des Ptah den Apis-Stieren und der Restauration der Grabmäler seiner Ahnen gewidmet. Nicht selten hatte er selbst Hand angelegt, eine Tatsache, die ihm große Beliebtheit eingebracht hatte. Dafür stützte Chaemwese sich jetzt auf einen Stock und nahm ausschließlich weiche Speisen zu sich, denn auch seine Zähne waren so gut wie nicht mehr vorhanden.

»Merenptah versucht wieder zu intrigieren. Er hat es irgendwie geschafft, einen Brief unbemerkt nach Chatti zu schmuggeln, in dem er an meiner Loyalität Chatti gegenüber zweifelt. König Tuthalija jedoch übergab Seba das Schreiben mit der Bitte, die Sache mit mir zu klären.«

Chaemwese runzelte die Stirn. »Dann ist doch wohl alles in bester Ordnung.«

»Ja, so weit ist alles geklärt, doch es gibt noch immer Grund zur Besorgnis, denn allein Ramses' schlechter Zustand hat Merenptah dazu veranlasst, wieder einmal aus seinem Loch hervorzukriechen.«

Chaemwese zuckte mit den Schultern. »Du hast ein Abkommen mit Tani. Erst wenn Ramses' Herz aufhört zu schlagen, darf sie nach der Krone greifen.«

»Ja, aber vielleicht hat Tani nicht damit gerechnet, dass Ramses' Herz so lange schlagen wird.«

»Und jetzt bist du hier, um dich meiner Loyalität zu versichern.«

»Und der Merit-Amuns. Du weißt genau, dass die Priesterschaft das Bindeglied zwischen der Krone und der Macht ist. Um es genau zu sagen, Bruder, würde sich die Priesterschaft von mir und Ramses abwenden, wäre es ein Leichtes für Tani, die Macht zu ergreifen. Ihres Gemahls würde sie sich als Statist bedienen, um die männliche Linie krönen zu lassen. Danach würde Merenptah recht schnell verschwinden.«

Chaemwese runzelte erneut die Stirn. »Ich stehe hinter dir und meinem Vater. Sowohl du als auch Ramses haben dem Land Wohlstand und Frieden gebracht. Und sollte auch Ramses nicht mehr regieren können, so weiß ich doch um deine Befähigung als

Regentin. Solange Ramses lebt, wird die Priesterschaft deinen Rücken stärken. So denke ich, und so denkt auch Merit-Amun.«

Bint-Anat atmete auf. »Ich danke dir, Bruder.«

*Jahr 51 der Herrschaft Ramses' II. –*
*Königspalast in Pi-Ramses*

Bint-Anat hatte Amunnemipet angeboten, seine Ämter niederzulegen und sein Alter sorglos auf einem schönen Landsitz zu genießen, doch er hatte pflichtbewusst abgelehnt. Also hatte Bint-Anat darauf bestanden, dass sie ihn selbst aufsuchen würde, um wichtige Dinge mit ihm zu besprechen, damit er zumindest keine großen körperlichen Anstrengungen mehr auf sich nehmen musste. Und das tat sie denn auch jeden Tag.

»Ich danke Euch, große Königin, dass Ihr so schnell gekommen seid.«

Bint-Anat ließ sich auf einem Stuhl gegenüber Amunnemipets Lager nieder. »Ich weiß, dass du mich nicht wegen irgendwelcher unwichtigen Dinge rufen würdest, und deshalb war mein schnelles Erscheinen selbstverständlich. Erzähle mir also, was uns diesmal Grund zur Sorge gibt.«

»Es ist weniger ein Grund zur Sorge als eine königliche Pflicht, die der König selbst nicht mehr erfüllen kann und die Ihr deshalb übernehmen müsst.«

Bint-Anat musste lächeln. »Ist das nicht schon seit Jahren so?«

Amunnemipet lächelte ebenfalls, wenn auch schmerzverzerrt. Ihn quälte seit geraumer Zeit der Rücken schwer. »Ich hätte es Euch gern erspart – und mir auch! Eure Mutter, die große Königsgemahlin Isisnofret, ging in die schönen Gefilde des Westens ein – oder wurde von Ammit verschlungen, wie auch immer.«

Die Königin konnte nur schwer ein Schmunzeln unterdrücken. Es gab keinen Grund, sich zu verstellen. Sowohl sie als auch Amunnemipet hatten unter Isisnofret nicht viel zu lachen gehabt.

»Nun, ich werde nach Chaemwese und Merit-Amun schicken

müssen. Es wird erwartet, dass sie der verstorbenen Königin huldigen.« Bint-Anat klatschte in die Hände. »Einen Schreiber, schnell!« Die kleine Sklavin, die immer in der Ecke des Raumes kauerte, rannte sofort los.

*Königspalast in Pi-Ramses*

Bint-Anat führte Chaemwese, Merit-Amun und Neferure zu dem dahinsiechenden Ramses. Der Blick aller verweilte kurz auf dem König, dann begann Neferure zu reden.

»Die Abzesse seiner Zähne werden immer schlimmer. Ich wage nicht zu operieren, eine Infektion würde ihn mit Sicherheit töten.«

Chaemwese blickte erneut auf das aschfahle Gesicht seines Vaters. »Wie lange noch?«

Neferure zuckte mit den Schultern. »Höchstens noch ein paar Jahre – und das auch nur bestenfalls.«

Merit-Amun ergriff das Wort. »Ein paar Jahre haben wir noch. Ich habe die Göttin befragt. Doch ich konnte kein genaues Jahr sehen.«

Bint-Anat seufzte tief. »Also gut, was bleibt in dieser Zeit noch zu tun, was wir nicht schon getan haben?«

Chaemwese antwortete klar: »Stabilität zu schaffen, die auch einen schwachen Herrscher notfalls überdauern kann.«

Allgemeines Nicken versuchte die Hoffnungslosigkeit zu überspielen.

*Jahr 55 der Herrschaft Ramses' II. –*
*Sakkara*

Bint-Anat stolperte fast über das lästige Königinnenornat, als sie Chaemweses Haus betrat. Hektische Flecken zeichneten sich in Gesicht und Hals der großen Königin von Ägypten ab. Sie war den Weg von der Barke bis hierher gerannt, was ihr im Alter von mittlerweile dreiundsechzig sehr zu schaffen machte. Das Haus roch muffig und süßlich – wie bei Nefertari, schoss es ihr durch den Kopf. Sie betrat völlig außer Atem Chaemweses Schlafzimmer. Und dort war er. Zusammengefallen lag er auf seinem Lager, sein Atem ging schwer, seine Augen waren trüb. Merit-Amun saß an seiner Seite und sprach Gebete. Für einen Moment erhellten sich Chaemweses Augen, als er Bint-Anat sah. Er machte die Andeutung, seine Hand zu heben und sie Bint-Anat zu reichen, doch diese kam ihm zuvor, ergriff sie und ließ sich an seiner Seite nieder. Merit-Amun erhob sich und ging mit den anderen Priestern und Priesterinnen aus dem Raum.

Bint-Anat konnte ein Schluchzen nicht unterdrücken. »Bruder, Geliebter meines Herzens, all die Jahre habe ich dich nun nicht mehr so genannt, doch jetzt mag ich nicht länger leugnen, was ich immer für dich empfand und immer für dich empfinden werde. Ohne dich wird mein Leben leer sein, meine Seele hängt an der deinen. Wenn du nun gehen musst, so will ich mit dir gehen.«

Chaemwese nahm seine letzte Kraft zusammen. »Nein, Schwester! Dein Weg ist noch nicht zu Ende. Merit-Amun weiß es, sie sah es! Du darfst mir nicht folgen, noch nicht.« Er machte eine kurze Pause. »Aber sei dir gewiss, dass ich dich auch immer geliebt habe und dass unsere Seelen erneut zusammen sein werden. Irgendwann, wenn Ägypten nur noch eine Legende, ein sehnsuchtsvolles Flüstern, eine leise Ahnung in den Köpfen der Menschen sein wird, dann wird unsere Zeit kommen. Bis dahin … lebst du in meinem Herzen …« Chaemweses Stimme brach, und Bint-Anat merkte, dass er gegangen war. Ein verzweifeltes Schluchzen entfuhr ihrer Kehle, und sie beugte sich über ihren toten Bruder und weinte, bis ihre Tränen versiegten und dumpfe Verzweiflung sich in ihr breitmachte.

Die Königin hatte ihren Bruder in Sakkara in den Katakomben der Apis-Stiere beisetzen lassen, wie er es immer gewollt hatte. Jetzt ruhte er dort, leise verharrend, wartend, dass er erneut leben dürfte, fühlen, schmecken, lieben. Bint-Anat ertappte sich bei dem Gedanken, dass sie neben ihm liegen wollte, aller Gefühle beraubt, reglos, stumm verharrend, wissend, aber sich nicht wirklich dessen bewusst seiend. Eine Hand legte sich sacht auf ihre Schulter. Bint-Anat drehte sich um. Es war Merit-Amun, die ebenfalls unglücklich aussah.

»Dein Weg, Schwester, ist noch nicht ganz zu Ende. Du darfst jetzt nicht aufgeben – noch nicht. Ich habe das Schreiben, das Chaemwese bis zu Ramses' Tod treuhänderisch an sich genommen hat, von ihm erhalten. Tani wird es nach Ramses' Tod bekommen. Doch bis dahin wirst du weiterregieren, und es ist dir nicht erlaubt, aufzugeben.«

Bint-Anat lief eine Träne aus dem Augenwinkel. »Und wofür das alles? Was soll ich danach tun?«

»Ich sagte dir einst, dass du mich besuchen wirst.« Die Königin nickte. »Nun, das wirst du nach Ramses' Tod tun, alles Weitere wird sich dann klären.«

Merit-Amun verschwand so rätselhaft, wie sie gekommen war.

*Jahr 67 der Herrschaft Ramses' II. –*
*der Harem Faijum*

Bint-Anat ging die Listen der Haremsgüter durch. Wie in jedem Jahr inspizierte sie den großen Harem Faijum, der nicht nur als Ausbildungsort zukünftiger Königsgemahlinnen diente oder zu dem ausrangierte Haremsdamen abgeschoben wurden, er war vielmehr auch ein lukrativer wirtschaftlicher Betrieb, in dem feinstes Leinen, Schmuck und allerlei andere Palastartikel hergestellt wurden. Wie jedes Jahr war Bint-Anat zufrieden. Hormin war vor ein paar Jahren gestorben, kurz nachdem Isisnofret in den Westen übergegangen war. Bint-Anat hatte damals den Gedanken gehabt, dass Isisnofrets und Hormins Leben in tragischer Weise miteinander verbunden gewesen waren. Hormin hatte Isisnofret gehasst, wie fast alle. Als sie gestorben war, war seine eigentliche Aufgabe, seine persönliche Rache, in der er sich sonnte, indem er den Fall der großen Königsgemahlin miterleben durfte, beendet. Es gab keinen Grund mehr, weiterzuexistieren.

Der Kopf der großen Königsgemahlin schmerzte. Einundsiebzig Jahre lasteten nun auf ihrem königlichen Haupt, und wie einst Tuja wurde sie jetzt ehrfürchtig geachtet, ja manchmal sogar gefürchtet. Mit einem Lächeln dachte sie an die Zeit ihrer Kindheit und Jugend zurück. Wie hatte sie Nefertari bewundert, weil dieser eine seltsame Autorität gegeben worden war, obwohl sie doch eigentlich fürchterlich schwach war. Wie hatte sie insgeheim Tujas strenger Blick beeindruckt, dem niemand auszuweichen vermochte. Damals hatte sich das junge Mädchen nichts sehnlicher gewünscht als Macht und eine unzerstörbare Autorität, die Bewunderung der Menschen und Anerkennung der Götter. Und nun hatte sie ihr Ziel erreicht. Hätte sie damals gewusst, welche Opfer dazu nötig waren, welche Lasten mit dem Alter einhergingen, das ihr die gewünschte Autorität bringen würde, wie gerne hätte sie auf all dies verzichtet.

Bint-Anat ließ die Listen sinken, als jemand an die Tür klopfte. Mit einer kurzen Geste bedeutete sie ihrer Dienerin, die schweren Türen der königlichen Residenz zu öffnen, auf der eine Sonnenscheibe aus Elektrum abgebildet war. Sie leuchtete aus der Mitte eines riesigen Ankhs, der in purem poliertem Gold erstrahlte.

»Die Königin befiehlt Euch, einzutreten.«

Sanft und melodisch klang die Stimme ihrer kleinen Leibdienerin. Tausendmal hatte sie diese Worte aus ihrem Mund gehört. Die große Königsgemahlin sah auf. Ein königlicher Herold betrat ihre Gemächer.

»Sprich! Welche wichtige Nachricht bringst du mir?«

Der Mann verbeugte sich ergeben. »Eure Majestät, der Kronprinz Merenptah bittet Euch, sofort nach Pi-Ramses zurückzukehren, denn der Mächtige Stier Ägyptens, Herr beider Länder, Kraftspeise Ägyptens, der die fremden Länder beherrscht, geliebt von Maat, König Ramses Usermaatre Setepenre Meriamun blickt bereits gen Westen und wird bald die Himmelsbarke besteigen.«

Die Königin nahm die Botschaft mit Fassung entgegen. Ramses war nun zweiundneunzig, und nur die Götter wussten, warum sie ihn so lange am Leben gelassen hatten. Bint-Anat hoffte, dass es ihretwegen gewesen war, weil sie Ägypten mit Umsicht regiert hatte. Vielleicht war dies ein Zeichen der Götter, die ihr damit ihre Gnade erwiesen hatten. Bint-Anat fühlte sich alt. Doch der Gedanke an den Verlust der Krone, der absoluten Macht, erschreckte sie zutiefst. Längst hatte sie begriffen, dass sie sich von allen anderen distanziert hatte. Sie war die Herrscherin, würde es immer sein, konnte sich nicht mehr in ihre Reihen eingliedern. Der Herold wartete auf eine Antwort, vorher durfte er sich nicht entfernen. Bint-Anat erhob sich. Ja – sie war die Herrscherin, und auch auf ihrem letzten Weg galt es, sich wie diese zu benehmen.

»Kehre so schnell wie möglich zurück und teile dem Kronprinzen mit, dass ich morgen aufbrechen werde.«

Der Herold verbeugte sich und entfernte sich sodann, ohne der Königin den Rücken zuzuwenden. Eigentlich wäre das nicht nötig gewesen, diese Etikette war nur für den König vorgesehen, doch war die Königin längst zum König geworden, hatte sich den Respekt aller ihrer Untergebenen mehrfach verdient.

Als Bint-Anat wieder allein war, blickte sie sich ein letztes Mal in den Gemächern der Königsgemahlin um und sparte auch die Prunktür nicht aus. »Ihr Götter, nun trete ich also eine der schwersten Aufgaben an, die ihr mir zugedacht habt. Gebt mir die Kraft dazu, wie ihr mir die Kraft zum Regieren geschenkt habt.«

Der König richtete sich ein letztes Mal auf, ein Zucken durchfuhr seinen ausgemergelten Körper, bevor er auf sein Lager zurückfiel und endlich diese nutzlose, ausgelaugte Hülle abstreifte, in der er jahrelang gefangen gewesen war. Just in diesem Moment wurde Bint-Anat von einer seltsamen Euphorie befallen, ein paar Sekunden tanzte das Gesicht des jungen Mannes vor ihren Augen, den sie damals im Palastgarten als kleines Mädchen für einen mäßig talentierten Lehrer gehalten hatte. Eine seltsame Todessehnsucht ergriff sie für den Bruchteil einer Sekunde.

Dann wurde sie gewaltsam in die Welt der Lebenden zurückgerissen, als die Priester ihre Sakralgesänge begannen und die zahlreichen Nebenfrauen, von denen einige Ramses nicht ein einziges Mal gesehen hatten, einen übertriebenen Klagegesang anstimmten.

Merenptah trat vor und sprach die heiligen Worte: »Der König ist gestorben, um zu leben. Man bringe seinen Körper ins Haus des Todes, auf dass er in siebzig Tagen wieder auferstehen möge.«

Bint-Anat ergriff ein letztes Mal die Hand ihres toten Gemahls und machte sich auf in ihre Gemächer, um sich für ihre letzte Audienz vorzubereiten.

Die Königin war angetan mit dem gesamten Ornat. Die hohen Federn krönten sie zur größten und höchsten Frau im Reich, Geißel und Krummstab berechtigten sie zur Exekutive. Zusätzlich prangte ein Stirnreif mit dem goldenen Uräus an ihrer Stirn, der keine Zweifel an ihrer königlichen und damit göttlichen Abstammung offen ließ. Prunkgewänder, die mit allerlei Edelsteinen besetzt waren, und weiße Antilopenledersandalen vervollkommneten das Bild.

Tani war über das Getue ihrer Mutter wütend. Ohne großes Aufheben fauchte sie sie an. »Was soll das Ganze hier? Ich habe erwartet, dich unter Versammlung aller Höflinge und der Familie im großen Audienzsaal anzutreffen. Jetzt bestellst du mich allein in den kleinen privaten Audienzsaal. Was soll das alles?«

Die Königin begann ruhig zu sprechen. »Keine Sorge, ich werde mich an unsere Abmachungen halten, nebenan warten schon die Hofschranzen und dein lächerlicher Gemahl, dem du hoffentlich recht bald die Krone entreißen wirst. Ich habe dich allein hierher kommen lassen, weil ich eine letzte Bitte an dich habe.«

Tani schnaubte vor Wut. »Eine Bitte, Mutter? Unsere Abmachungen waren klar. Solange Ramses' Herz schlägt.« Sie nahm eine drohende Haltung an. »Es hat soeben aufgehört zu schlagen! Ich für meinen Teil habe mich an unsere Abmachungen gehalten, jetzt tue du das Nötige.« Tani zeigte mit einem Fingernagel, der einer gut gepflegten Raubtierkralle glich, zur Tür, die in den großen Audienzsaal führte. »Du wirst jetzt sofort durch diese Tür gehen und Merenptah, diese kleine Ratte, als König bestätigen.«

Bint-Anat stand auf und schleuderte ihrer Tochter Geißel und Krummstab vor die Füße. »Du wagst es, mir zu befehlen, Tochter? Wer hat Ägypten all die Jahre regiert, wer hielt die Macht in den Händen, unangefochten, gnadenlos, doch gerecht?« Bint-Anat ging auf ihre Tochter zu, die durch den Wutanfall ihrer immer noch imposant anmutenden Mutter etwas eingeschüchtert war. »Du willst die Macht? Nimm sie, sie liegt vor deinen Füßen. Nimm Krummstab und Geißel, gehe durch diese Tür und setze dich auf den Thron. Aber wer glaubst du wird dir folgen? Niemand! Du törichtes Ding, was hast du Großes vollbracht, dass Priesterschaft, Militär oder wenigstens dieser verlogene Hofstaat zur dir aufsehen würden? Was hast du getan, um deine Befähigung zu beweisen? Ich könnte Merit-Amun sagen, sie solle das Dokument zerreißen, in dem ich dich meines Wohlwollens versichere.« Bint-Anat riss ihrer Tochter ein goldenes Pektoral vom Hals und brüllte sie an. »Was glaubst du, warum die Priesterschaft sich auf deine Seite stellen wird, du törichte Nilgans? Nur weil ich sie darum bitte. Sie setzen auf das Vertrauen, das *ich* in dich setze, das ist alles.« Bint-Anat gab ihrer Tochter eine gewaltige Ohrfeige, dann sammelte sie sich kurz und kehrte zur Gelassenheit ihrer Königlichkeit zurück. »Ich rate dir, missbrauche dieses Vertrauen nicht. Wenn ich den Eindruck gewinne, du könntest Ägypten vom Thron aus schaden, werde ich alles daransetzen, dich zu vernichten.«

Tani zitterte am ganzen Körper. Es war das einzige Mal, dass Sachmets Zorn ebenso wild in Bint-Anat aufgelodert war wie in Isisnofret – ein beeindruckendes und schauriges Schauspiel. Bint-Anat beachtete ihre Tochter nicht weiter. Sie setzte sich zurück in ihren Thronsessel und fuhr fort.

»Ich werde gleich durch diese Tür gehen und Merenptah und dich als Königspaar bestätigen. Doch mein Schreiben wirst du erst nach Ramses' Beisetzung erhalten. Ich werde ab heute Doppelkrone und Machtinsignien nur noch ein einziges Mal tragen – am Tag der Beisetzung meines Gemahls, um ihn zu ehren. Während der siebzigtägigen Trauerzeit werde ich mich zurückziehen, eine Zeit für dich und deinen Gemahl, eure Regierungsfähigkeit zu beweisen.« Bint-Anat hielt kurz inne. »Wer dabei wirklich regiert, ist mir völlig gleichgültig, geschieht es nur zum Wohl Ägyptens. Sollte ich nach der siebzigtägigen Regierungszeit zufrieden sein, wirst du das Schreiben aus meiner Hand erhalten, doch solltet ihr versagen«, Bint-Anat hob drohend eine Faust, »dann flehe die Götter um Gnade an, denn ich habe die Macht, sowohl dich als auch deinen Gemahl unwiderruflich zu stürzen – ja, mehr noch, euch für immer zum Schandfleck Ägyptens werden zu lassen. Ich habe diesen Trumpf schon immer in der Hand gehalten.«

Tani war bleich geworden. »Was sollte das wohl sein, das du gegen mich in der Hand hast, und warum hast du es nicht längst gegen mich verwendet, anstatt diese vielen Spielchen zu spielen?«

Die Königin lächelte eisig. »Weil, liebe Tochter, es unwiderruflich meinen eigenen Sturz zur Folge gehabt hätte.« Bint-Anat lehnte sich zurück. »Und glaube ja nicht, dass du dich durch Merenptah zur Krone mogeln könntest, wenn du ihn erpresst, dir trotzdem die hohen Federn aufs Haupt zu setzen. Er würde mit dir fallen und auch eure Kinder!«

Tani keuchte. »Warum, was für ein schreckliches Geheimnis verbirgst du vor mir?«

Bint-Anat flüsterte: »Nun, diesen Fluch erlege ich dir auf, Tani – du wirst es nie erfahren! Vielleicht bist du sicher, wenn ich tot bin, wer weiß?« Bint-Anat macht eine bedeutungsvolle Pause, um die Panik ihrer Tochter abzuschätzen. »Aber vielleicht gibt es Mitwisser, die dich sofort stürzen würden, wärst du eine schlechte Königin für Ägypten.« Bint-Anat erhob sich. »Komm jetzt, Tochter, dein Volk erwartet dich.«

Tani ging hinter Bint-Anat her. Gebrochen, gedemütigt – bereit, Ägypten eine gute Königin zu sein und eigene Belange hintanzustellen.

*Das Tal der Könige*

Merenptah verschloss Ramses' Grab und trat schwitzend zurück in die Sonne. Ein Blick auf seine Gemahlin ließ seinen Magen verkrampfen. Er hatte Angst. Ja, sie war ihm überlegen. Er konnte nicht gegen sie ankämpfen. Sie stand neben Bint-Anat, die ihn abschätzend musterte. Ein letztes Mal hatte sie das Königinnenornat angelegt und richtete ihren durchdringenden Blick auf ihn – ein letztes Mal. Eine Sorge weniger. Bint-Anat würde den Befehl erhalten, den Königspalast zu verlassen, zumindest darüber stimmten Merenptah und Tani überein. Völlig ausgelaugt machte sich Merenptah mit dem Hofstaat auf den Weg zurück in seine kühle Königsresidenz, wo er endlich die Kronen erhalten würde.

*Der Königspalast in Pi-Ramses*

Tani ging, um das Schreiben von ihrer Mutter zu fordern. Sie war eine gute Regentin gewesen. Alle waren zufrieden mit ihr, und es war ihr nicht einmal schwergefallen. Im Gegenteil, sie hatte Freude daran gefunden, das Reich zur Zufriedenheit zu verwalten. Sie schätzte die wohlwollenden, lobenden Worte der Berater viel mehr als den äußeren Pomp, der ihr jetzt ohnehin zustand. Doch ihre Mutter musste verschwinden. Seit der Unterredung im kleinen Audienzsaal fühlte sie sich bedroht. Sie hatte gut regiert, und wenn sie das Schreiben erst einmal in ihren Händen hielt, würde ihre Mutter es schwer haben, sie weiterhin zu bedrohen – schwer haben, ja, doch es wäre nicht unmöglich. Aber es war üblich, dass sich die Königswitwe in den Harem Faijum zurückzog. Tani würde ihr wohlwollend entgegenkommen, indem sie sich auf eines ihrer Landgüter zurückziehen dürfte. Es müsste nur weit weg von Pi-Ramses sein. Tani stieß unaufgefordert die Tür zu den Gemächern ihrer Mutter auf und blieb verblüfft stehen – sie waren vollkommen leer. Nichts, rein gar nichts erinnerte daran, dass hier einmal die große Königsgemahlin residiert hatte. Einzig und allein der Schreibtisch war an seinem Platz geblieben. Als Tani näher kam, bemerkte sie zwei Schriftrollen auf der polierten Tischplatte. Hastig entrollte sie die erste. Ein erleichtertes Lachen entfuhr ihr. Es war das Schreiben, das Tani begehrte, das sie zur legitimen Thronfolgerin bei der Priesterschaft machte. Zögernd griff sie zu der zweiten und entrollte sie ebenfalls. Es stand nur ein Satz in der Handschrift ihrer Mutter darauf, in den heiligen Hieroglyphen: *»Diene du Ägypten, lass Ägypten nicht dir dienen.«*

### *Abu Simbel*

Merit-Amun umarmte ihre Schwester herzlich. »Du hast meine Worte nicht vergessen!«

Bint-Anat drückte Merit-Amun an sich. »Niemals, du hast mir dereinst die Augen geöffnet, ich musste deinem Rat folgen.«

Merit-Amun und Bint-Anat setzten sich auf die Terrasse von Meris Gemächern und blickten sich lange wortlos an. Endlich brach Bint-Anat das Schweigen.

»Was bleibt mir jetzt noch zu tun, Schwester? Ich sehe den Weg nicht mehr klar vor mir.«

»Deshalb bist du hier, Schwester. Denn ich habe gesehen, dass es noch etwas zu tun gibt.«

Bint-Anat seufzte. »Und was könnte das sein? Ich habe keine Macht mehr, Ägypten braucht mich nicht mehr, ich fühle mich nackt, schutzlos, ausgeliefert wie ein kleines Kind. Ist das nicht töricht, Meri? Ich, die ich einst die absolute Macht in meinen Händen hielt, fühle mich das erste Mal in meinem Leben hilflos.«

Meri lächelte versonnen. »Aber Bint-Anat, die du die Gegensätze der Maat selbst erkannt hast, gerade du müsstest doch begreifen, dass es Macht nicht ohne Ohnmacht geben kann.«

»Natürlich weiß ich das, aber es schmerzt mich mehr, als ich jemals erwartet hätte, und was kann mir diese Erkenntnis nützen?«

»Du hast schon längst verstanden, Schwester, aber andere noch nicht. Deshalb ist dein Weg noch nicht zu Ende. Schreibe auf, was du weißt, Schwester, hinterlasse deine Geschichte für die, die nach uns kommen werden, auf dass die Maat lebe und leuchte, wenn Ägypten schon längst in Schutt und Asche liegt.«

»Aber warum ich? Warum nicht du, die du Priesterin bist und dich in spirituellen Dingen viel besser auskennst?«

Meri ergriff Bint-Anats Hand. »Weil du, Schwester, mehr gelebt hast als wir alle zusammen. Du hast gelebt mit einer Hingabe, mit einer Kraft, die uns in den Schatten stellt. Schreibe also dein gesamtes Leben nieder, deine Hoffnungen und Träume, deine Trauer, deine Schmerzen, auf dass alle das Prinzip des Lebens verstehen werden.«

Bint-Anat blickte auf ihre Hände. Schreiben!!! Ja, alles noch einmal von vorne erleben!

*Bubastis*

Alle suchten sie überall. Tani war unruhig. Sie wollte ihre Mutter in den Süden des Landes verbannen, weil sie sich ohne Erlaubnis davongestohlen hatte. In jeder entlegenen Ecke wurde nachgesehen, doch niemand fand Bint-Anat, denn niemand machte sich die Mühe, in der nächsten Umgebung zu suchen, in der Stadt der Katzengöttin Bastet, wo eine alte Frau in ihrer Tempelzelle an einem schmucklosen Schreibtisch saß und sich jede Woche haufenweise neue Papyri kommen ließ. Die Priesterinnen brachten ihr gerne die Schreibutensilien, denn die Frau war eine treue Anhängerin ihrer Göttin und beanspruchte niemals viel für sich. Sie wussten, wer sie ist – wer sie einst gewesen war –, und sie schworen, sie bis zu ihrem Tod zu verstecken. Die heiligen Maaus liebten sie, sie ließen sich gerne von ihr streicheln und besuchten sie oft in ihrer kleinen Zelle, weil die Frau ruhig war und immer einen Leckerbissen für sie bereithielt. Manchmal starrten sie die beschriebenen Papyri an, als ob sie

sie lesen und vielleicht ein paar eigene Anmerkungen einfügen wollten.

Eines Morgens betrat die junge Merit-Bast die kleine Zelle und wunderte sich darüber, dass die freundliche alte Frau nicht wie jeden Morgen an ihrem Schreibtisch saß, wenn sie ihr das Frühstück brachte. Sie sah sie in ihrem Bett liegen und wollte sie wecken, als sie die Kälte ihrer Hände bemerkte. Merit-Bast war keine dumme Gans, die beim Anblick einer Toten schreiend aus dem Zimmer gerannt wäre wie ein paar ihrer Tempelschwestern. Sie zog behutsam die Decke über das Gesicht der Alten und ging hinüber zu ihrem Schreibtisch. Dort sah sie die beiden wunderschönen Armreifen mit der Kartusche des verstorbenen Osiris Ramses liegen und bewunderte sie ein paar Minuten. Dann griff sie entschlossen zu den Manuskripten, die sorgfältig in Holzkästchen verstaut waren, und suchte so lange, bis sie den Anfang fand. Sie begann langsam zu lesen, denn sie war eine Gemeine und hatte das Lesen und Schreiben nur sehr lückenhaft gelernt. »Ich, Bint-Anat, Tochter und große königliche Gemahlin des großen Osiris Ramses …«

Merit-Bast las den ersten Absatz zu Ende und legte die Rolle wieder sorgfältig auf den Stapel in das Holzkästchen. Was sie gelesen hatte, reichte vollkommen. Erstens würde es ihr Leben dauern, alles zu lesen, und zweitens war das Geschriebene nicht für sie bestimmt. Nein, für niemanden hier! Sie tat die goldenen Armreifen in das erste Holzkästchen, dann nahm sie ein Leinentuch und band es zusammen, um alle Holzkästchen hastig in den gebastelten Beutel zu werfen. Sie kannte einen sicheren Ort für das Vermächtnis der alten Frau. Dort würde es ruhen, bis die Zeit gekommen war, es zu finden …

# Glossar

| | |
|---|---|
| Aanch | das ägyptische Henkelkreuz, am oberen Ende in einer Schlaufe verlaufend, die ewiges Leben symbolisiert; deshalb auch Lebenszeichen genannt |
| Ammit | Seelenverschlinger beim Totengericht; wog das Herz des Verstorbenen schwerer als die Feder der Maat, so verschlang Ammit dieses |
| Amun | Reichsgott im neuen Reich |
| Anat | syrische Kriegsgöttin |
| Anubis | Totengott in Gestalt eines Schakals |
| Apis | der heilige Stier |
| Atum | Abendsonne, als alter Mann dargestellt |
| Auraris | ehemalige Hauptstadt der Fremdherrscher (Hyksos) |
| Barke | Prunkschiff der Reichen, mit Ruderern besetzt |
| Bastet (Bast) | Katzengöttin, Göttin der femininen Liebe, Leidenschaft und Erotik |
| Bubastis | Stadt, in der Bastet verehrt wurde |
| Chatti | Hethiterreich (Anatolien) |
| Chepresh | blaue Königskrone |
| Djed-Pfeiler | Wirbelsäule von Osiris |
| Doppelfederkrone | die »hohen Federn« durften die legitimen Königsgemahlinnen tragen, mit dem |

| | |
|---|---|
| | Sonnenball in der Mitte, wenn sie gebärfähig waren |
| Echnaton | Amenophis IV., bekannt als Ketzerkönig, wollte Aton – die Mittagssonne – zum alleinigen Gott machen |
| Elektrum | eine Legierung aus Gold und Silber |
| Faijum | blühende Oase im Nildelta, wo die Reichen Anwesen besaßen und sich der königliche Harem befand |
| Geb | Erdgott |
| Geierhaube | eine Art Prinzessinnenkrone, auf jeden Fall eine Kopfbedeckung, die die königlichen Frauen auszeichnete |
| Hathor | Liebesgöttin in Menschen- oder Kuhgestalt |
| Hor im Nest | der Falke im Nest (Thronfolger) |
| Horus | Falkengott, Sohn von Isis und Osiris |
| Hund und Schakal | altägyptisches Spiel |
| Imhotep | Architekt und Arzt aus dem alten Reich, wurde zum Gott erklärt |
| Isis (Aset) | Mutter von Horus, Göttin der Frauen, der Ehe, der Familie |
| Ka | die »Seele« – bei den Ägyptern gab es im bezeichnenden Sinne keine Seele, denn der Geist brauchte seinen Körper; es existierten mehrere verschiedene Einheiten, die zusammengehörten, u. a. auch das Ba |
| Kanopen | Gefäße, die meist das Gesicht des Verstorbenen zeigten und in denen seine Eingeweide aufbewahrt wurden |

| | |
|---|---|
| Karnak | Tempelbezirk des im neuen Reich als Reichsgott verehrten Gottes Amun |
| Kartusche | Namenszug, eingefasst in ein dargestelltes Seil |
| Kemet | altägyptische Bezeichnung für Ober- und Unterägypten; man nannte die beiden Länder auch das Land der Biene und das Land der Binse |
| Kohol | schwarze Schminke, mit der die Ägypter ihre Augen umrahmten |
| Maat | zum einen Göttin der Harmonie und inneren Ordnung, zum anderen Hieroglyphe für kosmische Ordnung, Ausgewogenheit; der König wurde oft als Hüter der Maat erwähnt, d. h., er hatte dafür zu sorgen, dass das Land gerecht regiert wurde; die Maat stand auch für Gerechtigkeit |
| Mesdemet | grünliche Schminke für die Augen |
| Min-Fest | altägyptisches Fest zur Sicherung einer reichen Ernte |
| Modius | tellerartige Krone für die Frauen |
| Mut | Göttergemahlin des im neuen Reich amtierenden Reichsgottes Amun |
| Nemes-Tuch | pharaonische Kopfbedeckung, für den König in seinen Farben (blau-weiß) gestreift und mit dem Uräus an der Stirn |
| Nut | Göttin, die Re, die Sonne, jeden Morgen gebiert und jeden Abend wieder verschlingt |
| Obelisk | große Steinnadeln, die Könige für sich errichten ließen |

| | |
|---|---|
| Olibanum | Gewürz, wurde aber auch als Räucherwerk in Tempeln benutzt |
| Opet-Fest | altägyptisches Fest, bei dem Amuns Hochzeit mit seiner Göttergemahlin Mut gefeiert wurde |
| Osiris | Gott des Totenreiches, Gemahl von Isis, Vater von Horus |
| Pektoral | Brustschmuck, dessen Kette mit einem Gegengewicht für den Rücken versehen war |
| Pschent | Doppelkrone, setzt sich zusammen aus der weißen und roten Krone für Ober- und Unterägypten |
| Ptah | Schöpfergott zu Heliopolis |
| Re oder Ra | Sonnengott |
| Sachmet | Löwengöttin, Zerstörerin, Göttin des Chaos |
| Sed-Fest | das Heb-Sed-Fest wurde zum 30. Regierungsjubiläum des jeweiligen Herrschers gefeiert, um seine Kraft zu erneuern, danach wurde es alle drei Jahre wiederholt |
| Sem-Priester | Totenpriester |
| Senet | altägyptisches Spiel |
| Seth | Gott des Krieges, der Zerstörer |
| Sistrum | altägyptisches Musikinstrument |
| Skarabäus | heiliger Käfer |
| Sothis | Himmelsgestirn, nach dem der Neujahrstag berechnet wurde; ebenfalls Fruchtbarkeitszeichen, weshalb der Sonnenball der Doppelfederkrone auch Sothis-Gestirn genannt wurde |

| | |
|---|---|
| Thöeris | Göttin der Geburt und der Mutterschaft, dargestellt durch aufrecht stehendes, trächtiges Nilpferd |
| Thot | ibis- oder paviänköpfig dargestellt, Gott der Zeit, des Schreibens und der Mathematik sowie der Heilkundigen |
| Uräus | die hoch stehende Königskobra, die sich an der Krone des Königs befindet und seine Feinde sofort vergiften soll |
| Wesech | breiter Kragen, den sowohl Männer als auch Frauen trugen |

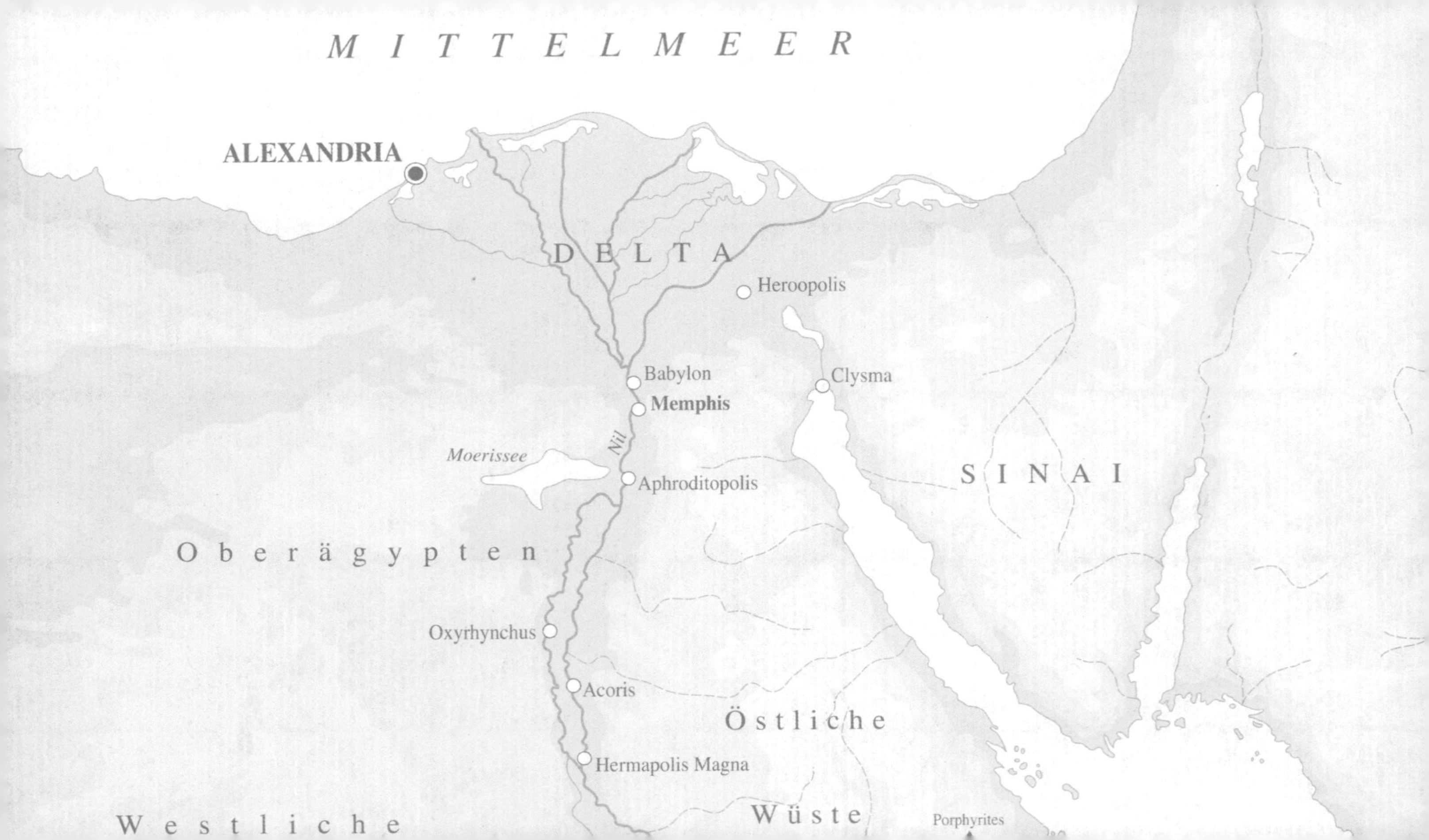

MITTELMEER
ALEXANDRIA
DELTA
Heroopolis
Babylon
Memphis
Clysma
Nil
Moerissee
Aphroditopolis
SINAI
Oberägypten
Oxyrhynchus
Acoris
Östliche
Hermapolis Magna
Westliche
Wüste
Porphyrites